*А*нтология Сатиры и Юмора России XX века

Ира привет!

...авил сборник,

о монтаж!

...евшие лебеди"

...нижка бу

е „Камерные

7-22.

...и на каждый день"

...галочками. Хочешь —

...бавь.

...ный дневник"

...нижка —

...мечено галочками.

23/IX-2000г.

Милый Юра привет!
Я честно составил сборник,
пишу тебе его монтаж:
Цикл „Обгусевшие лебеди"
(это синяя книжка без
супера - там, где „Камерные
гарики". Стр. 7-22.
Из книги „Гарики на каждый день"
Всё отмечено галочками. Хочешь
добавь, хочешь - убавь.
Из книги „Тюремный дневник"
(та же синяя книжка -
стр. 23-70. Отмечено галочками.
Из книги „Сибирский дневник"
(та же синя книжка -
стр. 273-328 - отмечено
галочками)
Из книги „Московский дневник"
(там же - стр. 329-361 -
- отмечено галочками.
Из книги „Гарики из Иерусалима"-
- Красная книжка, всё отмечено.
Там - 3 дневника.
Из книги „Закатные гарики"-
- всё отмечено.
Если тебе покажется уместным
вставить еще кусок прозы, то возьми,

Антология Сатиры и Юмора России XX века

Игорь Губерман

«ЭКСМО-Пресс» 2002

УДК 882
ББК 84(2 Рос-Рус)6-7
  Г 93

АНТОЛОГИЯ САТИРЫ И ЮМОРА РОССИИ XX ВЕКА
Игорь Губерман

Серия основана в 2000 году

Губерман И.
Г 93   Антология Сатиры и Юмора России XX века. Том 17. —
М.: Изд-во ЭКСМО-Пресс, 2002. — 560 с., илл.

УДК 882
ББК 84(2 Рос-Рус)6-7

ISBN 5-04-088115-0(т. 17)
ISBN 5-04-003950-6

$\mathcal{C}$одержание

НА ДВОРЕ СТОИТ ЭПОХА

Хорошие глаза у Губермана.

Недоверчивые и несколько потерянные.

Виделся-то я с ним полтора раза. Подружиться не успел. Почти не выпивал. Поэтому суждения мои о его творчестве свободные, очищенные от знания человеческих черт, какими бы они ни были...

Всегдашнее недоверие вызывает у меня обязательная строгая поэтическая форма. Все эти венки сонетов и стада газелей. Что ты, ей-богу, суровый Дант, заковываешь своего Пегаску в четырнадцать строк? Скачи, как скачется. Разве что японские трехстрочные хокку и пятистрочные танки всегда органичны. Но там другое дело: смысловой пейзаж создает не только слово, но и его начертание. Гляньте-ка — у Губермана среднее между хокку и танкой — четыре строки. Теперь попробуйте вспомнить знаменитые четверостишия, написанные на русском. Кажется, два: «Умом Россию не понять...» и «Она тогда ко мне придет...». Нехарактерно подобное самоограничение для русского стиха. У Губермана сотни этих коротышек. Да еще название — «гарики».

Признаюсь, такого рода жанровое самоуважение мне претит. Понты последнего времени. Особенно грешат этим юмористы. Все эти «шендевры», «вишневский сад», «кнышутки». Даже безупречный М.М. подарил «жваньками». Теперь представьте себе «щедринки» и «гоголютки». Не представили.

Теперь вот что. У вас есть роман Роже Мартен Дю Гара «Семья Тибо»? Возьмите книжку, которую сейчас держите в начитанных руках, и запихните за сказанную семью. Дитя туда точно не полезет. Если вы, конечно, хотите, чтобы ваше дитя так и осталось на уровне телепузиков и смертельной борьбы памперсов с прокладками. Если хотите, чтобы оно, дитя, сделалось вашим собеседником и думало о быстротекущей жизни, о полынной судьбе своей одной шестой, о том, что смеяться над чем-либо вовсе не означает нелюбви к этому чему-то, — дайте ему эту книгу. Откройте наугад.

> Я Россию часто вспоминаю,
> думая о давнем дорогом,
> я другой такой страны не знаю,
> где так вольно, смирно и кругом.

Указательный палец дитяти потянулся перевернуть страничку. Он читает далее:

> Я вдруг утратил чувство локтя
> с толпой кишащего народа,
> и худо мне, как ложке дегтя
> должно быть худо в бочке меда.

Печально-то как! Традиционная романтическая позиция — вы народ, я поэт. Только наоборот. Не вы чернь, я чёрен.

Без ощущения отделенности, отдельности нет поэта. Легко определить эту отдельность, как еврейство. Ничего не получается. В обетованных кущах она у Губермана не исчезла, если не усилилась. Говоря о русских четверостишиях, мы не сказали о частушке. Несколько «гариков» счастливо потеряли авторство и стали народными. Самая завидная доля для автора. Кажется, еще в семидесятом году я пел:

«Я евреям не даю, я в ладу с эпохою...» А вот он, оказывается, кто автор!

Губерман поэт брутальный, «мущинистый». Он во многих стихах подчеркивает это качество, с осознанным достоинством погромыхивает своими сексуальными доспехами. И был бы ужасен, если бы столько же над ними не иронизировал. Многих стихов заправских лириков и даже романов стоит его формула:

> На дворе стоит эпоха,
> а в углу стоит кровать,
> и когда мне с бабой плохо,
> на эпоху мне плевать.

Наверное, бабам с ним хорошо.

Новейшее время выявило множество заявителей о своей борьбе с режимом. Губерман, похоже, не заявляет. Хотя он, в отличие от большинства борцов, по-настоящему хлебнул баланды.

В истории поэзии немного творцов, творчество которых не делилось бы на «периоды». В русской поэзии таковым считается Тютчев. Вовсе не проводя параллелей, заметим, что Губерман идет по прямой дороге. Его стихи с годами не становятся мудрее. И глупее не становятся. Не становятся изощреннее, но и не теряют остроту.

Трудно о нем писать. Сам избранный им жанр определяет эту трудность. В лесенке четыре ступеньки, но лесенок бессчетное множество. Ведут они к горным и горьким высотам и ровно в той же степени — в подвалы.

Но точно — не в пустоту.

ВАДИМ ЖУК

ПУНКТИР ЖИЗНИ
(Автобиография)

С радостью хочу начать

с того, что я — коренной москвич, шестьдесят пять лет тому назад родившийся в Харькове. Я думаю, что мама увезла меня туда рожаться, чтобы, не тревожа папу, сделать мне обрезание. Поскольку ровно на восьмой день я уже вернулся в Москву с отрезанным — так шутили впоследствии — путем в аспирантуру. Впрочем, это ни моих родителей, ни тем более меня тогда отнюдь не волновало. До двух лет я не говорил, а объяснялся жестами — уже соседские родители стали бояться, что со мной общались их дети. Но потом я все-таки заговорил, а все, что умолчал, наверстываю до сих пор.

В школу меня отдали сразу во второй класс (я уже умел читать и писать), при поступлении мне учинили мелкий экзамен, я забыл, как пишется заглавная буква «д», и горько расплакался, но меня все же приняли. С тех пор я многие годы сладко плачу на сентиментальных кинофильмах — особенно про сельское хозяйство. А на закате очень тянет выпить. Два этих последствия от детской травмы породили во мне много лет спустя интерес к психологии, и про все, что слабо достоверно, я стал писать научно-популярные статьи и книги.

Но до этого я кончил школу, поступил в железнодорожный институт, обрел диплом инженера-электрика и много лет с омерзением работал по специальности. Однако же образование зря не пропало: я соблазнил свою будущую жену мгновенной починкой выключателя у торшера в ее комнате. После чего мы погасили этот осветительный прибор и перешли к совместному ведению хозяйства. Что продолжается уже почти сорок лет. Я очень счастлив, а за жену не гарантирую, не спрашивал, уж очень она тонкий и тактичный человек, и правды все равно я не узнаю. А секрет нашего долгого душевного согласия мной давно уже раскрыт и обнародован: размер туфель жены — это год моего рождения, и наоборот, более глубокая причина вряд ли существует.

В семейной жизни я угрюм, неразговорчив, деспотичен, мелочен, капризен и брюзглив. Очевидно, именно поэтому все полагают, что в стихах я юморист. А я — типичный трагик, просто надо уметь это читать, но все предпочитают устоявшуюся репутацию.

Первый год по окончании института я работал в Башкирии машинистом электровоза, в силу чего на всю оставшуюся жизнь сохранил замашки пролетария: носки меняю редко и подозрителен к высоколобым очкарикам.

Жил я интересно и разнообразно, в силу чего заслужил возможность продолжить свое образование в тюрьме, лагере и ссылке. Сажали тогда, в сущности, по всего одной статье, она сполна выражала собой весь томик Уголовного кодекса: «Неадекватная реакция на заботу партии и правительства». А я действительно уже много лет портил своими стишками атмосферу глубокого удовлетворения, в которой пребывало население страны. Пять лет на этом гуманитарном факультете миллионов пошли мне весьма на пользу, я советской власти очень благодарен. Кстати, в юности меня довольно часто били (поделом — я был еврей, тихоня и отличник) — этим сверстникам я тоже очень признателен, ибо физически с их помощью развился.

Благодаря двум детям (дочь и сын) мы с женой исполнили свой долг по воспроизведению человечества. Уже тринадцать лет мы все живем в Израиле, где нам жарко, опасно и замечательно хорошо. Здесь я смог воочию убедиться, что самая гениальная выдумка антисемитов — это миф о поголовной умности еврейского народа. Ох, если б это было так!

Много езжу выступать в разные страны, где наглядно вижу, что, где нас нет, там тоже не чрезмерно хорошо. В силу этого я и на склоне лет остаюсь оптимистом, сохраняя недоверчивую любовь к человечеству. Все остальное сказано в стихах, сопровождающих неровный пунктир моей жизни уже несколько десятков лет.

ИГОРЬ ГУБЕРМАН
Июль 2001 г.

Гарики
на каждый день

Том первый

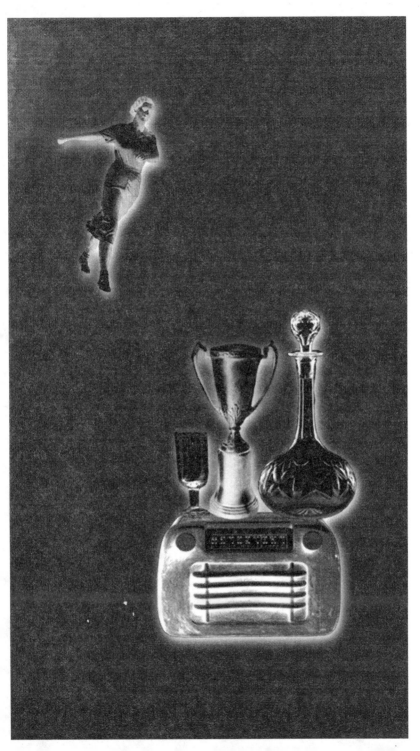

Утучняется плоть,
Испаряется пыл.
Годы вышли на медленный
                    ужин.

И приятно подумать,
Что все-таки был
И кому-то бывал я нужен.

Глава 1

КАК ПРОСТО ОТНЯТЬ У НАРОДА СВОБОДУ; ЕЕ НАДО ПРОСТО ДОВЕРИТЬ НАРОДУ

Мне Маркса жаль: его наследство
свалилось в русскую купель:
здесь цель оправдывала средства,
и средства обосрали цель.

Во благо классу-гегемону,
чтоб неослабно правил он,
во всякий миг доступен шмону
отдельно взятый гегемон.

Слой человека в нас чуть-чуть
наслоен зыбко и тревожно,
легко в скотину нас вернуть,
поднять обратно очень сложно.

Я молодых, в остатках сопель,
боюсь, трясущих жизнь, как грушу,
в душе темно у них, как в жопе,
а в жопе — зуд потешить душу.

*К*огда истории сквозняк
свистит по душам и державам,
один — ползет в нору слизняк,
другой — вздувается удавом.

*Д*обро, не отвергая средства зла,
по ним и пожинает результаты;
в раю, где применяется смола,
архангелы копытны и рогаты.

*П*о крови проникая до корней,
пронизывая воздух небосвода,
неволя растлевает нас сильней,
чем самая беспутная свобода.

*П*еро и глаз держа в союзе,
я не напрасно хлеб свой ем:
Россия — гордиев санузел
острейших нынешних проблем.

*М*не повезло: я знал страну,
одну-единственную в мире,
в своем же собственном плену
в своей живущую квартире.

В года растленья, лжи и страха
узка дозволенная сфера:
запретны шутки ниже паха
и размышленья выше хера.

С историей не близко, но знаком,
я славу нашу вижу очень ясно:
мы стали негасимым маяком,
сияющим по курсу, где опасно.

*В*озглавляя партии и классы,
лидеры вовек не брали в толк,
что идея, брошенная в массы, —
это девка, брошенная в полк.

*В*се социальные системы —
от иерархии до братства —
стучатся лбами о проблемы
свободы, равенства и блядства.

*Н*ас книга жизни тьмой раздоров
разъединяет в каждой строчке,
а те, кто знать не знает споров, —
те нас ебут поодиночке.

В нас пульсом бьется у виска
душевной смуты злая крутость;
в загуле русском есть тоска,
легко клонящаяся в лютость.

*И*мея сон, еду и труд,
судьбе и власти не перечат,
а нас безжалостно ебут,
за что потом бесплатно лечат.

*Р*оссийский нрав прославлен в мире,
его исследуют везде,
он так диковинно обширен,
что сам тоскует по узде.

*З*има не переходит сразу в лето,
на реках ледоход весной неистов,
и рушатся мосты, и помнить это
полезно для российских оптимистов.

Не в силах нас ни смех, ни грех
свернуть с пути отважного,
мы строим счастье сразу всех,
и нам плевать на каждого.

Любую можно кашу моровую
затеять с молодежью горлопанской,
которая Вторую мировую
уже немного путает с Троянской.

Глава 2

*С*РЕДИ НЕМЫСЛИМЫХ ПОБЕД
ЦИВИЛИЗАЦИИ
МЫ ОДИНОКИ, КАК КАРАСЬ
В КАНАЛИЗАЦИИ

*И*з нас любой, пока не умер он,
себя слагает по частям
из интеллекта, секса, юмора
и отношения к властям.

*К*огда-нибудь, впоследствии, потом,
но даже в буквари поместят строчку,
что сделанное скопом и гуртом
расхлебывает каждый в одиночку.

С рожденья тягостно раздвоен я,
мечусь из крайности в конец,
родная мать моя — гармония,
а диссонанс — родной отец.

*М*ежду слухов, сказок, мифов,
просто лжи, легенд и мнений
мы враждуем жарче скифов
за несходство заблуждений.

*К*ишат стареющие дети,
у всех трагедия и драма,
а я гляжу спектакли эти
и одинок, как хер Адама.

В сердцах кому-нибудь грубя,
ужасно вероятно
однажды выйти из себя
и не войти обратно.

*Т*о наслаждаясь, то скорбя,
держась пути любого,
будь сам собой, не то тебя
посадят за другого.

*Н*е прыгай с веком наравне,
будь человеком;
не то окажешься в гавне
совместно с веком.

Гляжу, не жалуюсь, как осенью
повеял век на ряди белые,
и вижу с прежним удовольствием
фортуны ягодицы спелые.

Хотя и сладостен азарт
по сразу двум идти дорогам,
нельзя одной колодой карт
играть и с дьяволом, и с Богом.

Непросто — думать о высоком,
паря душой в мирах межзвездных,
когда вокруг под самым боком
сопят, грызут и портят воздух.

Никто из самых близких поневоле
в мои переживания не вхож,
храню свои душевные мозоли
от любящих участливых галош.

Возделывая духа огород,
кряхтит гуманитарная элита,
издерганная болью за народ
и сменами мигрени и колита.

С успехами наук несообразно,
а ноет — и попробуй заглуши —
моя неоперабельная язва
на дне несуществующей души.

Эта мысль — украденный цветок,
просто рифма ей не повредит:
человек совсем не одинок —
кто-нибудь всегда за ним следит.

С душою, раздвоенной, как копыто,
обеим чужероден я отчизнам —
еврей, где гоношат антисемиты,
и русский, где грешат сионанизмом.

Уходят сыновья, задрав хвосты,
и дочери томятся, дома сидя;
мы садим семена, растим цветы,
а после только ягодицы видим.

Живу я одиноко и сутуло,
друзья поумирали или служат,
и там, где мне гармония блеснула,
другие просто жопу обнаружат.

Я вдруг утратил чувство локтя
с толпой кишащего народа,
И худо мне, как ложке дегтя
должно быть худо в бочке меда.

*С*мешно, когда мужик, цветущий
                                густо,
с родной державой соли съевший пуд,
внезапно обнаруживает грустно,
что, кажется, его давно ебут.

*В*о всем, что видит или слышит,
предлог для грусти находя,
зануда — нечто вроде крыши,
текущей даже без дождя.

*Н*а нас нисходит с высоты
от вида птичьего полета
то счастье сбывшейся мечты,
то капля жидкого помета.

*М*ы умны, а вы — увы,
что печально, если
жопа выше головы,
если жопа в кресле.

В БОРЬБЕ ЗА НАРОДНОЕ ДЕЛО Я БЫЛ ИНОРОДНОЕ ТЕЛО

В стране рабов, кующих рабство,
среди блядей, поющих блядство,
мудрец живет анахоретом,
по ветру хер держа при этом.

*С*ебя расточая стихами
и век промотавши, как день,
я дерзко хватаю руками
то эхо, то запах, то тень.

*Н*а все происходящее гляжу
и думаю: огнем оно гори;
но слишком из себя не выхожу,
поскольку царство Божие — внутри.

*П*рожив полвека день за днем
и поумнев со дня рождения,
теперь я легок на подъем
лишь для совместного падения.

Красив, умен, слегка сутул,
набит мировоззрением,
вчера в себя я заглянул
и вышел с омерзением.

В живую жизнь упрямо верил я,
в простой резон и в мудрость шутки,
а все высокие материи
блядям раздаривал на юбки.

Толстухи, щепки и хромые,
страшилы, шлюхи и красавицы,
как параллельные прямые,
в моей душе пересекаются.

Мне моя брезгливость дорога,
мной руководящая давно:
даже чтобы плюнуть во врага,
я не набираю в рот гавно.

Я был везунчик и счастливчик,
судил и мыслил просвещенно,
и не один прелестный лифчик
при мне вздымался учащенно.

*М*ой небосвод хрустально ясен
и полон радужных картин
не потому, что мир прекрасен,
а потому, что я — кретин.

*Н*а дворе стоит эпоха,
а в углу стоит кровать,
и когда мне с бабой плохо,
на эпоху мне плевать.

*П*ишу не мерзко, но неровно;
трудиться лень, а праздность злит.
живу с еврейкой полюбовно,
хотя душой — антисемьит.

Я оттого люблю лежать
и в потолок плюю,
что не хочу судьбе мешать
кроить судьбу мою.

*В*се вечные жиды во мне сидят —
пророки, вольнодумцы, торгаши,
и, всласть жестикулируя, галдят
в потемках неустроенной души.

Я ни в чем на свете не нуждаюсь,
не хочу ни почестей, ни славы;
я своим покоем наслаждаюсь,
нежным, как в раю после облавы.

*П*ока не поставлена клизма,
я жив и довольно живой;
коза моего оптимизма
питается трын-травой.

*Н*ичем в герои не гожусь —
ни духом, ни анфасом;
и лишь одним слегка горжусь
что крест несу с приплясом.

*К*лянусь компотом детства моего
и старческими грелками клянусь, —
что я не испугаюсь ничего,
случайно если истины коснусь.

*Ч*то расти с какого-то момента
мы перестаем — большая жалость:
мне, возможно, два лишь сантиметра
до благоразумия осталось.

*Н*а дереве своей генеалогии
характер мой отыскивая в предках,
догадываюсь грустно я, что многие
качаются в петле на этих ветках.

*С*клонен до всего коснуться глазом
разум неглубокий мой, но дошлый,
разве что в политику ни разу
я не влазил глубже, чем подошвой.

*З*а то, что смех во мне преобладает
над разумом средь жизненных баталий,
фортуна меня щедро награждает
обратной стороной своих медалей.

В этом странном окаянстве —
как живу я? Чем дышу?
Шум и хам царят в пространстве,
шумный хам и хамский шум.

*К*огда-нибудь я стану знаменит,
по мне окрестят марку папирос,
и выяснит лингвист-антисемит,
что был я прибалтийский эскимос.

*Ч*то стал я пролетарием — горжусь;
без устали, без отдыха, без фальши
стараюсь, напрягаюсь и тружусь,
как юный лейтенант — на генеральше.

*К*аков он, идеальный мой читатель?
С отчетливостью вижу я его:
он скептик, неудачник и мечтатель,
и жаль, что не читает ничего.

*Г*осподь — со мной играет ловко,
а я — над Ним слегка шучу,
по вкусу мне моя веревка,
вот я ногами и сучу.

*Б*луд мировых переустройств
и бред слияния в экстазе —
имеют много общих свойств
со смерчем смыва в унитазе.

*Э*поха, мной за нравственность горда,
чтоб все об этом ведали везде,
напишет мое имя навсегда
на облаке, на ветре, на дожде.

Куда по смерти душу примут,
я с Богом торга не веду;
в раю намного мягче климат,
но лучше общество в аду.

Глава 4

С ЕМЬЯ ОТ БОГА НАМ ДАНА, ЗАМЕНА СЧАСТИЮ ОНА

 енщиной славно от века

все, чем прекрасна семья;
женщина — друг человека,
даже когда он свинья.

Мужчина — хам, зануда, деспот,
мучитель, скряга и тупица;
чтоб это стало нам известно,
нам просто следует жениться.

Творец дал женскому лицу
способность перевоплотиться:
сперва мы вводим в дом овцу,
а после терпим от волчицы.

Съев пуды совместной каши
и года отдав борьбе,
всем хорошим в бабах наших
мы обязаны себе.

*Н*е судьбы грядущей тучи,
не трясина будней низких,
нас всего сильнее мучит
недалекость наших близких.

*Б*рожу ли я по уличному шуму,
ем кашу или моюсь по субботам,
я вдумчиво обдумываю думу:
за что меня считают идиотом?

*С*емья — надежнейшее благо,
ладья в житейское ненастье,
и с ней сравнима только влага,
с которой легче это счастье.

*Н*е брани меня, подруга,
отвлекись от суеты,
все и так едят друг друга,
а меня еще и ты.

*Ч*тобы не дать угаснуть роду,
нам Богом послана жена,
а в баб чужих по ложке меду
вливает хитрый сатана.

Детьми к семье пригвождены,
мы бережем покой супруги;
ничто не стоит слез жены,
кроме объятия подруги.

Мое счастливое лицо
не разболтает ничего;
на пальце я ношу кольцо,
а шеей — чувствую его.

Тому, что в семействе трещина,
всюду одна причина:
в жене пробудилась женщина,
в муже уснул мужчина.

Если днем осенним и ветреным
муж уходит, шаркая бодро,
треугольник зовут равнобедренным,
невзирая на разные бедра.

Был холост — снились одалиски,
вакханки, шлюхи, гейши, киски;
теперь со мной живет жена,
а ночью снится тишина.

Цепям семьи во искупление
Бог даровал совокупление;
а холостые, скинув блузки,
имеют льготу без нагрузки.

Господь жесток. Зеленых неучей,
нас обращает в желтых он,
а стайку нежных тонких девочек —
в толпу сварливых грузных жен.

Когда в семейных шумных сварах
жена бывает не права,
об этом позже в мемуарах
скорбит прозревшая вдова.

Если б не был Создатель наш связан
милосердием, словно веревкой,
Вечный Жид мог быть жутко наказан
сочетанием с Вечной Жидовкой.

Хвалите, бабы, мужиков:
мужик за похвалу
достанет месяц с облаков
и пыль сметет в углу.

*Г*де стройность наших женщин?

               Годы тают,
и стать у них совсем уже не та;
зато при каждом шаге исполняют
они роскошный танец живота.

*С*емья — театр, где не случайно
у всех народов и времен
вход облегченный чрезвычайно,
а выход сильно затруднен.

*Б*ойся друга, а не врага —
не враги нам ставят рога.

*Н*аших женщин зря пугает слух
про мужских измен неотвратимость,
очень отвращает нас от шлюх
с ними говорить необходимость.

*В*ек за веком слепые промашки
совершает мужчина, не думая,
что внутри обаятельной пташки
может жить крокодильша

               угрюмая.

*Р*азбуженный светом, ожившим
в окне,
я вновь натянул одеяло;
я прерванный сон об измене жене
хотел досмотреть до финала.

*В*полне владеть своей женой
и управлять своим семейством
куда труднее, чем страной,
хотя и мельче по злодействам.

Глава 5

*Е*СЛИ ЖИЗНЬ ИЗЛИШНЕ ДЕЛОВАЯ, ФУНКЦИЯ СЛАБЕЕТ ПОЛОВАЯ

*П*рожив уже почти полвека,
тьму перепробовав работ,
я убежден, что человека
достоин лишь любовный пот.

*З*а то люблю я разгильдяев,
блаженных духом, как тюлень,
что нет меж ними негодяев
и делать пакости им лень.

*Л*ишь перед смертью человек
соображает, кончив путь,
что слишком короток наш век,
чтобы спешить куда-нибудь.

*З*апетыми в юности песнями,
другие не слыша никак,
живет до скончания пенсии
счастливый и бодрый мудак.

*П*оскольку жизнь, верша полет,
чуть воспарив, — опять в навозе,
всерьез разумен только тот,
кто не избыточно серьезен.

*В*есьма причудлив мир в конторах
от девяти и до шести;
бывают жопы, из которых
и ноги брезгуют расти.

У скряги прочные запоры,
у скряги темное окно,
у скряги вечные запоры —
он жаден даже на гавно.

*В*ремя наше будет знаменито
тем, что сотворило страха ради
новый вариант гермафродита:
плотью — мужики, а духом — бляди.

*Б*лажен, кто искренне не слышит
своей души смятенный стон:
исполнен сил и счастлив он,
с годами падая все выше.

*Н*е стану врагу я желать по вражде
ночей под тюремным замком,
но пусть он походит по малой нужде
то уксусом, то кипятком.

В кровати, хате и халате
покой находит обыватель.
А кто романтик, тот снует
и в шестеренки хер сует.

В искушениях всяких и разных
дух и плоть усмирять ни к чему;
ничего нет страшней для соблазна,
чем немедля поддаться ему.

С тихой грустью художник ропщет,
что при точно таком же харче
у коллеги не только толще,
но еще и гораздо ярче.

В конторах служат сотни дур,
бранящих дом, плиту и тряпку;
у тех, кто служит чересчур,
перерастает матка — в папку.

*Н*е суйся запевалой и горнистом,
но с бодростью и следуй и веди;
мужчина быть обязан оптимистом,
все лучшее имея впереди.

Я на карьеру, быт и вещи
не тратил мыслей и трудов,
я очень баб любил и женщин,
а также девушек и вдов.

*Е*сть страсти, коим в восхваление
ничто нигде никем не сказано;
я славлю лень — преодоление
корысти, совести и разума.

*Н*аш век легко плодит субъекта
с холодной згой в очах порочных,
с мешком гавна и интеллекта
на двух конечностях непрочных.

*С*негом порошит моя усталость,
жизнь уже не книга, а страница,
в сердце — нарастающая жалость
к тем, кто мельтешит и суетится.

B советах нету благодати
и большей частью пользы нет,
и чем дурак мудаковатей,
тем он обильней на совет.

*В*ладыкой мира станет труд,
когда вино польет из пушек,
и разом в девственность впадут
пятнадцать тысяч потаскушек.

*Т*ы вечно встревожен, в поту,
                          что в соку,
торопишься так, словно смерть
                          уже рядом;
ты, видно, зачат был на полном скаку
каким-то летящим в ночи конокрадом.

*П*о ветвям! К бананам! Где успех!
И престиж! Еще один прыжок!
Сотни обезьян стремятся вверх,
и ужасен вид их голых жоп.

Я уважаю лень за то, что
в ее бездейственной тиши
живую мысль питает почва
моей несуетной души.

*С*казавши, не солгав и не похвастав,
что страху я не слишком поддаюсь,
не скрою, что боюсь энтузиастов
и очень активистов я боюсь.

*Ч*тобы вдоволь радости отведать
и по жизни вольно кочевать,
надо рано утром пообедать
и к закату переночевать.

У тех, в ком унылое сердце,
и мысли тоскою мореные,
а если подробней всмотреться,
у бедных и яйца — вареные.

*Э*тот тип — начальник, вероятно:
если он растерян, огорошен,
если ветер дует непонятно —
он потеет чем-то нехорошим.

*У*же с утра, еще в кровати,
я говорю несчетный раз,
что всех на свете виноватей —
Господь, на труд обрекший нас.

*Р*асчетлив ты, предусмотрителен,
душе неведомы гримасы,
ты не дитя живых родителей,
а комплекс компаса и кассы.

*Ч*уждаясь и пиров, и женских спален,
и быта с его мусорными свалками,
настолько стал стерильно идеален,
что даже по нужде ходил фиалками.

*Т*ак привык на виду быть везде,
за престиж постоянно в ответе,
что, закрывшись по малой нужде,
держит хер, как бокал на банкете.

*Ж*иви, покуда жив. Среди потопа,
которому вот-вот наступит срок,
поверь — наверняка мелькнет и жопа,
которую напрасно ты берег.

*Т*ак ловко стали пресмыкаться
сейчас в чиновничьих кругах,
что могут с легкостью сморкаться
посредством пальцев на ногах.

*Е*сть люди — прекрасны их лица
и уровень мысли высок,
но в них вместо крови струится
горячий желудочный сок.

Глава 6

Кто томим духовной жаждой, тот не жди любви сограждан

Человек — это тайна, в которой
замыкается мира картина,
совмещается фауна с флорой,
. сочетаются дуб и скотина.

На безрассудства и оплошности
я рад пустить остаток дней,
но плещет море сытой пошлости
о берег старости моей.

Служа истории внимательно,
меняет время цену слова;
сейчас эпоха, где романтика
звучит, как дудка крысолова.

Весомы и сильны среда и случай,
но главное — таинственные гены,
и как образованием ни мучай,
от бочек не родятся Диогены.

*Б*ывают лица — сердце тает,
настолько форма их чиста,
и только сверху не хватает
от фиги нежного листа.

*Д*ушой своей, отзывчивой и чистой,
других мы одобряем не вполне;
весьма несимпатична в эгоистах
к себе любовь сильнее, чем ко мне.

*К*огда сидишь в собраньях шумных,
язык пылает и горит;
но люди делятся на умных
и тех, кто много говорит.

В стихах моих не музыка живет,
а шутка, запеченная в банальности,
ложащаяся грелкой на живот,
болящий несварением реальности.

*Н*ельзя не злясь остаться прежним
урчаще булькающим брюхом,
когда соседствуешь с мятежным
смятенно мечущимся духом.

*Ж*рец величав и строг, он ключ
 от тайн, творящихся на свете,
а шут — раскрыт и прост,
как луч, животворящий тайны эти.

*Н*есмотря на раздор между нами,
невзирая, что столько нас разных,
в обезьянах срослись мы корнями,
но не все — в человекообразных.

*Ж*изнь не обходится без сук,
в ней суки с нами пополам,
и если б их не стало вдруг,
пришлось бы ссучиваться нам.

*С*лишком умных жизнь сама
чешет с двух боков:
горе им и от ума,
и от мудаков.

В эпоху страхов, сыска, рвения —
храни надменность безмятежности;
веревки самосохранения
нам трут и душу и промежности.

*П*угаясь резких поворотов,
он жил и мыслил прямиком,
и даже в школе идиотов
его считали мудаком.

*Ч*тобы плесень сытой скудости
не ползла цвести в твой дом —
из пруда житейской мудрости
черпай только решетом.

*Е*сть люди: величава и чиста
их личность, когда немы их уста;
но только растворят они уста,
на ум приходят срамные места.

*Л*юби своих друзей, но не греши,
хваля их чересчур или зазря;
не сами по себе мы хороши,
а фону из гавна благодаря.

*Б*есцветен, благонравен и безлик,
я спрятан в скорлупу своей типичности;
безликость есть отсутствие улик
опасного наличия в нас личности.

В года кошмаров, столь рутинных,
что повседневных, словно бублики,
страшней непуганых кретинов
одни лишь пуганые умники.

*Н*е меряйся сальным затасканным
                              метром
толпы, возглашающей славу и срам,
ведь голос толпы, разносящийся
                              ветром,
сродни испускаемым ею ветрам.

*Н*а людях часто отпечатаны
истоки, давшие им вырасти;
есть люди, пламенем зачатые,
а есть рожденные от сырости.

Глава 7

УВЫ, НО ИСТИНА — БЛУДНИЦА, НИ С КЕМ ЕЙ ДОЛГО НЕ ЛЕЖИТСЯ

Я охладел к научным книжкам
не потому, что стал ленив;
ученья корень горек слишком,
а плод, как правило, червив.

Вырастили вместе свет и мрак
атомного взрыва шампиньон.
Богу сатана совсем не враг,
а соавтор, друг и компаньон.

В цинично-ханжеском столетии
на всем цена и всюду сцена.
Но дом. Но женщина. Но дети.
Но запах сохнущего сена.

Глубокая видна в природе связь,
основанная Божьей бухгалтерией:
материя от мысли родилась,
а мысль — от спекуляции материей.

*М*олпа естествоиспытателей
на тайны жизни пялит взоры,
а жизнь их шлет к ебене матери
сквозь их могучие приборы.

*Д*ай голой правды нам, и только!
Нагую истину, да-да!
Но обе женщины, поскольку
нагие лучше не всегда.

*П*о будущему мысленно скитаясь
и дали различая понемногу,
я вижу, как старательный китаец
для негра ставит в Туле синагогу.

*К*ак сдоба пышет злоба дня,
и нет ее прекрасней;
а год спустя глядишь — херня,
притом на постном масле.

*О*чень дальняя дорога
всех равняет без различия:
как бердичевцам до Бога,
так и Богу до Бердичева.

Устарел язык Эзопа,
стал прозрачен, как струя,
отовсюду светит зопа,
и не скроешь ни фуя.

В духовной жизни я корыстен
и весь пронизан этим чувством:
всегда из двух возможных истин
влекусь я к той, что лучше бюстом.

Бежишь, почти что настигая,
пыхтишь в одежде лет и знаний,
хохочет истина нагая,
колыша смехом облик задний.

Наш ум и задница — товарищи,
хоть их союз не симметричен:
талант нуждается в седалище,
а жопе разум безразличен.

Два смысла в жизни — внутренний
                           и внешний;
у внешнего — дела, семья, успех,
а внутренний — неясный и нездешний —
в ответственности каждого за всех.

*П*одлинное чувство лаконично,
как пургой обветрившийся куст,
истинная страсть косноязычна,
и в постели жалок златоуст.

*Н*аука в нас изменит все, что нужно,
и всех усовершенствует вполне,
мы станем добродетельно и дружно
блаженствовать — как мухи на гавне.

*В*новь закат разметался пожаром —
это ангел на Божьем дворе
жжет охапку дневных наших жалоб.
А ночные он жжет на заре.

*Р*астут познания ступени,
и есть на каждой, как всегда,
и вечных двигателей тени,
и призрак Вечного Жида.

*Н*ауку развивая, мы спешим
к сиянию таких ее вершин,
что дряхлый мой сосед-гермафродит
на днях себе такого же родит.

В толпе прельстительных идей
и чистых мыслей благородных
полно пленительных блядей,
легко доступных, но бесплодных.

Н айдя предлог для диалога:
«Как ты сварил такой бульон?» —
спрошу я вежливо у Бога.
«По пьянке», — грустно скажет Он.

Глава 8

*С*ЧАСТЛИВЫЕ ВСЕГДА ПОТОМ РЫДАЮТ, ЧТО ВОВРЕМЯ ЧАСОВ НЕ НАБЛЮДАЮТ

Я враг дискуссий и собраний
и в спорах слова не прошу;
имея истину в кармане,
в другом закуску я ношу.

*К*огда весна, теплом дразня,
скользит по мне горячим глазом,
ужасно жаль мне, что нельзя
залечь на две кровати разом.

*П*окуда я у жизни смысла
искал по книгам днем с огнем,
вино во мне слегка прокисло
и стало меньше смысла в нем.

*З*ря и глупо иные находят,
что ученье — пустяк безразличный:
человек через школу проходит
из родильного дома — в публичный.

*Н*е знаю лучших я затей
среди вселенской тихой грусти,
чем в полусумраке детей
искать в какой-нибудь капусте.

*Д*ымись, покуда не погас,
и пусть волнуются придурки,
когда судьба докурит нас,
куда швырнет она окурки.

*П*одростки мечтают о буре
в зеленой наивной мятежности,
а взрослых влечет к авантюре
цветение первой несвежести.

*Н*адо жить наобум, напролом,
наугад и на ощупь во мгле,
ибо нынче сидим за столом,
а назавтра лежим на столе.

*Г*ори огнем, покуда молод,
подругу грей и пей за двух,
незримо лижет вечный холод
и тленный член, и пленный дух.

*Р*овесник мой, засосан бытом,
плюет на вешние луга,
и если бьет когда копытом,
то только в гневе на рога.

*С*ложилось нынче на потеху,
что я, стареющий еврей,
вдруг отыскал свой ключ к успеху,
но не нашел к нему дверей.

*Н*е грусти, что мы сохнем, старик,
мир останется сочным и дерзким;
всюду слышится девичий крик,
через миг становящийся женским.

*Д*еньгами, славой и могуществом
пренебрегал сей прах и тлен;
из недвижимого имущества
имел покойник только член.

*Л*юблю апрель — снега прокисли,
журчит капель, слезой звеня,
и в голову приходят мысли
и не находят в ней меня.

*К*огда тулуп мой был бараном
и ублажал младых овечек,
я тоже спать ложился рано,
чтобы домой успеть под вечер.

*Д*о пословицы смысла скрытого
только с опытом доживаешь:
двух небитых дают за битого,
ибо битого — хер поймаешь.

*К*ак молод я был! Как летал я во сне!
В года эти нету возврата.
Какие способности спали во мне!
Проснулись и смылись куда-то.

*В*езде долги: мужской, супружеский,
гражданский, родственный и
дружеский,
долг чести, совести, пера,
и кредиторов до хера.

*А*х, юность, юность! Ради юбки
самоотверженно и вдруг
душа кидается в поступки,
руководимые из брюк.

Живи светло и безрассудно,
поскольку в старости паскудной
под нас подсунутое судно —
помеха жизни безрассудной.

Эпохи крупных ослеплений
недолго тянутся на свете,
залившись кровью поколений,
рожденных жить в эпохи эти.

Не тужи, дружок, что прожил
ты свой век не в лучшем виде:
все про всех одно и то же
говорят на панихиде.

Глава 9

УВЫ, НО УЛУЧШИТЬ БЮДЖЕТ НЕЛЬЗЯ, НЕ ЗАПАЧКАВ МАНЖЕТ

К бумаге страстью занедужив,
писатель был мужик ледащий;
стонала тема: глубже, глубже,
а он был в силах только чаще.

Наследства нет, а мир суров;
что делать бедному еврею?
Я продаю свое перо,
и жаль, что пуха не имею.

Бюрократизм у нас от немца,
а лень и рабство — от татар,
и любопытно присмотреться,
откуда винный перегар.

Дойдут, дойдут до Бога жалобы,
раскрыв Божественному взору,
как, не стесняясь Божьей фауны,
внизу засрали Божью флору.

*С*овсем на жизнь я не в обиде,
ничуть свой жребий не кляну;
как все, в гавне по шею сидя,
усердно делаю волну.

*С*реди чистейших жен и спутников,
среди моральнейших людей
полно несбывшихся преступников
и неслучившихся блядей.

*М*ужик, теряющий лицо,
почуяв страх едва,
теряет, в сущности, яйцо,
а их — всего лишь два.

*Н*ам охота себя в нашем веке
уберечь, как покой на вокзале,
но уже древнеримские греки,
издеваясь, об этом писали.

*И*ща путей из круга бедствий,
не забывай, что никому
не обходилось без последствий
прикосновение к дерьму.

Я не жалея покидал
своих иллюзий пепелище,
я слишком близко повидал
существованье сытых нищих.

Старик, держи рассудок ясным,
смотря житейское кино:
дерьмо бывает первоклассным,
но это все-таки гавно.

Мы сохранили всю дремучесть
былых российских поколений,
но к ним прибавили пахучесть
своих духовных выделений.

Не горюй, старик, наливай,
наше небо в последних звездах,
устарели мы, как трамвай,
но зато и не портим воздух.

Люблю эту пьесу: восторги, печали,
случайности, встречи, звонки;
на нас возлагают надежды в начале,
в конце — возлагают венки.

ЖИВУ Я БОЛЕЕ ЧЕМ УМЕРЕННО, СТРАСТЕЙ НЕ БОЛЕЕ, ЧЕМ У МЕРИНА

Меж чахлых, скудных и босых,
сухих и сирых
есть судьбы сочные, как сыр, —
в слезах и дырах.

Пролетарий умственного дела,
тупо я сижу с карандашом,
а полузадохшееся тело
мысленно гуляет нагишом.

Маленький, но свой житейский опыт
мне милей ума с недавних пор,
потому что поротая жопа —
самый замечательный прибор.

В нас что ни год — увы, старик, увы,
темнее и тесней ума палата,
и волосы уходят с головы,
как крысы с обреченного фрегата.

Я жизнь свою организую,
как врач болезнь стерилизует,
с порога на хуй адресую
всех, кто меня организует.

*У*вижу бабу, дрогнет сердце,
но хладнокровен, словно сплю;
я стал буквальным страстотерпцем,
поскольку страстный, но терплю.

*Д*уша отпылала, погасла,
состарилась, влезла в халат,
но ей, как и прежде, неясно,
что делать и кто виноват.

*Ж*изнь, как вода, в песок течет,
последний близок путь почета,
осталось лет наперечет
и баб нетронутых — без счета.

*С*лужа, я жил бы много хуже,
чем сочинит любой фантаст,
я совместим душой со службой,
как с лесбиянкой — педераст.

Скудею день за днем. Слабеет
                                   пламень;
тускнеет и сужается окно;
с души сползает в печень грузный
                                   камень,
и в уксус превращается вино.

Теперь я стар — к чему стенания?!
Хожу к несведущим врачам
и обо мне воспоминания
жене диктую по ночам.

Чего ж теперь? Курить я бросил,
здоровье пить не позволяет,
и вдоль души глухая осень,
как блядь на пенсии, гуляет.

В шумных рощах российской
                                   словесности,
где поток посетителей густ,
хорошо затеряться в безвестности,
чтоб туристы не срали под куст.

Что может ярко утешительным
нам послужить под старость лет?
Наверно, гордость, что в слабительном
совсем нужды пока что нет.

Я кошусь на жизнь веселым глазом,
радуюсь всему и от всего;
годы увеличили мой разум,
но весьма ослабили его.

Как я пишу легко и мудро!
Как сочен звук у строк тугих!
Какая жалость, что наутро
я перечитываю их!

Вчера я бежал запломбировать зуб,
и смех меня брал на бегу:
всю жизнь я таскаю мой будущий труп
и рьяно его берегу.

Не жаворонок я и не сова,
и жалок в этом смысле жребий мой,
с утра забита чушью голова,
а к вечеру набита ерундой.

Я не люблю зеркал — я сыт
по горло зрелищем их порчи:
какой-то мятый сукин сын
из них мне рожи гнусно корчит.

Святой непогрешимостью светясь
от пяток до лысеющей макушки,
от возраста в невинность возвратясь,
становятся ханжами потаскушки.

Моих друзей ласкают Музы,
менять лежанку их не тянет,
они солидны, как арбузы:
растет живот и кончик вянет.

Стало тише мое жилье,
стало меньше напитка в чаше,
это годы берут свое,
а у нас отнимают наше.

Увы, я слаб весьма по этой части,
в душе есть уязвимый уголок:
я так люблю хвалу, что был бы счастлив
при случае прочесть мой некролог.

Умру за рубежом или в отчизне,
с диагнозом не справятся врачи;
я умер от злокачественной жизни,
какую с наслаждением влачил.

В последний путь немногое несут:
тюрьму души, вознесшейся высоко,
желаний и надежд пустой сосуд,
посуду из-под жизненного сока.

Том второй

Не в силах жить я
коллективно:
по воле тягостного рока
мне с идиотами — противно,
а среди умных — одиноко.
Живя легко и сиротливо,
блажен, как пальма
на болоте,
еврей славянского разлива,
антисемит без крайней
плоти.

Глава 1

Bот женщина: она грустит, что зеркало ее толстит

*П*рирода женская лиха
и много мужеской сильней,
но что у бабы вне греха,
то от лукавого у ней.

*C*мотрит с гвоздика портрет
на кручину вдовию.
А миленка больше нет —
скинулся в Жидовию.

*О*бро со злом природой смешаны,
как тьма ночей со светом дней;
чем больше ангельского в женщине,
тем гуще дьявольское в ней.

*Б*ыла и я любима,
теперь тоскую дома,
течет прохожий мимо,
никем я не ебома.

*Д*уша болит, свербит и мается,
и глухо в теле канителится,
если никто не покушается
на целомудрие владелицы.

*С*тарушка — воплощенное приличие,
но в память, что была она лиха,
похоже ее сморщенное личико
на спекшееся яблоко греха.

*В*се переменилось бы кругом,
если бы везде вокруг и рядом
женщины раскинули умом,
как сейчас раскидывают задом.

*М*ечты питая и надежды,
девицы скачут из одежды;
а погодя — опять в одежде,
но умудреннее, чем прежде.

*Н*осишь радостную морду
и не знаешь, что позор —
при таких широких бедрах
такой узкий кругозор.

*У*летел мой ясный сокол
басурмана воевать,
а на мне ночует свекор,
чтоб не стала блядовать.

*Р*одясь из коконов на свет,
мы совершаем круг в природе,
и бабочки преклонных лет
опять на гусениц походят.

*Р*ебро Адаму вырезать пришлось,
и женщину Господь из кости создал;
ребро была единственная кость,
лишенная какого-либо мозга.

*Е*сть бабы — храмы: строг фасад,
чиста невинность красок свежих;
а позади — дремучий сад,
притон прохожих и проезжих.

*П*ослабленье народу вредит,
ухудшаются нравы столичные.
Одеваются девки в кредит,
раздеваются за наличные.

*О*на была собой прекрасна,
и ей владел любой подлец;
она была на все согласна,
и даже — на худой конец.

*К*люч к женщине — восторг и
фимиам,
ей больше ничего от нас не надо,
и стоит нам упасть к ее ногам,
как женщина, вздохнув, ложится рядом.

У женщин юбки все короче;
коленных чашечек стриптиз
напоминает ближе к ночи,
что существует весь сервиз.

*М*ой миленький дружок
не дует в свой рожок,
и будут у дружка
за это два рожка.

Я евреям не даю,
я в ладу с эпохою.
Я их сразу узнаю —
по носу и по хую.

*Т*ы, подружка дорогая,
зря такая робкая;
лично я хотя худая,
но ужасно ебкая.

*Т*репещет юной девы сердце
над платьев красочными кучами:
во что одеться, чтоб раздеться
как можно счастливей при случае?

*В*от женщину я обнимаю,
она ко мне льнет, пламенея,
а Ева, я вдруг понимаю,
и яблоко съела, и змея.

Мы дарим женщине цветы,
звезду с небес, круженье бала
и переходим с ней на «ты»,
а после дарим очень мало.

В мужчине ум — решающая ценность,
и сила — чтоб играла и кипела,
а в женщине пленяет нас душевность
и многие другие части тела.

Мои позавчерашние подруги
имеют уже взрослых дочерей
и славятся в безнравственной округе
воинственной моральностью своей.

Быть бабой — трудная задача,
держись графиней и не хнычь;
чужой мужик — что пух цыплячий,
а свой привычный — что кирпич.

Будь опаслив! Извечно готово
люто сплетничать женское племя,
ибо в женщине всякое слово
прорастает не хуже, чем семя.

Есть бабы, очень строгие в девицах,
умевшие дерзить и отвечать,
и при совокуплении на лицах
лежит у них свирепости печать.

Чем сладкозвучнее напевы
и чем банальнее они,
тем легче трепетные девы
скидают платьица на пни.

Есть дамы: каменны, как мрамор,
и холодны, как зеркала,
но чуть смягчившись, эти дамы
в дальнейшем липнут, как смола.

У целомудренных особ
путем таинственных течений
прокисший зря любовный сок
идет в кефир нравоучений.

У женщин дух и тело слитны;
они способны к чудесам,
когда, как руки для молитвы,
подъемлют ноги к небесам.

$\mathcal{B}$се нежней и сладостней мужчины,
женщины все тверже и железней;
скоро в мужиках не без причины
женские объявятся болезни.

$\mathcal{H}$ад мужским смеется простодушьем
трепетная живость нежных линий,
от романа делаясь воздушней,
от новеллы делаясь невинней.

$\mathcal{B}$сегда мне было интересно,
как поразительно греховно
духовность женщины — телесна,
а тело — дьявольски духовно.

$\mathcal{B}$лестя глазами сокровенно,
стыдясь вульгарности подруг,
девица ждет любви смиренно,
как муху робко ждет паук.

$\mathcal{B}$абы одеваются сейчас,
помня, что слыхали от подружек:
цель наряда женщины — показ,
что и без него она не хуже.

*П*роцесс эмансипации не сложен
и мною наблюдался много раз:
везде, где быть мужчиной мы не можем,
подруги ускользают из-под нас.

*Н*а женщин сквозь покровы
их нарядов
мы смотрим, как на свет из темноты;
увяли бы цветы от наших взглядов,
а бабы расцветают, как цветы.

*Б*росьте, девки, приставать —
дескать, хватит всем давать:
как я буду не давать,
если всюду есть кровать?

*У*мерь обильные корма,
возделывай свой сад,
и будет стройная корма
и собранный фасад.

*Н*е тоскуй, старушка Песя,
о капризах непогоды,
лучше лейся, словно песня,
сквозь оставшиеся годы.

Боже, Боже, до чего же
стал миленок инвалид:
сам топтать меня не может,
а соседу — не велит.

О чем ты, божия раба,
Бормочешь стонами своими?
Душа строга, а плоть слаба —
верчусь и маюсь между ними.

Глава 2

НЕ СТЕСНЯЙСЯ, ПЬЯНИЦА, НОСА СВОЕГО, ОН ВЕДЬ С НАШИМ ЗНАМЕНЕМ ЦВЕТА ОДНОГО

Живя в загадочной отчизне
из ночи в день десятки лет,
мы пьем за русский образ жизни,
где образ есть, а жизни нет.

Родившись в сумрачное время,
гляжу вперед не дальше дня;
живу беспечно, как в гареме,
где завтра выебут меня.

Когда поднимается рюмка,
любая печаль и напасть
спадает быстрее, чем юбка
с девицы, спешащей упасть.

Какая, к черту, простокваша,
когда живем всего лишь раз,
и небосвод — пустая чаша
всего испитого до нас.

Напрасно врач бранит бутыль,
в ней нет ни пагубы, ни скверны,
а есть и крылья, и костыль,
и собутыльник самый верный.

Понять без главного нельзя
твоей сплоченности, Россия:
своя у каждого стезя,
одна у всех анестезия.

Налей нам, друг! Уже готовы
стаканы, снедь, бутыль с прохладцей,
и наши будущие вдовы
охотно с нами веселятся.

Не мучась совестью нисколько,
живу года в хмельном приятстве;
Господь всеведущ не настолько,
чтобы страдать о нашем блядстве.

Не тяжелы ни будней пытки,
ни суета окрестной сволочи,
пока на свете есть напитки
и сладострастье книжной горечи.

Как мы гуляем наповал!
И пир вершится повсеместный.
Так Рим когда-то ликовал,
и рос Атилла, гунн безвестный.

Чтоб дети зря себя не тратили
ни на мечты, ни на попытки,
из всех сосцов отчизны-матери
сочатся крепкие напитки.

Не будь на то Господня воля,
мы б не узнали алкоголя;
а значит, пьянство не порок,
а высшей благости урок.

Известно даже недоумку,
как можно духом воспарить:
за миг до супа выпить рюмку,
а вслед за супом — повторить.

*К*огда, замкнув теченье лет,
наступит Страшный суд,
на нем предстанет мой скелет,
держа пивной сосуд.

*В*он опять идет ко мне приятель
и несет холодное вино;
время, кое мы роскошно тратим,
деньги, коих нету все равно.

*Д*а, да, я был рожден в сорочке,
отлично помню я ее;
но вырос и, дойдя до точки,
пропил заветное белье.

*Н*ам жить и чувствовать дано,
искать дорогу в Божье царство,
и пить прозрачное вино —
от жизни лучшее лекарство.

*Н*е верь тому, кто говорит,
что пьянство — это враг;
он или глупый инвалид,
или больной дурак.

*В*есь путь наш — это
времяпровождение,
отмеченное пьянкой с двух сторон:
от пьянки, обещающей рождение,
до пьянки после кратких похорон.

Я многому научен стариками,
которые все трезво понимают
и вялыми венозными руками
спокойно свои рюмки поднимают.

*Р*едеет волос моих грива,
краснеют припухлости носа,
и рот ухмыляется криво
ногам, ковыляющим косо.

*П*ока скользит моя ладья
среди пожара и потопа,
всем инструментам бытия
я предпочел перо и штопор.

*П*ознавши вкус покоя и скитаний,
постиг я, в чем опора и основа:
любая чаша наших испытаний
легчает при долитии спиртного.

*Н*аслаждаясь воздержанием,
жду, чтоб вечность протекла,
осязая с обожанием
плоть питейного стекла.

*М*ы пьем и разрушаем этим печень,
кричат нам доктора в глухие уши,
но печень мы при случае полечим,
а трезвость иссушает наши души.

*Н*а дне стаканов, мной
опустошенных,
и рюмок, наливавшихся девицам,
такая тьма вопросов разрешенных,
что время отдохнуть и похмелиться.

*В*чера ко мне солидность постучалась.
Она по седине меня нашла,
но я читал Рабле и выпил малость,
и вновь она обиженно ушла.

*А*скет, отшельник, дервиш, стоик —
наверно, правы, не сужу;
но тем, что пью вино густое,
я столь же Господу служу.

*Л*юбых религий чужды мне наряды,
но правлю и с охотой и подряд
я все религиозные обряды,
где выпивка зачислена в обряд.

*Л*юдей великих изваяния
печально светятся во мраке,
когда издержки возлияния
у их подножий льют гуляки.

*К*акое счастье — рознь календарей
и мой диапазон души не узкий:
я в пятницу пью водку как еврей,
в субботу после бани пью как русский.

*П*аскаль бы многое постиг,
увидь он и услышь,
как пьяный мыслящий тростник
поет «шумел камыш».

*Н*ет, я не знал забавы лучшей,
чем жечь табак, чуть захмелев,
меж королевствующих сучек
и ссучившихся королев.

*С*нова я вчера напился в стельку,
нету силы воли никакой;
Бог ее мне кинул в колыбельку
дрогнувшей похмельною рукой.

А страшно подумать, что век погодя,
свой дух освежив просвещением,
Россия, в субботу из бани придя,
кефир будет пить с отвращением.

*К*огда друзья к бутылкам сели,
застрять в делах — такая мука,
что я лечу к заветной цели,
как штопор, пущенный из лука.

*Г*де-то в небе, для азарта
захмелясь из общей чаши,
Бог и черт играют в карты,
ставя на кон судьбы наши.

*О*днажды летом в январе
слона увидел я в ведре,
слон закурил, пустив дымок,
и мне сказал: не пей, сынок.

«Зачем добро хранить в копилке?
Ведь после смерти жизни нет», —
сказал мудрец пустой бутылке,
продав ученым свой скелет.

К родине любовь у нас в избытке
теплится у каждого в груди,
лучше мы пропьем ее до нитки,
но врагу в обиду не дадим.

Я к дамам, одряхлев, не охладел,
я просто их оставил на потом:
кого на этом свете не успел,
надеюсь я познать уже на том.

Когда однажды ночью я умру,
то близкие, надев печаль на лица,
пускай на всякий случай поутру
мне все же поднесут опохмелиться.

Глава 3

*В*ожди дороже нам вдвойне, когда они уже в стене

*Н*и вверх глядя, ни вперед,
сижу с друзьями-разгильдяями,
и наплевать нам, чья берет
в борьбе мерзавцев с негодяями.

*П*ахан был дух и голос множества,
в нем воплотилось большинство;
он был великое ничтожество,
за что и вышел в божество.

*Л*юблю за честность нашу власть,
нигде столь честной не найду,
опасно только душу класть
у этой власти на виду.

*Т*авно и золото кладут
в детишек наших тьма и свет,
а государство тут как тут,
и золотишка нет как нет.

*К*ак у тюрем, стоят часовые
у Кремля и посольских дворов;
пуще всех охраняет Россия
иностранцев, вождей и воров.

*Ж*дала спасителя Россия,
жила, тасуя фотографии,
и, наконец, пришел Мессия,
и не один, а в виде мафии.

*С*былись грезы Ильича,
он лежит, откинув тапочки,
но горит его свеча:
всем и всюду все до лампочки.

Я верю в совесть, сердце, честь
любых властей земных.
Я верю, что русалки есть,
и верю в домовых.

Сын учителя, гений плюгавый —
уголовный режим изобрел,
а покрыл его кровью и славой —
сын сапожника, горный орел.

Какая из меня опора власти?
Обрезан, образован и брезглив.
Отчасти я поэтому и счастлив,
но именно поэтому — пуглив.

Наши мысли и дела — белее снега,
даже сажа наша девственно-бела;
только зря наша российская телега
лошадей своих слегка обогнала.

Духовная основа русской мощи
и веры, нрав которой так неистов, —
святыней почитаемые мощи
крупнейшего в России атеиста.

Чувствуя нутром, не глядя в лица,
пряча отношение свое,
власть боится тех, кто не боится,
и не любит любящих ее.

*Г*осподи, в интимном разговоре
дерзкие прости мои слова:
сладость утопических теорий —
пробуй Ты на авторах сперва.

*О*х, и смутно сегодня в отчизне:
сыро, грязь, темнота, кривотолки;
и вспухают удавами слизни,
и по-лисьи к ним ластятся волки.

В первый тот субботник, что давно
датой стал во всех календарях,
бережно Ильич носил бревно,
спиленное в первых лагерях.

*Н*е в том беда, что наглой челяди
доступен жирный ананас,
а в том, что это манит в нелюди
детей, растущих возле нас.

*Д*ля всех у нас отыщется работа,
всегда в России требуются руки,
так насухо мы высушим болота,
что мучиться в пустынях будут внуки.

*Е*сть явное, яркое сходство
у бравых моих командиров:
густой аромат благородства
сочится из ихних мундиров.

*Е*гипет зарыдал бы, аплодируя,
увидев, что выделывает скиф:
мы создали, вождя мумифицируя,
одновременно мумию и миф.

Глава 4

*С*коль пылки разговоры о голгофе за рюмкой коньяка и чашкой кофе

н был заядлый либерал,
полемизировал с режимом
и щедро женщин оделял
своим заветным содержимым.

*У*став от книг, люблю забиться
в дым либерального салона,
где вольнодумные девицы
сидят, раскрывши рты и лона.

*Н*е славой, не скандалом, не грехом,
тем более не устной канителью —
поэты поверяются стихом,
как бабы проверяются постелью.

*B*есь немалый свой досуг
до поры, пока не сели,
мы подпиливали сук,
на котором мы висели.

*К*ишит певцов столпотворение,
цедя из кассы благодать;
когда продажно вдохновение,
то сложно рукопись продать.

*Т*акая жгла его тоска
и так томился он,
что даже ветры испускал
печальные, как стон.

*М*ои походы в гости столь нечасты,
что мне скорей приятен этот вид,
когда эстет с уклоном в педерасты
рассказывает, как его снобит.

*Д*ай, Боже, мне столько годов
(а больше не надо и дня),
во сколько приличных домов
вторично не звали меня.

В любом и всяческом творце
заметно с первого же взгляда,
что в каждом творческом лице
есть доля творческого зада.

*Д*уши незаменимое меню,
махровые цветы высоких сказок
нещадно угрызает на корню
червяк материальных неувязок.

*О*бсуживая лифчиков размеры,
а также мировые небосклоны,
пируют уцененные Венеры
и траченые молью Аполлоны.

*О*чень многие дяди и тети
по незрелости вкуса и слуха
очень склонны томление плоти
принимать за явление духа.

В себя вовнутрь эпохи соль
впитав и чувствуя сквозь стены,
поэт — не врач, он только боль,
струна и нерв, и прут антенны.

*Л*юблю я ужин либеральный,
духовен плотский аппетит,
и громко чей-нибудь нахальный
светильник разума коптит.

*М*ного раз, будто кашу намасливал,
книги мыслями я начинял,
а цитаты из умерших классиков
по невежеству сам сочинял.

Я чтенью — жизнь отдал. Душа в огне,
глаза слепит сочувственная влага.
И в жизни пригодилось это мне,
как в тундре — туалетная бумага.

*Б*удь сам собой. Смешны и жалки
потуги выдуманным быть;
ничуть не стыдно — петь фиалки
и зад от курицы любить.

Я пришел к тебе с приветом,
я прочел твои тетради:
в прошлом веке неким Фетом
был ты жутко обокраден.

*Т*ак долго гнул он горб и бедно ел,
что, вдруг узду удачи ухватив,
настолько от успеха охуел,
что носит как берет презерватив.

Я прочел твою книгу. Большая.
Ты вложил туда всю свою силу.
И цитаты ее украшают,
как цветы украшают могилу.

*О*божая талант свой и сложность,
так томится он жаждой дерзнуть,
что обидна ему невозможность
самому себе жопу лизнуть.

*У*вы, но я не деликатен
и вечно с наглостью циничной
интересуюсь формой пятен
на нимбах святости различной.

Я потому на свете прожил,
не зная горестей и бед,
что, не жалея искры Божьей,
себе варил на ней обед.

*П*оет пропитания ради
певец, услужающий власти,
но глуп тот клиент, кто у бляди
доподлинной требует страсти.

С тех пор, как мир страниц возник,
везде всегда одно и то же:
на переплеты лучших книг
уходит авторская кожа.

*В*се смешалось: рожает девица,
либералы бормочут про плети,
у аскетов блудливые лица,
а блудницы сидят на диете.

*У*мрет он от страха и смуты,
боится он всех и всего,
испуган с той самой минуты,
в какую зачали его.

*С*ызмальства сгибаясь
                над страницами,
все на свете помнил он и знал,
только засорился эрудицией
мыслеиспускательный канал.

Во мне талант врачами признан,
во мне ночами дух не спит
и застарелым рифматизмом
в суставах умственных скрипит.

Оставит мелочь смерть-старуха
от наших жизней скоротечных:
плоды ума, консервы духа,
поживу крыс библиотечных.

Глава 5

*П*РИЧУДЛИВЕЕ НЕТ НА СВЕТЕ ПОВЕСТИ, ЧЕМ ПОВЕСТЬ О ПРИЧУДАХ РУССКОЙ СОВЕСТИ

*И*мея, что друзьям сказать,
мы мыслим — значит, существуем;
а кто зовет меня дерзать,
пускай кирпич расколет хуем.

*П*итая к простоте вражду,
подвергнув каждый шаг учету,
мы даже малую нужду
справляем по большому счету.

*Р*уководясь одним рассудком,
заметишь вряд ли, как не вдруг
душа срастается с желудком
и жопе делается друг.

*С*ломав березу иль осину, подумай —
что оставишь сыну?
Что будет сын тогда ломать?
Остановись, ебена мать!

*О*т желчи мир изнемогает,
планета печенью больна,
гавно гавном гавно ругает,
не вылезая из гавна.

*З*асрав дворцы до вида хижин
и жизнь ценя как чью-то милость,
палач гуляет с тем, кто выжил,
и оба пьют за справедливость.

*К*огда мила родная сторона,
которой возлелеян и воспитан,
то к ложке ежедневного гавна
относишься почти что с аппетитом.

*Р*аньше каждый бежал на подмогу,
если колокол звал вечевой;
отзовется сейчас на тревогу
только каждый пузырь мочевой.

Добро — это талант и ремесло
стерпеть и пораженья и потери;
добро, одолевающее зло, —
как Моцарт, отравляющий Сальери.

По обе стороны морали
добра и зла жрецы и жрицы
так безобразно много срали,
что скрыли контуры границы.

Мне, Господь, неудобно просить,
но коль ясен Тебе человек,
помоги мне понять и простить
моих близких, друзей и коллег.

Даже пьесы на краю,
даже несколько за краем
мы играем роль свою
даже тем, что не играем.

Возможность лестью в душу влезть
никак нельзя назвать растлением,
мы бескорыстно ценим лесть
за совпаденье с нашим мнением.

*П*ылко имитируя наивность,
но не ослабляя хватки прыткой,
ты похож на девичью невинность,
наскоро прихваченную ниткой.

*С*вихнулась природа у нас в зоосаде
от липкого глаза лихих сторожей,
и стали расти безопасности ради
колючки вовнутрь у наших ежей.

*З*абавен русской жизни колорит,
сложившийся за несколько веков:
с Россией ее совесть говорит
посредством иностранных языков.

Глава 6

*Г*ОСПОДЬ ЛИХУЮ ШУТКУ УЧИНИЛ,
КОГДА СЮЖЕТ ЕВРЕЯ СОЧИНИЛ

*В*езде, где, не зная смущения,

историю шьют и кроят,
евреи — козлы отпущения,
которых к тому же доят.

И сер наш русский Цицерон,
и вездесущ, как мышь,
а мыслит ясно: «Цыц, Арон!»
и «Рабинович, кыш!»

*П*о ночам начальство чахнет и звереет,
дикий сон морозит царственные яйца:
что китайцы вдруг воюют, как евреи,
а евреи расплодились, как китайцы.

*В*езде, где есть цивилизация
и свет звезды планету греет,
есть обязательная нация
для роли тамошних евреев.

В любом вертепе, где злодей
злоумышляет зло злодейства,
есть непременно иудей
или финансы иудейства.

*Е*вреи клевещут и хают,
разводят дурманы и блажь,
евреи наш воздух вдыхают,
а вон выдыхают — не наш.

В года, когда юмор хиреет,
скисая под гласным надзором,
застольные шутки евреев
становятся местным фольклором.

*В*езде, где слышен хруст рублей
и тонко звякает копейка,
невдалеке сидит еврей
или по крайности еврейка.

*H*ет ни в чем России проку,
странный рок на ней лежит:
Петр пробил окно в Европу,
а в него сигает жид.

*Ц*арь-колокол безгласен, поломатый,
Царь-пушка не стреляет, мать ети;
и ясно, что евреи виноваты,
осталось только летопись найти.

*Л*юбой большой писатель русский
жалел сирот, больных и вдов,
слегка стыдясь, что это чувство
не исключает и жидов.

В российской нежной колыбели,
где каждый счастлив, если пьян,
евреи так ожидовели,
что пьют обильнее славян.

*Р*аскрылась правда в ходе дней,
туман легенд развеяв:
евреям жить всего трудней
среди других евреев.

Любая философия согласна,
что в мире от евреев нет спасения,
науке только все еще не ясно,
как делают они землетрясения.

Изверившись в блаженном общем рае,
но прежние мечтания любя,
евреи эмигрируют в Израиль,
чтоб русскими почувствовать себя.

Об утечке умов с эмиграцией
мы в России нисколько не тужим,
потому что весь ум ихней нации
никому здесь и на хер не нужен.

Вечно и нисколько не старея,
всюду и в любое время года
длится, где сойдутся два еврея,
спор о судьбах русского народа.

Что ели предки? Мясо и бананы.
Еда была сыра и несогрета.
Еврей произошел от обезьяны,
которая огонь добыла где-то.

Евреи, чужую культуру впитав
и творческим занявшись действом,
вливают в ее плодоносный состав
растворы с отравным еврейством.

Евреи размножаются в неволе,
да так охотно, Господи прости,
что кажется — не знают лучшей доли,
чем семенем сквозь рабство прорасти.

Усердные брови насупив,
еврей, озаряемый улицей,
извечно хлопочет о супе,
в котором становится курицей.

Евреи топчут наши тротуары,
плетя о нас такие тары-бары,
как если сочиняли бы татары
о битве Куликовской мемуары.

Во всех углах и метрополиях
затворник судеб мировых,
еврей, живя в чужих историях,
невольно вляпывался в них.

В любых краях, где тенью бледной
живет еврей, терпя обиды,
еврейской мудрости зловредной
в эфир сочатся флюаиды.

*В*сегда еврей легко везде заметен,
еврея слышно сразу от порога,
евреев очень мало на планете,
но каждого еврея — очень много.

*Е*вреи даже в светопреставление,
сдержав поползновение рыдать,
в последнее повисшее мгновение
сумеют еще что-нибудь продать.

Во тьме домой летят автомобили и все, кого уже употребили

*Т*ворец, никому не подсудный,
со скуки пустил и приветил
гигантскую пьесу абсурда,
идущую много столетий.

С пеленок вырос до пальто,
в пальто провел года,
и снова сделался никто,
нигде и никогда.

*О*чень много лиц и граждан
брызжет по планете,
каждый личность, но не каждый
пользуется этим.

*С*троки вяжутся в стишок,
море лижет сушу.
Дети какают в горшок,
а большие — в душу.

*Г*осподь сей миг откроет нашу клетку
и за добро сторицею воздаст,
когда яйцо снесет себе наседку
и на аборт поедет педераст.

*И*з-за того, что бедный мозг
распахнут всем текущим слухам,
ужасно засран этот мост
между материей и духом.

*В*ремя льется, как вино,
сразу отовсюду,
но однажды видишь дно
и сдаешь посуду.

*Н*ичто не ново под луной:
удачник розов, желт страдалец,
и мы не лучше спим с женой,
чем с бабой спал неандерталец.

Создатель дал нам две руки,
бутыль, чтоб руки зря не висли,
а также ум, чтоб мудаки
воображали им, что мыслят.

У Бога нет бессонницы,
он спал бы как убитый,
но ночью Ему молятся
бляди и бандиты.

Если все, что просили мы лишнего,
все молитвы, что всуе вершили мы,
в самом деле достигли Всевышнего,
уши Бога давно запаршивели.

У тех, кто пылкой головой
предался поприщам различным,
первичный признак половой
слегка становится вторичным.

Не боялись увечий и ран
ветераны любовных баталий,
гордо носит седой ветеран
свой музей боевых гениталий.

*Н*исколько прочих не глупее
все те, кто в будничном безумии,
прекрасно помня о Помпее,
опять селились на Везувии.

Глава 8

Любовь — спектакль, где антракты немаловажнее, чем акты

Один поэт имел предмет,

которым злоупотребляя,
устройство это свел на нет,
прощай, любовь в начале мая!

Ни в мире нет несовершенства,
ни в мироздании — секрета,
когда, распластанных в блаженстве,
нас освещает сигарета.

Красоток я любил не очень,
и не по скудости деньжат:
красоток даже среди ночи
волнует, как они лежат.

Что значат слезы и слова,
когда приходит искушение?
Чем безутешнее вдова,
тем сладострастней утешение.

Когда врагов утешат слухом,
что я закопан в тесном склепе,
то кто поверит ста старухам,
что я бывал великолепен?

В любые века и эпохи,
покой на земле или битва,
любви раскаленные вздохи —
нужнейшая Богу молитва.

Миллионер и голодранец
равны становятся, как братья,
танцуя лучший в мире танец
без света, музыки и платья.

От одиночества философ,
я стать мыслителем хотел,
но охладел, нашедши способ
сношенья душ посредством тел.

Грешнейший грех — боязнь греха,
пока здоров и жив;
а как посыплется труха,
запишемся в ханжи.

Лучше нет на свете дела,
чем плодить живую плоть;
наше дело — сделать тело,
а душой — снабдит Господь.

Учение Эйнштейна несомненно;
особенно по вкусу мне пришлось,
что с кучей баб я сплю одновременно,
и только лишь пространственно —
                                        поврозь.

Я — лишь искатель приключений,
а вы — распутная мадам;
я узел завяжу на члене,
чтоб не забыть отдаться вам.

Летят столетья, дымят пожары,
но неизменно под лунным светом
упругий Карл у гибкой Клары
крадет кораллы своим кларнетом.

*Н*е нажив ни славы, ни пиастров,
промотал я лучшие из лет,
выводя девиц-энтузиасток
из полуподвала в полусвет.

*М*ы были тощие повесы,
ходили в свитерах заношенных,
и самолучшие принцессы
валялись с нами на горошинах.

*С*егодня ценят мужики
уют, покой и нужники;
и бабы возжигают сами
на этом студне хладный пламень.

*Т*еперь другие, кто помоложе,
тревожат ночи кобельим лаем,
а мы настолько уже не можем,
что даже просто не желаем.

В лета, когда упруг и крепок,
исполнен силы и кудрей,
грешнейший грех — не дергать репок
из грядок и оранжерей.

По весне распустились сады,
и еще лепестки не опали,
как уже завязались плоды
у девиц, что в саду побывали.

Многие запреты — атрибут
зла, в мораль веков переодетого:
благо, а не грех, когда ебут
милую, счастливую от этого.

Природа торжествует, что права,
и люди, несомненно, удались,
когда тела сошлись, как жернова,
и души до корней переплелись.

Рад, что я интеллигент,
что живу светло и внятно,
жаль, что лучший инструмент
годы тупят невозвратно.

Давай, Господь, решим согласно,
определив друг другу роль:
ты любишь грешников? Прекрасно.
А грешниц мне любить позволь.

*М*олодость враждебна постоянству,
в марте мы бродяги и коты;
ветер наших странствий

по пространству
девкам надувает животы.

*Н*е почитая за разврат,
всегда готов наш непоседа,
возделав собственный свой сад,
слегка помочь в саду соседа.

*М*ы в ранней младости усердны
от сказок, веющих с подушек,
и в смутном чаянье царевны
перебираем тьму лягушек.

*Н*азад оглянешься — досада
берет за прошлые года,
что не со всех деревьев сада
поел запретного плода.

*О*т акта близости захватывает дух
сильнее, чем от шиллеровских двух.

Готов я без утайки и кокетства
признаться даже Страшному суду,
что баб любил с мальчишества
                                    до детства,
в которое по старости впаду.

Я в молодости книгам посвящал
интимные досуги жизни личной
и часто с упоеньем посещал
одной библиотеки дом публичный.

Когда тепло, и тьма, и море,
и под рукой крутая талия,
то с неизбежностью и вскоре
должно случиться и так далее.

Как давит стариковская перина
и душит стариковская фуфайка
в часы, когда танцует балерина
и ножку бьет о ножку, негодяйка.

Случайно встретившись в аду
с отпетой шлюхой, мной воспетой,
вернусь я на сковороду
уже, возможно, с сигаретой.

Глава 9

*Д*АВНО ПОРА, ЕБЕНА МАТЬ, УМОМ РОССИЮ ПОНИМАТЬ!

Я государство вижу статуей:

мужчина в бронзе, полный властности,
под фиговым листочком спрятан
огромный орган безопасности.

*Р*астет лосось в саду на грядке,
потек вином заглохший пруд;
в российской жизни все в порядке;
два педераста дочку ждут.

*Н*а наш барак пошли столбы
свободы, равенства и братства;
все, что сработали рабы,
всегда работает на рабство.

Не тиражируй, друг мой, слухов,
компрометирующих власть;
ведь у недремлющего уха
внизу не хер висит, а пасть.

*О*ткрыв сомкнуты негой взоры,
Россия вышла в неглиже
навстречу утренней Авроры,
готовой к выстрелу уже.

*Д*ень Конституции напомнил мне
усопшей бабушки портрет:
портрет висит в парадной комнате,
а бабушки давно уж нет.

*Р*оссия — странный садовод
и всю планету поражает,
верша свой цикл наоборот:
сперва растит, потом сажает.

*В*сю жизнь философ похотливо
стремился истине вдогон;
штаны марксизма снять не в силах —
чего хотел от бабы он?

Смешно, когда толкует эрудит
о тяге нашей к дружбе и доверию;
всегда в России кто-нибудь сидит:
одни — за дух, другие — за материю.

Плодит начальников держава,
не оставляя чистых мест;
где раньше лошадь вольно ржала,
теперь начальник водку ест.

Ошалев от передряг,
спотыкаясь, как калеки,
мы вернули бы варяг,
но они сбежали в греки.

Моей бы ангельской державушке —
два чистых ангельских крыла;
но если был бы хуй у бабушки,
она бы дедушкой была.

Российская лихая птица-тройка
со всех концов земли сейчас видна,
и кони бьют копытами так бойко,
что кажется, что движется она.

$\mathcal{M}$оя империя опаслива:
при всей своей державной поступи
она привлечь была бы счастлива
к доносной службе наши простыни.

Глава 10

*К*АК СОЛОМОН О РОЗЕ

*П*од грудой книг и словарей,
грызя премудрости гранит,
вдруг забываешь, что еврей;
но в дверь действительность звонит.

*Н*икто, на зависть прочим нациям,
берущим силой и железом,
не склонен к тонким операциям
как те, кто тщательно обрезан.

*Л*юблю листки календарей,
где знаменитых жизней даты:
то здесь, то там живал еврей,
случайно выживший когда-то.

*О*тца родного не жалея,
когда дошло до словопрения,
в любом вопросе два еврея
имеют три несхожих мнения.

*Ж*ивым дыханьем фразу грей,
а не гони в тираж халтуру;
сегодня только тот еврей,
кто теплит русскую культуру.

*В*езде одинаков Господень посев,
и врут нам о разнице наций;
все люди — евреи, и просто не все
нашли пока смелость признаться.

*И*з двух несхожих половин
мой дух слагается двояко:
в одной — лукавствует раввин,
в другой — витийствует гуляка.

*Л*етит еврей, несясь над бездной,
от жизни трудной к жизни тяжкой,
и личный занавес железный
везет под импортной рубашкой.

*Ф*ортуна с евреем крута,
поскольку в еврея вместилась
и русской души широта,
и задницы русской терпимость.

*С*омненья мне душу изранили
и печень до почек проели:
как славно жилось бы в Израиле,
когда б не жара и евреи.

*З*а все на евреев найдется судья.
За живость. За ум. За сутулость.
За то, что еврейка стреляла в вождя.
За то, что она промахнулась.

*Р*усский климат в русском поле
для жидов, видать, с руки:
сколько мы их ни пололи,
все цветут — как васильки.

*П*оистине загадочна природа,
из тайны шиты все ее покровы;
откуда скорбь еврейского народа
во взгляде у соседкиной коровы?

*П*риснилась мне роскошная
                              тенденция,
которую мне старость нахимичила:
еврейская духовная потенция
физическую — тоже увеличила.

*П*усть время, как поезд с обрыва,
летит к неминуемым бедам,
но вечером счастлива Рива,
что Сема доволен обедом.

В эпохи любых философий
солонка стоит на клеенке,
и женится Лева на Софе,
и Софа стирает пеленки.

*Е*сли надо — язык суахили,
сложный звуком и словом обильный,
чисто выучат внуки Рахили
и фольклор сочинят суахильный.

*З*намения шлет нам Господь:
случайная вспышка из лазера
отрезала крайнюю плоть
у дряхлого физика Лазаря.

*Д*ядя Лейб и тетя Лея
не читали Апулея;
сил и Лейба не жалея,
наслаждалась Лейбом Лея.

Все предрассудки прочь отбросив,
но чтоб от Бога по секрету,
свинину ест мудрец Иосиф
и громко хвалит рыбу эту.

Влияли слова Моисея на встречного,
разумное с добрым и вечное сея,
и в пользу разумного, доброго, вечного
не верила только жена Моисея.

Влюбилась Сарра в комиссара,
схлестнулись гены в чреве сонном,
трех сыновей родила Сарра,
все — продавцы в комиссионном.

Эпоху хамскую не хая
и власть нахальства не хуля,
блаженно жили Хаим и Хая,
друг друга холя и хваля.

Лея-Двося слез не лила,
счет потерям не вела:
трех мужей похоронила,
сразу пятого взяла.

*Г*де мудрые ходят на цыпочках
и под ноги мудро глядят,
евреи играют на скрипочках
и жалобы нагло галдят.

*Т*акой уже ты дряхлый и больной,
трясешься, как разбитая телега —
на что ты копишь деньги, старый Ной?
— На глупости. На доски для ковчега.

*Т*омит Моисея работа,
домой Моисею охота,
где ходит обширная Хая,
роскошно себя колыхая.

*В*ек за веком: на небе — луна,
у подростка — томленье свободы,
у России — тяжелые годы,
у еврея — болеет жена.

*К*огда черпается счастье
                                        полной миской,
когда каждый жизнерадостен и весел,
тетя Песя остается пессимисткой,
потому что есть ума у тети Песи.

*Н*осятся слухи в житейском эфире,
будто еще до пожара за час
каждый еврей говорит своей Фире:
— Фира! А где там страховка у нас?

*С*вежестью весны благоуханна,
нежностью цветущая, как сад,
чудной красотой сияла Ханна
сорок килограмм тому назад.

*К*ак любовь изменчива, однако!
В нас она качается, как маятник:
та же Песя травит Исаака,
та же Песя ставит ему памятник.

*Н*а всем лежит еврейский глаз,
у всех еврейские ужимки,
и с неба сыплются на нас
шестиконечные снежинки.

*О*н был не глуп, дурак Наум,
но был устроен так,
что все пришедшее на ум
он говорил, мудак.

*Е*сли к Богу допустят еврея,
что он скажет, вошедши с приветом?
— Да, я жил в интересное время,
но совсем не просил я об этом.

*И*звестно всем, что бедный Фима
умом не блещет. Но и тот
умнее бедного Рувима,
который полный идиот.

*Н*е спится горячей Нехаме;
под матери храп непробудный
Нехама мечтает о Хайме,
который нахальный, но чудный.

В кругу семейства своего
жила прекрасно с мужем Дина,
тая от всех, кроме него,
что вышла замуж за кретина.

*З*а стойкость в безумной судьбе,
за смех, за азарт, за движение —
еврей вызывает к себе
лютое уважение.

Камерные гарики

Тюремный дневник
Сибирский дневник
Московский дневник

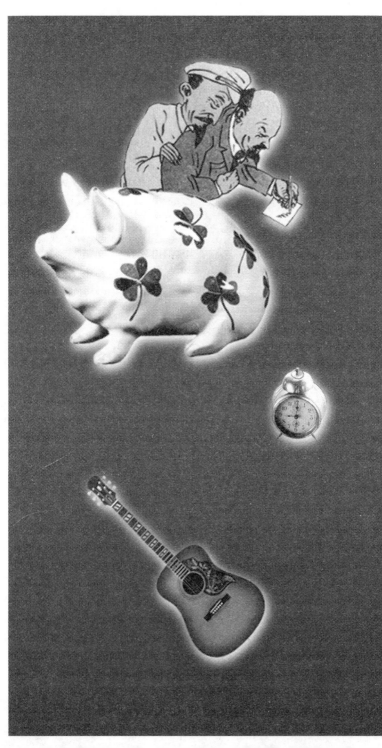

Я взял табак, сложил белье —
к чему ненужные печали?
Сбылось пророчество мое,
и в дверь однажды
постучали.

79-й год

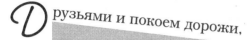

Тюремный дневник

Друзьями и покоем дорожи,
люби, покуда любится, и пей,
живущие над пропастью во лжи
не знают хода участи своей.

И я сказал себе: держись,
Господь суров, но прав,
нельзя прожить в России жизнь,
тюрьмы не повидав.

Попавшись в подлую ловушку,
сменив невольно место жительства,
кормлюсь, как волк, через кормушку
и охраняюсь, как правительство.

Серебра сигаретного пепла
накопился бы холм небольшой
за года, пока зрело и крепло
все, что есть у меня за душой.

Среди воров и алкоголиков
сижу я в каменном стакане,
и незнакомка между столиков
напрасно ходит в ресторане.
Дыша духами и туманами,
из кабака идет в кабак
и тихо плачет рядом с пьяными,
что не найдет меня никак.

В неволе зависть круче тлеет
и злее травит бытие;
в соседней камере светлее
и воля ближе из нее.

Думаю я, глядя на собрата —
пьяницу, подонка, неудачника, —
как его отец кричал когда-то:
«Мальчика! Жена родила
                              мальчика!»

*С*траны моей главнейшая опора —
не стройки сумасшедшего размаха,
а серая стандартная контора,
владеющая ниточками страха.

*К*ак же преуспели эти суки,
здесь меня гоняя, как скотину,
я теперь до смерти буду руки
при ходьбе закладывать за спину.

*П*овсюду, где забава и забота,
на свете нет страшнее ничего,
чем цепкая серьезность идиота
и хмурая старательность его.

*Т*омясь тоской и самомнением,
не сетуй всуе, милый мой,
жизнь постижима лишь в сравнении
с болезнью, смертью и тюрьмой.

В объятьях водки и режима
лежит Россия недвижимо,
и только жид, хотя дрожит,
но по веревочке бежит.

*E*да, товарищи, табак,
потом вернусь в семью;
я был бы сволочь и дурак,
ругая жизнь мою.

*И*з тюрьмы ощутил я страну —
даже сердце на миг во мне замерло —
всю подряд в ширину и длину
как одну необъятную камеру.

*П*рихвачен, как засосанный в трубу,
я двигаюсь без жалобы и стона,
теперь мою дальнейшую судьбу
решит пищеварение закона.

*Т*ам, на утраченной свободе,
в закатных судорогах дня
ко мне уныние приходит,
а я в тюрьме, и нет меня.

*И*мперии летят, хрустят короны,
история вершит свой самосуд,
а нам сегодня дали макароны,
а завтра — передачу принесут.

Мой ум имеет крайне скромный
нрав,
и наглость мне совсем не по карману,
но если положить, что Дарвин прав,
то Бог создал всего лишь обезьяну.

Я теперь вкушаю винегрет
сетований, ругани и стонов,
принят я на главный факультет
университета миллионов.

С годами жизнь пойдет налаженней
и все забудется, конечно,
но хрип ключа в замочной скважине
во мне останется навечно.

Не знаю вида я красивей,
чем в час, когда взошла луна,
в тюремной камере в России
зимой на волю из окна.

Для райского климата райского сада,
где все зеленеет от края до края,
тепло поступает по трубам из ада,
а топливо ада — растительность рая.

*Р*оссия безнадежно и отчаянно
сложилась в откровенную тюрьму,
где бродят тени Авеля и Каина
и каждый сторож брату своему.

*У*стал я жить как дилетант,
я гласу Божескому внемлю
и собираюсь свой талант
навек зарыть в Святую землю.

*С*удьба мне явно что-то роет,
сижу на греющемся кратере,
мне так не хочется в герои,
мне так охота в обыватели!

*К*огда судьба, дойдя до перекрестка,
колеблется, куда ей повернуть,
не бойся незадойливо, но жестко
слегка ее коленом подтолкнуть.

В России слезы светятся сквозь смех,
Россию Бог безумием карал,
России послужили больше всех
те, кто ее сильнее презирал.

Я стараюсь вставать очень рано
и с утра для душевной разминки
сыплю соль на душевные раны
и творю по надежде поминки.

С утра на прогулочном дворике
лежит свежевыпавший снег
и выглядит странно и горько,
как новый в тюрьме человек.

Г рабительство, пьяная драка,
раскража казенного груза...
Как ты незатейна, однако,
российской преступности Муза!

С ижу пока под следственным
давлением
в одном из многих тысяч отделений;
вдыхают прокуроры с вожделением
букет моих кошмарных преступлений.

В округ себя едва взгляну,
с тоскою думаю холодной:
какой кошмар бы ждал страну,
где власть и впрямь была народной.

*К*огда уход из жизни близок,
хотя не тотчас, не сейчас,
душа, предощущая вызов,
духовней делается в нас.

*Н*е лезь, мой друг, за декорации,
зачем ходить потом в обиде,
что благороднейшие грации
так безобразны в истом виде.

Я скепсисом съеден и дымом
пропитан,
забыта весна и растрачено лето,
и бочка иллюзий пуста и разбита,
а жизнь — наслаждение, полное света.

*Б*лажен, кто хлопотлив и озабочен,
и ночью видит сны, что снова день,
и крутится с утра до поздней ночи,
ловя свою вертящуюся тень.

*М*ое безделье будет долгим,
еще до края я не дожил,
а те, кто жизнь считает долгом,
пусть объяснят, кому я должен.

*Н*аклонись, философ, ниже,
не дрожи, здесь нету бесов,
трюмы жизни пахнут жижей
от общественных процессов.

*В*есной я думаю о смерти.
Уже нигде. Уже никто.
Как будто был в большом концерте
и время брать внизу пальто.

*П*о камере то вдоль, то поперек,
обдумывая жизнь свою, шагаю
и каждый возникающий упрек
восторженно и жарко отвергаю.

*В*етреник, бродяга, вертопрах,
слушавшийся всех и никого,
лишь перед неволей знал я страх,
а теперь лишился и его.

В тюрьме, где ощутил свою
ничтожность,
вдруг чувствуешь, смятение тая,
бессмысленность, бесцельность,
безнадежность
и дикое блаженство бытия.

*Т*юрьмою наградила напоследок
меня отчизна-мать, спасибо ей,
я с радостью и гордостью изведал
судьбу ее не худших сыновей.

*Г*ода промчатся быстрой ланью,
укроет плоть суглинка пласт,
и Бог-отец могучей дланью
моей душе по жопе даст.

В тюрьму я брошен так давно,
что сжился с ней, признаться честно;
в подвалах жизни есть вино,
какое воле неизвестно.

*К*акое это счастье: на свободе
со злобой и обидой через грязь
брести домой по мерзкой непогоде
и чувствовать, что жизнь не удалась.

*С*тихов довольно толстый томик,
отмычку к райским воротам,
а также свой могильный холмик
меняю здесь на бабу там!

В тюрьме вечерами сидишь
                        молчаливо
и очень на нары не хочется лезть,
а хочется мяса, свободы и пива,
а изредка — славы, но чаще — поесть.

В наш век искусственного меха
и нефтью пахнущей икры
нет ничего дороже смеха,
любви, печали и игры.

В тюрьму посажен за грехи
и, сторожимый мразью разной,
я душу вкладывал в стихи,
а их носил под пяткой грязной.

И по сущности равные шельмы,
и по глупости полностью схожи
те, кто хочет купить подешевле,
те, кто хочет продать подороже.

Все дороги России — беспутные,
все команды в России — пожарные,
все эпохи российские — смутные,
все надежды ее — лучезарные.

*Б*ожий мир так бестрепетно ясен
и, однако, так сложен притом,
что никак и ничуть не напрасен
страх и труд не остаться скотом.

*Н*ет, не судьба творит поэта,
он сам судьбу свою творит,
судьба — платежная монета
за все, что вслух он говорит.

*Ж*ивущий — улыбайся в полный рот
и чаще пей взбодряющий напиток;
в ком нет веселья — в рай не попадет,
поскольку там зануд уже избыток.

*П*оследнюю в себе сломив твердыню
и смыв с лица души последний грим,
я, Господи, смирил свою гордыню,
смири теперь свою — поговорим.

*Н*ет, не бездельник я, покуда голова
работает над пряжею певучей;
я в реки воду лью,
я в лес ношу дрова,
я ветру дую вслед, гоняя тучи.

*Н*е спорю, что разум, добро и любовь
движение мира ускорили,
но сами чернила истории — кровь
людей, непричастных к истории.

*П*о давней наблюдательности личной
забавная печальность мне видна:
гавно глядит на мир оптимистичней,
чем те, кого воротит от гавна.

*Ж*аждущих уверовать так много,
что во храмах тесно стало вновь,
там через обряды ищут Бога,
как через соитие — любовь.

*М*не наплевать на тьму лишений
и что меня пасет свинья,
мне жаль той сотни искушений,
которым сдаться мог бы я.

*В*олшебен мир, где ты с подругой;
женой становится невеста;
жена становится супругой,
и мир становится на место.

Фортуна — это женщина, уступка
ей легче, чем решительный отказ,
а пластика просящего поступка
зависит исключительно от нас.

Не наблюдал я никогда
такой же честности во взорах
ни в ком за все мои года,
как в нераскаявшихся ворах.

Лежу на нарах без движения,
на стены сумрачно гляжу;
жизнь — это самовыражение,
за это здесь я и сижу.

Здравствуй, друг, я живу хорошо,
здесь дают и обед и десерт;
извини, написал бы еще,
но уже я заклеил конверт.

За то, что я сидел в тюрьме,
потомком буду я замечен,
и сладкой чушью обо мне
мой образ будет изувечен.

Не сваливай вину свою, старик,
о предках и эпохе спор излишен;
наследственность и век — лишь
черновик,
а начисто себя мы сами пишем.

Поскольку предан я мечтам,
то я сижу в тюрьме не весь,
а часть витает где-то там,
и только часть ютится здесь.

Любовь, ударившись о быт,
скудеет плотью, как старуха,
а быт безжизнен и разбит,
как плоть, лишившаяся духа.

Есть безделья, которые выше трудов,
как монеты различной валюты,
есть минуты, которые стоят годов,
и года, что не стоят минуты.

По счастью, я не муж наук,
а сын того блажного племени,
что слышит цвет, и видит звук,
и осязает запах времени.

*В*чера я так вошел в экстаз,
ища для брани выражения,
что только старый унитаз
такие знает извержения.

*К*ак сушат нас число и мера!
Наседка века их снесла.
И только жизнь души и хера
не терпит меры и числа.

*С*частливый сон: средь вин сухих,
с друзьями в прениях бесплодных
за неименьем дел своих
толкую о международных.

*Ч*тоб хоть на миг унять свое
любви желание шальное,
мужик посмеет сделать все,
а баба — только остальное.

*К*ак безумец, я прожил свой день,
я хрипел, мельтешил, заикался;
я спешил обогнать свою тень
и не раз об нее спотыкался.

*З*абавно слушать спор интеллигентов
в прокуренной застольной духоте,
всегда у них идей и аргументов
чуть больше, чем потребно правоте.

*К*ак жаль, что из-за гонора и лени
и холода, гордыней подогретого,
мы часто не вставали на колени
и женщину теряли из-за этого.

В тюрьме я понял: Божий глас
во мне звучал зимой и летом:
налей и выпей, много раз
ты вспомнишь с радостью об этом.

*Ч*ума, холера, оспа, тиф,
повальный голод, мор детей...
Какой невинный был мотив
у прежних массовых смертей.

А жизнь продолжает вершить
                                             поединок
со смертью во всех ее видах,
и мавры по-прежнему душат блондинок,
свихнувшись на ложных обидах.

*Е*два в искусстве спесь и чванство
мелькнут, как в супе тонкий волос,
над ним и время и пространство
смеются тотчас в полный голос.

*С*уд земной и суд небесный —
вдруг окажутся похожи?
Как боюсь, когда воскресну,
я увидеть те же рожи!

*К*лянусь едой, ни в малом слове
обиды я не пророню,
давным-давно я сам готовил
себе тюремное меню.

*Л*ишен я любимых и дел, и игрушек,
и сведены чувства почти что к нулю,
и мысли — единственный вид
потаскушек,
с которыми я свое ложе делю.

*К*огда лысые станут седыми,
выйдут мыши на кошачью травлю,
в застоявшемся камерном дыме
я мораль и здоровье поправлю.

Весной врастают в почву палки,
шалеют кошки и коты,
весной быки жуют фиалки,
а пары ищут темноты.
Весной тупеют лбы ученые,
и запах в городе лесной,
и только в тюрьмах заключенные
слабеют нервами весной.

Читая позабытого поэта
и думая, что в жизни было с ним,
я вижу иногда слова привета,
мне лично адресованные им.

В туманной тьме горят созвездия,
мерцая зыбко и недружно;
приятно знать, что есть возмездие
и что душе оно не нужно.

За женщиной мы гонимся упорно,
азартом распаляя обожание,
но быстро стынут радости
                          от формы
и грустно проступает содержание.

Занятия, что прерваны тюрьмой,
скатились бы к бесплодным разговорам,
но женщины, не познанные мной,
стоят передо мной живым укором.

Язык вранья упруг и гибок
и в мыслях строго безупречен,
а в речи правды — тьма ошибок
и слог нестройностью увечен.

Тюремный срок не длится вечность,
еще обнимем жен и мы,
и только жаль мою беспечность,
она не вынесла тюрьмы.

Среди тюремного растления
живу, слегка опавши в теле,
и сочиняю впечатления,
которых нет на самом деле.

Доставшись от ветхого прадеда,
во мне совместились исконно
брезгливость к тому, что неправедно,
с азартом к обману закона.

*Н*е с того ль я угрюм и печален,
что за год, различимый насквозь,
ни в одной из известных мне спален
мне себя наблюдать не пришлось?

*Т*юрьма, конечно, — дно и пропасть,
но даже здесь, в земном аду,
страх — неизменно верный компас,
ведущий в худшую беду.

*М*оя игра пошла всерьез —
к лицу лицом ломлюсь о стену,
и чья возьмет — пустой вопрос,
возьмет моя, но жалко цену.

*М*ы предателей наших никак
                          не забудем
и счета им предъявим за нашу судьбу,
но не дай мне Господь недоверия
                          к людям,
этой страшной болезни, присущей рабу.

*К*акие прекрасные русские лица!
Какие раскрытые ясные взоры!
Грабитель. Угонщик. Насильник.
Убийца.
Растлитель. И воры, и воры, и воры.

В тюрьме о кладах разговоры
текут с утра до темноты,
и нежной лаской дышат воры,
касаясь трепетной мечты.

*К*акие бы книги России сыны
создали про собственный опыт!
Но Бог, как известно, дарует штаны
тому, кто родился без жопы.

*Ж*изнь — серьезная, конечно,
только все-таки игра,
так что фарт возможен к вечеру,
если не было с утра.

*М*не роман тут попался сопливый,
как сирот разыскал их отец,
и, заплакав, уснул я, счастливый,
что всплакнуть удалось наконец.

*П*од этим камнем я лежу.
Вернее, то, что было мной,
а я теперешний — сижу
уже в совсем иной пивной.

*В*чера, ты было так давно!
Часы стремглав гоняют стрелки.
Бывает время пить вино,
бывает время мыть тарелки.

Я днями молчу и ночами,
я нем, как вода и трава;
чем дольше и глубже молчанье,
тем выше и чище слова.

*К*лянусь я прошлогодним снегом,
клянусь трухой гнилого пня,
клянусь врагов моих ночлегом —
тюрьма исправила меня.

Я взвесил пристально и строго
моей души материал:
Господь мне дал довольно много,
но часть я честно растерял,
а часть усохла в небрежении,
о чем я несколько грущу
и в добродетельном служении
остатки по ветру пущу.

Минуют сроки заточения,
свобода поезд мне подкатит,
и я скажу: «Мое почтение!» —
входя в пивную на закате.
Подкинь, Господь, стакан и вилку,
и хоть пошли опять в тюрьму,
но тяжелее, чем бутылку,
отныне я не подниму.

Сибирский дневник

Судьбы моей причудливое устье
внезапно пролегло через тюрьму
в глухое, как Герасим, захолустье,
где я благополучен, как Муму.

Все это кончилось, ушло,
исчезло, кануло и сплыло,
а было так нехорошо,
что хорошо, что это было.

Приемлю тяготы скитаний,
ничуть не плачась и не ноя,
но рад, что в чашу испытаний
теперь могу подлить спиртное.

С тех пор, как я к земле приник,
я не чешу перстом в затылке,
я из дерьма сложил парник,
чтоб огурец иметь к бутылке.

*Ж*иву, напевая чуть слышно,
беспечен, как зяблик на ветке,
расшиты богато и пышно
мои рукава от жилетки.

Я — ссыльный, пария, плебей,
изгой, затравлен и опаслив,
и не пойму я, хоть убей,
какого хера я так счастлив.

Я странствовал, гостил в тюрьме,
                                              любил,
пил воздух, как вино,
и пил вино, как воздух,
познал азарт и риск, богат недолго был
и вновь бездонно пуст. Как небо
                                              в звездах.

*Н*е соблазняясь жирным кусом,
любым распахнут заблуждениям,
в несчастья дни я жил со вкусом,
а в дни покоя — с наслаждением.

*Ч*то ни день — обнажившись по пояс,
я тружусь в огороде жестоко,
а жена, за мой дух беспокоясь,
мне читает из раннего Блока.

Я снизил бытие свое до быта,
я весь теперь в земной моей судьбе,
и прошлое настолько мной забыто,
что крылья раздражают при ходьбе.

*М*не очень крепко повезло:
в любой тюрьме, куда ни деньте,
мое пустое ремесло
нужды не знает в инструменте.

*П*орядка мы жаждем! Как формы
                            для теста.
И скоро мясной мускулистый мессия
для миссии этой заступит на место,
и снова, как встарь, присмиреет Россия.

*М*еня растащат на цитаты
без никакой малейшей ссылки,
поскольку автор, жид пархатый,
давно забыт в сибирской ссылке.

*К*огда уходил я, приятель по нарам,
угрюмый охотник, таежный медведь,
«Послушай, — сказал он, — сидел ты
                            не даром,
не так одиноко мне было сидеть».

*К*очевник я. Про все, что вижу,
незамедлительно пою,
и даже говный прах не ниже
высоких прав на песнь мою.

*Е*сть время жечь огонь и сталь ковать,
есть время пить вино и мять кровать;
есть время (не ума толчок, а сердца)
поры перекурить и осмотреться.

*М*ир так непостоянен, сложен так
и столько лицедействует обычно,
что может лишь подлец или дурак
о чем-нибудь судить категорично.

О девке, встреченной однажды,
подумал я со счастьем жажды.
Спадут ветра и холода —
опять подумаю тогда.

*Ч*то мне в раю гулянье с арфой
и в сонме праведников членство,
когда сегодня с юной Марфой
вкушу я райское блаженство?

Ко мне порой заходит собеседник,
неся своих забот нехитрый ворох,
бутылка — переводчик и посредник
в таких разноязыких разговорах.

Брожу вдоль древнего тумана,
откуда ветвь людская вышла:
в нас есть и Бог, и обезьяна;
в коктейле этом — тайны вишня.

От бессилия и бесправия,
от изжоги душевной путаницы
со штанов моего благонравия
постепенно слетают пуговицы.

Как лютой крепости пример,
моей душою озабочен,
мне друг прислал моржовый хер,
чтоб я был тверд и столь же прочен.

Нынче это глупость или ложь —
верить в просвещение, по-моему,
ибо что в помои ни вольешь —
теми же становится помоями.

*О*тъявленный, заядлый и отпетый,
без компаса, руля и якорей
прожил я жизнь, а памятником ей
останется дымок от сигареты.

*О*дин я. Задернуты шторы.
А рядом, в немой укоризне,
бесплотный тот образ, который
хотел я сыграть в этой жизни.

*Д*аже в тесных объятьях земли
буду я улыбаться, что где-то
бесконвойные шутки мои
каплют искорки вольного света.

*В*ечно и везде — за справедливость
длится непрерывное сражение;
в том, что ничего не изменилось,
главное, быть может, достижение.

*З*десь — реликвии. Это святыни.
Посмотрите, почтенные гости.
Гости смотрят глазами пустыми,
видят тряпки, обломки и кости.

Спасибо организму, корпус верный
устойчив оказался на плаву,
но все-таки я стал настолько нервный,
что вряд ли свою смерть переживу.

Порой оглянешься в испуге,
бег суеты притормозя:
где ваши талии, подруги,
где наша пламенность, друзья?

Сегодня дышат легче всех
лишь волк да таракан,
а нам остались книги, смех,
терпенье и стакан.

Хоть я живу невозмутимо,
но от проглоченных обид
неясно где, но ощутимо
живот души моей болит.

Грусть подави и судьбу не гневи
глупой тоской пустяковой;
раны и шрамы от прежней любви —
лучшая почва для новой.

*Ц*елый день читаю я сегодня,
куча дел забыта и заброшена,
в нашей уцененной преисподней
райское блаженство очень дешево.

*К*огда, отказаться не вправе,
мы тонем в друзьях и приятелях,
я горестно думаю: Авель
задушен был в братских объятиях.

*З*а годом год я освещу
свой быт со всех сторон,
и только жаль, что пропущу
толкучку похорон.

*В*се говорят, что в это лето
продукты в лавках вновь появятся,
но так никто не верит в это,
что даже в лете сомневаются.

*Б*ог молчит совсем не из коварства,
просто у него своя забота:
имя его треплется так часто,
что его замучила икота.

Летит по жизни оголтело,
бредет по грязи не спеша
мое сентябрьское тело,
моя апрельская душа.

Чем пошлей, глупей и примитивней
фильмы о красивости страданий,
тем я плачу гуще и активней
и безмерно счастлив от рыданий.

В чистилище — дымно, и вобла,
                                             и пена;
чистилище — вроде пивной;
душа, закурив, исцеляет степенно
похмелье от жизни земной.

Сытным хлебом и зрелищем дивным
недовольна широкая масса.
Ибо живы не хлебом единым,
а хотим еще водки и мяса.

Раскрылась доселе закрытая дверь,
напиток познания сладок,
небесная высь — не девица теперь,
и больше в ней стало загадок.

Друзья мои живость утратили,
угрюмыми ходят и лысыми,
хоть климат наш так замечателен,
что мыши становятся крысами.

На свете есть таинственная власть,
ее дела кромешны и сугубы,
и в мистику никак нельзя не впасть,
когда болят искусственные зубы.

Духом прям и ликом симпатичен,
очень я властям своим не нравлюсь,
ибо от горбатого отличен
тем, что и в могиле не исправлюсь.

Нет, будни мои вовсе не унылы,
и жизнь моя, терпимая вполне,
причудлива, как сон слепой кобылы
о солнце, о траве, о табуне.

К приятелю, как ангел-утешитель,
иду залить огонь его тоски,
а в сумке у меня — огнетушитель
и курицы вчерашние куски.

*Б*ездарный в акте обладания
так мучим жаждой наслаждений,
что утолят его страдания
лишь факты новых овладений.

*З*ря ты, Циля, нос повесила:
если в Хайфу нет такси,
нам опять живется весело
и вольготно на Руси.

*Т*ы со стихов иметь барыш,
душа корыстная, хотела?
И он явился: ты паришь,
а снег в Сибири топчет тело.

*С*лаб и грешен, я такой,
утешаюсь каламбуром,
нету мысли под рукой —
не гнушаюсь калом бурым.

*М*оим стихам придет черед,
когда зима узду ослабит,
их переписчик переврет
и декламатор испохабит.

Я тогу — на комбинезон
сменил, как некогда Овидий
(он также Публий и Назон),
что сослан был и жил в обиде,
весь день плюя за горизонт,
и умер, съев несвежих мидий.

*П*риятно думать мне в Сибири,
что жребий мой совсем не нов,
что я на вечном русском пире
меж лучших — съеденных — сынов.

Я пил нектар со всех растений,
что на пути своем встречал;
гербарий их засохших теней
теперь листаю по ночам.

*Б*ыл ребенок — пеленки мочил я,
                                    как мог;
повзрослев, подмочил репутацию;
а года протекли, и мой порох
                                    намок —
плачу, глядя на юную грацию.

*К*ак ты поешь! Как ты колышешь
                                  стан!
Как облик мне твой нравится фартовый!
И держишь микрофон ты, как банан,
уже к употреблению готовый.

*С*ловить иностранца мечтает невеста,
надеясь побыть в заграничном кино
посредством заветного тайного места,
которое будет в Европу окно.

*Г*де ты нынче? Жива? Умерла?
Ты была весела и добра.
И ничуть не ленилась для ближнего
из бельишка выпархивать нижнего.

*Ж*ена меня ласкает иногда
словами утешенья и привета:
что столько написал ты — не беда,
беда, что напечатать хочешь это.

*Н*а самом краю нашей жизни
я думаю, влазя на печь,
что столько я должен отчизне,
что ей меня надо беречь.

*В*есна сняла обузу снежных блузок
с сирени, обнажившейся по пояс,
но я уже на юных трясогузок
смотрю, почти ничуть не беспокоясь.

Я — удачник. Что-то в этом роде.
Ибо в час усталости и смуты
радость, что живу, ко мне приходит
и со мною курит полминуты.

В Сибирь я врос настолько крепко,
что сам Господь не сбавит срок;
дед посадил однажды репку,
а после вытащить не смог.

В том, что я сутул и мешковат,
что грустна фигуры география,
возраст лишь отчасти виноват,
больше виновата биография.

*У*чусь терпеть, учусь терять
и при любой житейской стуже
учусь, присвистнув, повторять:
плевать, не сделалось бы хуже.

*Е*сть власти гнев и гнев Господень.
Из них которым я повержен?
Я от обоих не свободен,
но Богу — грех, что так несдержан.

*С*лова в Сибири, сняв пальто,
являют суть буквальных истин:
так, например, беспечен тот,
кто печь на зиму не почистил.

Я проснулся несчастным до боли
                              в груди —
я с врагами во сне пировал;
в благодарность клопу, что меня
                              разбудил,
я свободу ему даровал.

*К*ак жаждет славы дух мой нищий!
Чтоб через век в календаре
словно живому (только чище)
сидеть, как муха в янтаре.

*М*оим конвойным нет загадок
ни в небесах, ни в них самих,
царит уверенный порядок
под шапкой в ягодицах их.

*М*уки творчества? Я не творю,
не мечусь, от экстаза дрожа;
черный кофе на кухне варю,
сигарету зубами держа.

*С*лужить высокой цели? Но мой дом
ни разу этой глупостью не пах.
Мне форма жмет подмышки. И притом
тревожит на ходу мой вольный пах.

О чем судьба мне ворожит?
Я ясно слышу ворожею:
ты гонишь волны, старый жид,
а все сидят в гавне по шею.

*К*огда б из рая отвечали,
спросить мне хочется усопших —
не страшно им ходить ночами
сквозь рощи девственниц усохших?

С природой здесь наедине,
сполна достиг я опрощения;
вчера во сне явились мне
Руссо с Толстым, прося прощения.

В неусыпном душевном горении,
вдохновения полон могучего,
сочинил я вчера в озарении
все, что помнил из Фета и Тютчева.

И в городе не меньше, чем в деревне,
едва лишь на апрель сменился март,
крестьянский, восхитительный
                                            и древний
цветет осеменительный азарт.

А ночью небо раскололось,
и свод небес раскрылся весь,
и я услышал дальний голос:
не бойся смерти, пьют и здесь.

Уже в костях разлад и крен,
а в мысли чушь упрямо лезет,
как в огороде дряхлый хрен
о юной редьке сонно грезит.

Мой воздух чист, и даль моя светла,
и с веком гармоничен я и дружен,
сегодня хороши мои дела,
а завтра они будут еще хуже.

*К*онечно, жизнь — игра. И даже спорт.
Но как бы мы себя ни берегли,
не следует ложиться на аборт,
когда тебя еще и не ебли.

*Н*е зная зависти и ревности,
мне очень просто и легко
доить из бурной повседневности
уюта птичье молоко.

*Н*овые во мне рождает чувства
древняя крестьянская стезя:
хоть роскошней роза, чем капуста,
розу квасить на зиму нельзя.

*М*уза истории, глядя вперед,
каждого разно морочит;
истая женщина каждому врет
именно то, что он хочет.

*Ц*арствует кошмарный винегрет
в мыслях о начале всех начал:
друг мой говорил, что Бога нет,
а про черта робко умолчал.

Живу я безмятежно и рассеянно;
соседи обсуждают с интересом,
что рубль, их любимое растение,
нисколько я не чту деликатесом.

Пожить бы сутки древним циником:
на рынке вставить в диспут строчку,
заесть вино сушеным фиником
и пригласить гречанку в бочку.
Под утро ножкою точеной
она поерзает в соломе,
шепча, что я большой ученый,
но ей нужней достаток в доме.
Я запахну свою хламиду,
слегка в ручье ополоснусь,
глотком воды запью обиду
и в мой сибирский плен вернусь.

Жаркой пищи поглощение
вкупе с огненной водой —
мой любимый вид общения
с окружающей средой.

Есть люди — как бутылки: в разговоре
светло играет бликами стекло,
но пробку ненароком откупорил —
и сразу же зловонье потекло.

179

*М*ой дух ничуть не смят
                                    и не раздавлен;
изведав и неволю и нужду,
среди друзей по рабству я прославлен
здоровым отвращением к труду.

*В*сем дамам улучшает цвет лица
без музыки и платья чудный танец,
но только от объятий подлеца
гораздо ярче свежесть и румянец.

*Н*е дослужась до сытой пенсии,
я стану пить и внуков нянчить,
а также жалобными песнями
у Бога милостыню клянчить.

Я не спорю — он духом не нищий.
Очень развит, начитан, умен.
Но, вкушая духовную пищу,
омерзительно чавкает он.

Я машину свою беспощадно гонял,
не боясь ни погоды, ни тьмы;
видно, ангел-хранитель меня
                                    охранял,
чтобы целым сберечь для тюрьмы.

Со старым другом спор полночный.
Пуста бутыль, и спит округа.
И мы опять не помним точно,
в чем убедить хотим друг друга.

Между мелкого, мерзкого, мглистого
я живу и судьбу не кляну,
а большого кто хочет и чистого,
пусть он яйца помоет слону.

Когда фортуна даст затрещину,
не надо нос уныло вешать,
не злись на истинную женщину,
она вернется, чтоб утешить.

В пылу любви ума затмение
овладевает нами всеми —
не это ль ясное знамение,
что Бог устраивает семьи?

В безумных лет летящей череде
дух тяжко без общенья голодает;
поэту надо жить в своей среде:
он ей питается, она его съедает.

*Н*ас будто громом поражает,
когда девица (в косах бантики),
играя в куклы (или в фантики),
полна смиренья (и романтики),
внезапно пухнет и рожает.
Чем это нас так раздражает?

*В*новь себя рассматривал подробно:
выщипали годы мои перья;
сестрам милосердия подобно,
брат благоразумия теперь я.

*В*сегда, мой друг, наказывали нас,
карая лютой стужей ледяной;
когда-то, правда, ссылкой был Кавказ,
но там тогда стреляли, милый мой.

*К*рушу я ломом грунт упорный,
и он покорствует удару,
а под ногтями траур черный —
по моему иному дару.

*Л*юбовь и пьянство — нет примера
тесней их близости на свете;
ругает Бахуса Венера,
но от него у ней и дети.

*Е*сть кого мне при встрече обнять;
сядем пить и, пока не остыли,
столько глупостей скажем опять,
сколько капель надежды в бутыли.

И не спит она ночами,
и отчаян взгляд печальный,
утолит ее печали
кто-нибудь совсем случайный.

*Ч*то сложилось не так,
не изменишь никак
и назад не воротишь уже,
только жалко, что так
был ты зелен, дурак,
а фортуна была в неглиже.

*Т*игра гладить против шерсти
так же глупо,
как по шерсти.
Так что если гладить,
то, конечно, лучше против шерсти.

*П*ою как слышу. А традиции,
каноны, рамки и тенденция —
мне это позже пригодится,
когда наступит импотенция.

*Е*сли так охота врать,
что никак не выстоять,
я пишу вранье в тетрадь
как дневник и исповедь.

*О*кунулся я в утехи гастрономии,
посвятил себя семейному гнезду,
ибо, слабо разбираясь в астрономии,
проморгал свою счастливую звезду.

*Н*а мои вопросы тихие
о дальнейшей биографии
отвечали грустно пифии:
нет прогноза в мире мафии.

*Н*аука, ты помысли хоть мгновение,
что льешь себе сама такие пули:
зависит участь будущего гения
от противозачаточной пилюли.

*М*ы от любви теряем в весе
за счет потери головы
и воспаряем в поднебесье,
откуда падаем, увы.

*К*огда вершится смертный приговор,
душа сметает страха паутину.
Пришла пора опробовать прибор,
сказал король, взойдя на гильотину.

*Т*ы люби, душа моя, меня,
ты уйми, душа моя, тревогу,
ты ругай, душа моя, коня,
но терпи, душа моя, дорогу.

Я верю в мудрость правил и традиций,
весь век держусь обычности
привычной,
но скорбная обязанность трудиться
мне кажется убого-архаичной.

*С*лухи, сплетни, склоки, свары,
клевета со злоязычием,
попадая в мемуары,
пахнут скверной и величием.

*К*огда между людьми и обезьянами
найдут недостающее звено,
то будет обезьяньими оно
изгоями с душевными изъянами.

*Е*сли бабе семья дорога,
то она изменять если станет,
ставит мужу не просто рога,
а рога изобилия ставит.

*П*оверх и вне житейской скверны,
виясь, как ангелы нагие,
прозрачны так, что эфемерны,
витают помыслы благие.

Московский дневник

Напрасно телевизоров сияние,
театры, бардаки, консерватории:
бормочут и елозят россияне,
попав под колесо своей истории.

Вернулся я в загон для обывателей
и счастлив, что отделался испугом;
террариум моих доброжелателей
свихнулся и питается друг другом.

Евреи кинулись в отъезд,
а в наших жизнях подневольных
опять болят пустоты мест —
сердечных, спальных и застольных.

И я бы, мельтеша и суетясь,
грел руки у бенгальского огня,
но я живу, на век облокотясь,
а век облокотился на меня.

Всегда в нестройном русском хоре
бывал различен личный нрав,
и кто упрямо пел в миноре,
всегда оказывался прав.

Нет, не грущу, что я изгой
и не в ладу с казенным нравом,
зато я левою ногой
легко чешу за ухом правым.

Становится вдруг зябко и паскудно,
и чувство это некуда мне деть,
стоять за убеждения нетрудно,
значительно трудней за них сидеть.

Выбрал странную дорогу
я на склоне дней,
ибо сам с собой не в ногу
я иду по ней.

Весьма уже скучал я в этом мире,
когда — благодарение Отчизне! —
она меня проветрила в Сибири
и сразу освежила жажду жизни.

И женщины нас не бросили,
и пить не устали мы,
и пусть весна нашей осени
тянется до зимы.

Когда с утра смотреть противно,
как морда в зеркале брюзглива,
я не люблю себя. Взаимно
и обоюдосправедливо.

Он мало спал, не пил вино
и вкалывал, кряхтя.
Он овладел наукой, но
не сделал ей дитя.

Эпическая гложет нас печаль
за черные минувшие года;
не прошлое, а будущее жаль,
поскольку мы насрали и туда.

Клиенту, если очень умоляет
и просит хоть малейшего приятства,
сестру свою Надежду посылает
Фортуна, устающая от блядства.

*Е*врей неделикатен и смутьян;
хоть он везде не более чем гость,
но в узких коридорах бытия
повсюду выпирает, словно гвоздь.

*К*рича про срам и катастрофу,
порочат власть и стар и млад,
и все толпятся на Голгофу,
а чтоб распяли — нужен блат.

*К*о мне вот-вот придет признание,
меня поместят в списке длинном,
дадут медаль, портфель и звание
и плешь посыпят нафталином.

*Л*юбовь с эмиграцией — странно
                              похожи:
как будто в объятья средь ночи
кидается в бегство кто хочет и может,
а кто-то не может, а хочет.

Я счастлив одним в этом веке гнилом,
где Бог нам поставил стаканы:
что пью свою рюмку за тем же столом,
где кубками пьют великаны.

В каждый миг любой эпохи
всех изученных веков
дамы прыгали, как блохи,
на прохожих мужиков.

*У*чился, путешествовал, писал,
бывал и рыбаком, и карасем;
теперь я дилетант-универсал
и знаю ничего, но обо всем.

*Д*ух осени зловещий
насквозь меня пронял,
и я бросаю женщин,
которых не ронял.

*Р*оссия красит свой фасад,
чтоб за фронтоном и порталом
неуправляемый распад
сменился плановым развалом.

*Р*оссияне живут и ждут,
уловляя малейший знак,
понимая, что наебут,
но не зная, когда и как.

*О*чень грустные мысли стали
виться в воздухе облаками:
все, что сделал с Россией Сталин,
совершил он ее руками.
И Россия от сна восстала,
но опять с ней стряслась беда:
миф про Когана-комиссара
исцелил ее от стыда.

В душе осталась кучка пепла
и плоть изношена дотла,
но обстоят великолепно
мои плачевные дела.

Я ловлю минуту светлую,
я живу, как жили встарь,
я на жребий свой не сетую —
в банке шпрот живой пескарь.

*Д*ым отечества голову кружит,
затвори мне окно поплотней:
шум истории льется снаружи
и мешает мне думать о ней.

Загорская тюрьма. 1979 г.

Мать
Эмилия Абрамовна

Отец
Мирон Давидович

С отцом. 1973 г.

Московский институт инженеров
железнодорожного транспорта

В колхозе. Осень 1955 г.

Куда нас везут, не помню

На военных сборах

Нальчик. В инженерной командировке

Волейбольная команда локомотивного депо, г. Дёма (Башкирия)

Инженеры-наладчики

Раздача автографов. Клуб "Меридиан"

Переделкино. 1976 г. Жена Тата, дочь Таня, сын Эмиль

Семья

Поселок Бородино Красноярского края (ссылка)

Лидия Борисовна Либединская навещает ссыльную
семью. 1982 г.

Сибирская степь. 1982 г.

Пустыня Негев. 1990 г.

В Сибири мы купались тоже

Пес Ясир в молодости (назван в честь Арафата)

Поселок Хайрюзовка Красноярского края.
З/к Губерман на пути исправления

В уцелевших усадьбах лишь малость,
бывшей жизни былой уголок —
потолочная роспись осталась,
ибо трудно засрать потолок.

*В*ерна себе, как королева,
моя держава:
едва-едва качнувшись влево,
стремится вправо.

*Н*есясь гуртом, толпой и скопом
и возбуждаясь беспредельно,
полезно помнить, что по жопам
нас бьют впоследствии раздельно.

Я легкомысленный еврей
и рад, что рос чертополохом,
а кто серьезней и мудрей —
покрылись плесенью и мохом.

*П*орой мы даже не хотим,
но увлекаемся натурой,
вступая в творческий интим
с отнюдь не творческой фигурой.

В час, когда, безденежье кляня,
влекся я душой к делам нечистым,
кто-то щелкал по носу меня;
как же я могу быть атеистом?

*Е*сть люди, которым Господь
                                                    не простил
недолгой потери лица:
такой лишь однажды в штаны напустил,
а пахнет уже до конца.

*П*робужденья гражданского долга
кто в России с горячностью жаждал —
охлаждался впоследствии долго,
дожидаясь отставших сограждан.

*П*овсюду, где евреи о прокорме
хлопочут с неустанным прилежанием,
их жизнь, пятиконечная по форме,
весьма шестиконечна содержанием.

*Н*очь глуха, но грезится заря.
Внемлет чуду русская природа.
Богу ничего не говоря,
выхожу один я из народа.

*К*огда у нас меняются дела,
молчат и эрудит, и полиглот;
Россия что-то явно родила
и думает, не слопать ли свой плод.

*Н*еясен курс морской ладьи,
где можно приказать
рабам на веслах стать людьми,
но весел не бросать.

*Г*егемон оказался растленен,
вороват и блудливо-разумен;
если ожил бы дедушка Ленин,
то немедленно снова бы умер.

*С*лава Богу — лишен я резвости,
слава Богу — живу в безвестности;
активисты вчерашней мерзости —
нынче лидеры нашей честности.

*Н*е в хитрых домыслах у грека,
а в русской классике простой
вчера нашел я мудрость века:
«Не верь блядям», — сказал Толстой.

*Р*усский холод нерешительно вошел
в потепления медлительную фазу;
хорошо, что нам не сразу хорошо,
для России очень плохо все, что сразу.

*Л*егчает русский быт из года в год,
светлей и веселей наш дом питейный,
поскольку безыдейный идиот
гораздо безопасней, чем идейный.

В летальный миг вожди народа
внесли в культуру улучшение:
хотя не дали кислорода,
но прекратили удушение.

*С*ейчас не спи, укрывшись пледом,
сейчас эпоха песен просит,
за нами слава ходит следом
и дело следственное носит.

*Н*ас теплым словом обласкали,
чтоб воздух жизни стал здоров,
и дух гражданства испускали
мы вместо пакостных ветров.

*М*не смотреть интересно и весело,
как, нажав на железные своды,
забродило российское месиво
на дрожжах чужеродной свободы.

*К*рай чудес, едва рассудком початый,
недоступен суете верхоглядства;
от идеи, непорочно зачатой,
здесь развилось несусветное блядство.

К нам хлынуло светлой волной
обилие планов и мыслей,
тюрьма остается тюрьмой,
но стало сидеть живописней.

*Н*астежь окна, распахнута дверь,
и насыщен досуг пролетария,
наслаждаются прессой теперь
все четыре моих полушария.

К исцелению ищет ключи
вся Россия, сопя от усердия,
и пошли палачи во врачи
и на курсы сестер милосердия.

*Р*оссия — это царь. Его явление
меняет краску суток полосатых.
От лысых к нам приходит послабление,
и снова тяжело при волосатых.

*И*звечно человеческая глина
нуждается в деснице властелина,
и трудно разобраться, чья вина,
когда она домялась до гавна.

*Т*ому, что жить в России сложно,
виной не только русский холод:
в одну корзину класть не можно
на яйца сверху серп и молот.

*О*пять полна гражданской страсти
толпа мыслителей лихих
и лижет ягодицы власти,
слегка покусывая их.

*Н*е всуе мы трепали языками,
осмысливая пагубный свой путь —
мы каялись! И били кулаками
в чужую грудь.

*М*ы вертим виртуозные спирали,
умея только славить и карать:
сперва свою историю засрали,
теперь хотим огульно обосрать.

*В*се пружины эпохи трагической,
превратившей Россию в бардак,
разложить по линейке логической
в состоянии только мудак.

У России мыслительный бум
вдоль черты разрешенного круга,
и повсюду властители дум
льют помои на мысли друг друга.

*В*ожди протерли все углы,
ища для нас ключи-отмычки,
чтоб мы трудились как волы,
а ели-пили как синички.

*Р*азгул весны. Тупик идей.
И низвергатели порока
бичуют прах былых вождей
трухлявой мумией пророка.

Он был типичный русский бес:
сметлив, настырен и невзрачен,
он вышней волею небес
растлить Россию был назначен.

Наследием своей телесной ржави
Россию заразил святой Ильич;
с годами обнаружился в державе
духовного скелета паралич.

Российской справедливости
печальники
блуждают в заколдованном лесу,
где всюду кучерявятся начальники
с лицом «не приближайся — обоссу».

Мир бурлил, огнями полыхая,
мир кипел на мыслях дрожжевых,
а в России — мумия сухая
числилась живее всех живых.

Томясь тоскою по вождю,
Россия жаждет не любого,
а культивирует культю
от культа личности рябого.

Нельзя поднять людей с колен,
покуда плеть нужна холопу;
нам ветер свежих перемен
всегда вдували через жопу.

Когда отвага с риском связана,
прекрасна дерзости карьера,
но если смелость безнаказанна,
цена ей — хер пенсионера.

Нельзя потухшее кадило
раздуть молитвами опять,
и лишь законченный мудило
не в силах этого понять.

Сквозь любую эпоху лихую
у России дорога своя,
и чужие идеи ни к хую,
потому что своих до хуя.

Свободное слово на воле пирует,
и сразу же смачно и сочно
общественной мысли зловонные струи
фонтаном забили из почвы.

В саду идей сейчас уныло,
сад болен скепсисом и сплином,
и лишь мечта славянофила
цветет и пахнет нафталином.

*К*огда однажды целая страна
решает выбираться из гавна,
то сложно ли представить, милый друг,
какие веют запахи вокруг?

*В*сегда во время передышки
нас обольщает сладкий бред,
что часовой уснул на вышке
и тока в проволоке нет.

*Т*янется, меняя имя автора,
вечная российская игра:
в прошлом — ослепительное завтра,
в будущем — постыдное вчера.

*К*уда-то мы несемся, вскачь гоня,
тревожа малодушных тугодумов
обилием бенгальского огня
и множеством пожарников угрюмых.

Я полон, временем гордясь,
увы, предчувствиями грустными,
ибо, едва освободясь,
рабы становятся Прокрустами.

*Н*икакой государственный муж
не спасет нас указом верховным;
наше пьянство — от засухи душ,
и лекарство должно быть духовным.

*В*севедущ, вездесущ и всемогущ,
окутан голубыми небесами,
Господь на нас глядит из райских кущ
и думает: разъебывайтесь сами.

*М*не жалко усталых кремлевских
                                                    владык,
зовущих бежать и копать;
гавно, подступившее им под кадык,
народ не спешит разгребать.

*Н*ынче почти военное
время для человечества:
можно пропасть и сгинуть,
можно воспрять и жить;

время зовет нас вынуть
самое сокровенное
и на алтарь отечества
бережно положить.

*И*знасилована временем
и помята, как перина,
власть немножечко беременна,
но по-прежнему невинна.

*В*ынесем все, чтоб мечту свою
                    страстную
Русь воплотила согласно судьбе;
счастье, что жить в эту пору
                    прекрасную
уж не придется ни мне, ни тебе.

С упрямым и юрким нахальством
струясь из-под каменных плит,
под первым же мягким начальством
Россия немедля бурлит.

*У*стои покоя непрочны
на русской болотистой топи,
где грезы о крови и почве
зудят в неприкаянной жопе.

*Н*ародный разум — это дева,
когда созрела для объятья;
одной рукой стыдит без гнева,
другой — расстегивает платье.

*М*ы вождей наших, Боже, прости,
их легко, хлопотливых, понять:
им охота Россию спасти,
но притом ничего не менять.

*Д*облестно и отважно
зла сокрушая рать,
рыцарю очень важно
шпоры не обосрать.

*К*огда приходит время басен
про волю, право и закон,
мы забываем, как опасен
околевающий дракон.

*П*ейзаж России хорошеет,
но нас не слышно в том саду;
привычка жить с петлей на шее
мешает жить с огнем в заду.

*Р*оссия взором старческим
                    и склочным
следит сейчас в застенчивом испуге,
как высохшее делается сочным,
а вялое становится упругим.
Я блеклыми глазами старожила
любуюсь на прелестную погоду;
Россия столько рабства пережила,
что вытерпит и краткую свободу.

Я мечтал ли, убогий фантаст,
не способный к лихим переменам,
что однажды отвагу придаст
мне Россия под жопу коленом?

*К*акая глупая пропажа!
И нет виновных никого.
Деталь российского пейзажа,
я вдруг исчезну из него.

*М*ы едем! И сердце разбитое
колотится в грудь, обмирая.
Прости нас, Россия немытая,
и здравствуй, небритый Израиль!

Гарики
из Иерусалима

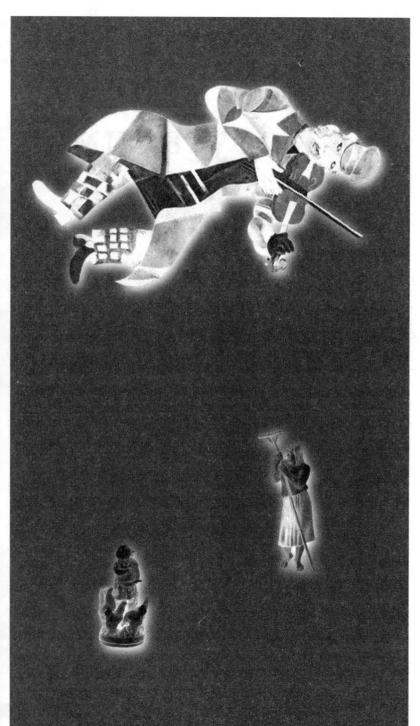

ПЕРВЫЙ
ИЕРУСАЛИМСКИЙ ДНЕВНИК
1991

В эту землю я врос
окончательно,
я мечту воплотил наяву,
и теперь я живу
замечательно,
но сюда никого не зову.

РОССИЮ УВИДАВ НА РАССТОЯНИИ,
ГРУСТИТЬ ПЕРЕСТАЕШЬ О РАССТАВАНИИ

Изгнанник с каторжным клеймом,
отъехал вдаль я одиноко
за то, что нагло был бельмом
в глазу всевидящего ока.

Еврею не резвиться на Руси
и воду не толочь в российской ступе;
тот волос, на котором он висит,
у русского народа — волос в супе.

Бог лежит больной, окинув глазом
дикие российские дела,
где идея вывихнула разум
и, залившись кровью, умерла.

209

С утра до тьмы Россия на уме,
а ночью — боль участия и долга;
неважно, что родился я в тюрьме,
а важно, что я жил там очень долго.

Вожди России свой народ
во имя чести и морали
опять зовут идти вперед,
а где перед, опять соврали.

Когда идет пора крушения структур,
в любое время всюду при развязках
у смертного одра империй и культур
стоят евреи в траурных повязках.

Ах, как бы нам за наши штуки
платить по счету не пришлось!
Еврей! Как много в этом звуке
для сердца русского слилось!

Прав еврей, что успевает
на любые поезда,
но в России не свивает
долговечного гнезда.

*В*довцы Ахматовой и вдовы
                    Мандельштама —
бесчисленны. Душой неколебим,
любой из них был рыцарь, конь и дама,
и каждый был особенно любим.

В русском таланте ценю я сноровку
злобу менять на припляс:
в доме повешенных судят веревку
те же, что вешали нас.

В любви и смерти находя
неисчерпаемую тему,
я не плевал в портрет вождя,
поскольку клал на всю систему.

*Р*оссию покидают иудеи,
что очень своевременно и честно,
чтоб собственной закваски прохиндеи
заполнили оставшееся место.

*Ч*тоб русское разрушить государство —
куда вокруг себя ни посмотри, —
евреи в целях подлого коварства
Россию окружают изнутри.

*Н*е верю в разум коллективный
с его соборной головой:
в ней правит бал дурак активный
или мерзавец волевой.

В России жил я, как трава,
и меж такими же другими,
сполна имея все права
без права пользоваться ими.

*Р*оссия ждет, мечту лелея
о дивной новости одной:
что, наконец, нашли еврея,
который был всему виной.

*Р*учей из русских берегов,
типаж российской мелодрамы,
лишась понятных мне врагов,
я стал нелеп, как бюст без дамы.

*Н*а кухне или на лесоповале,
куда бы судьбы нас ни заносили,
мы все о том же самом толковали —
о Боге, о евреях, о России.

Нельзя не заметить, что в ходе
                                        истории,
ведущей народы вразброд,
евреи свое государство — построили,
а русское — наоборот.

Едва утихомирится разбой,
немедля разгорается острей
извечный спор славян между собой —
откуда среди них и кто еврей.

Я снял с себя российские вериги,
в еврейской я сижу теперь парилке,
но даже возвратясь к народу Книги,
по-прежнему люблю народ Бутылки.

В автобусе, не слыша языка,
я чую земляка наверняка:
лишь русское еврейское дыхание
похмельное струит благоухание.

Везде все время ходит в разном виде,
мелькая между стульев и диванов,
народных упований жрец и лидер
Адольф Виссарионович Ульянов.

*З*а все России я обязан —
за дух, за свет, за вкус беды,
к России так я был привязан —
вдоль шеи тянутся следы.

В любое окошко, к любому крыльцу,
где даже не ждут и не просят,
российского духа живую пыльцу
по миру евреи разносят.

*М*ного у Ленина сказано в масть,
многие мысли частично верны,
и коммунизм есть советская власть
плюс эмиграция всей страны.

Я Россию часто вспоминаю,
думая о давнем дорогом,
я другой такой страны не знаю,
где так вольно, смирно и кругом.

*Е*ВРЕЕВ ОТ УБОГИХ ДО ВЕЛИКИХ
ЛЮБЛЮ НЕ ДРЕССИРОВАННЫХ,
А ДИКИХ

*Б*ыл, как обморок, переезд,
но душа отошла в тепле,
и теперь я свой русский крест
по еврейской несу земле.

*З*десь мое исконное пространство,
здесь я гармоничен, как нигде,
здесь еврей, оставив чужестранство,
мутит воду в собственной среде.

В отъезды кинувшись поспешно,
евреи вдруг соображают,
что обрусели так успешно,
что их евреи раздражают.

За российский утерянный рай
пьют евреи, устроив уют,
и, забыв про набитый трамвай,
о графинях и тройках поют.

*Е*врейский дух слезой просолен,
душа хронически болит,
еврей, который всем доволен, —
покойник или инвалид.

*У*мельцы выходов и входов,
настырны, въедливы и прытки,
евреи есть у всех народов,
а у еврейского — в избытке.

*Е*вреи, которые планов полны,
становятся много богаче,
умело торгуя то светом луны,
то запахом легкой удачи.

*К*аждый день я толкусь у дверей,
за которыми есть кабинет,
где сидит симпатичный еврей
и дает бесполезный совет.

Чтоб несогласие сразить
и несогласные закисли,
еврей умеет возразить
еще не высказанной мысли.

Да, Запад есть Запад,
Восток есть Восток,
у каждого собственный запах,
и носом к Востоку еврей свой росток
стыдливо увозит на Запад.

В мире много идей и затей,
но вовек не случится в истории,
чтоб мужчины рожали детей,
а евреи друг с другом не спорили.

В мире лишь еврею одному
часто удается так пожить,
чтоб не есть свинину самому
и свинью другому подложить.

Живу я легко и беспечно,
хотя уже склонен к мыслишкам,
что все мы евреи, конечно,
но некоторые — слишком.

*З*емля моих великих праотцов
полна умов нешибкого пошиба,
а я среди галдящих мудрецов
молчу, как фаршированная рыба.

*С*лились две несовместных натуры
под покровом израильской кровли —
инвалиды российской культуры
с партизанами русской торговли.

*З*а мудрость, растворенную в народе,
за пластику житейских поворотов
евреи платят матери-природе
обилием кромешных идиотов.

*Д*ушу наблюдениями грея,
начал разбираться в нашем вкусе я:
жанровая родина еврея —
всюду, где торговля и дискуссия.

*Е*врей не каждый виноват,
что он еврей на белом свете,
но у него возможен брат,
а за него еврей в ответе.

*E*вреев тянет все подвигать
и улучшению подвергнуть,
и надо вовремя их выгнать,
чтоб неприятностей избегнуть.

*Н*е терпит еврейская страстность
елейного меда растления;
еврею вредна безопасность,
покой и любовь населения.

*Н*ельзя, когда в душе разброд,
чтоб дух темнел и чах;
не должен быть уныл народ,
который жгли в печах.

*П*устившись по белому свету,
готовый к любой неизвестности,
еврей заселяет планету,
меняясь по образу местности.

*В*арясь в густой еврейской каше,
смотрю вокруг, угрюм и тих:
кишмя кишат сплошные наши,
но мало подлинно своих.

$\mathcal{M}$не одна догадка душу точит,
вижу ее правильность везде;
каждый, кто живет не там, где хочет, —
вреден окружающей среде.

$\mathcal{E}$врей весь мир готов обнять,
того же требуя обратно:
умом еврея не понять,
а чувством это неприятно.

$\mathcal{B}$о все разломы, щели, трещины
проблем, событий и идей,
терпя то ругань, то затрещины,
азартно лезет иудей.

$\mathcal{P}$астут растенья, плещут воды,
на ветках мечутся мартышки,
еврей в объятиях свободы
хрипит и просит передышки.

$\mathcal{A}$нтисемит похож на дам,
которых кормит нежный труд;
от нелюбви своей к жидам
они дороже с нас берут.

*М*ного сочной заграничной русской
прессы
я читаю, наслаждаясь и дурея;
можно выставить еврея из Одессы,
но не вытравишь Одессу из еврея.

В жизненных делах я непрактичен,
мне азарт и риск не по плечу,
даже как еврей я нетипичен:
если что не знаю, то молчу.

*З*аоблачные манят эмпиреи
еврейские мечтательные взгляды,
и больно ушибаются евреи
о каменной реальности преграды.

*Е*врейского характера загадочность
не гений совместила со злодейством,
а жертвенно-хрустальную порядочность
с таким же неуемным прохиндейством.

В еврейском гомоне и гаме
отрадно жить на склоне лет,
и даже нет проблем с деньгами,
поскольку просто денег нет.

*С*китались не зря мы со скрипкой
в руках:
на землях, евреями пройденных,
поют и бормочут на всех языках
еврейские песни о родинах.

*Ч*уть выросли — счастья
в пространстве кипучем
искать устремляются тут же
все рыбы — где глубже,
все люди — где лучше,
евреи — где лучше и глубже.

*К*атаясь на российской карусели,
наевшись русской мудрости плодов,
евреи столь изрядно обрусели,
что всюду видят происки жидов.

*Е*врей живет, как будто рос,
не зная злобы и неволи:
сперва сует повсюду нос
и лишь потом кричит от боли.

*Е*вреям доверяют не вполне
и в космос не пускают, слава Богу;
евреи, оказавшись на Луне,
устроят и базар и синагогу.

Шепну я даже в миг, когда на грудь
уложат мне кладбищенские плиты:
женитьба на еврейке — лучший путь
к удаче, за рубеж, в антисемиты.

В убогом притворе, где тесно плечу
и дряхлые дремлют скамейки,
я Деве Марии поставил свечу —
несчастнейшей в мире еврейке.

Вон тот когда-то пел как соловей,
а этот был невинная овечка,
а я и в прошлой жизни был еврей —
отпетый наглый нищий из местечка.

Высокого безделья ремесло
Меня от процветания спасло

ак пробка из шампанского —

со свистом
я вылетел в иное бытие,
с упрямостью храня в пути тернистом
шампанское дыхание свое.

Я тем, что жив и пью вино,
свою победу торжествую:
я мыслил, следователь, но
я существую.

За то и люблю я напитки густые,
что с гибельной вечностью в споре
набитые словом бутылки пустые
кидаю в житейское море.

*В*сегда у мысли есть ценитель,
я всюду слышу много лет:
вы выдающийся мыслитель,
но в нашей кассе денег нет.

*Р*ешать я даже в детстве не мечтал
задачи из житейского задачника,
я книги с упоением читал,
готовясь для карьеры неудачника.

Я в сортир когда иду среди ночи,
то плетется мой Пегас по пятам,
ибо дух, который веет, где хочет,
посещает меня именно там.

*В*идно только с горних высей,
видно только с облаков:
даже в мире мудрых мыслей
бродит уйма мудаков.

*О*чень много во мне плебейства,
я ругаюсь нехорошо,
и меня не зовут в семейства,
куда сам бы я хер пошел.

*У*м так же упростить себя бессилен,
как воля перед фатумом слаба,
чем больше в голове у нас извилин,
тем более извилиста судьба.

*М*оей судьбы кривая линия
была крута, но и тогда
я не кидался в грех уныния
и блуд постылого труда.

*Ж*иву привольно и кудряво,
поскольку резво и упрямо
хожу налево и направо
везде, где умный ходит прямо.

*И*менно поэты и шуты
в рубище цветастом и убогом —
те слоны, атланты и киты,
что планету держат перед Богом.

*М*ного всякого на белом видя свете
в жизни разных городов и деревень,
ничего на белом свете я не встретил
хитроумней и настойчивей, чем лень.

*К*ак ни богато естество,
играющее в нас,
необходимо мастерство,
гранящее алмаз.

*Н*а вялом и снулом проснувшемся
рынке,
где чисто, и пусто, и цвета игра,
душа моя бьется в немом поединке
с угрюмым желанием выпить с утра.

*Ж*иву, куря дурное зелье,
держа бутыль во тьме серванта,
сменив российское безделье
на лень беспечного Леванта.

*Н*исколько сам не мысля в высшем
смысле,
слежу я сквозь умильную слезу,
как сутками высиживают мысли
мыслители, широкие в тазу.

*К*огда я спешу, суечусь и сную,
то словно живу на вокзале
и жизнь проживаю совсем не свою,
а чью-то, что мне навязали.

$\mathcal{A}$ проделал по жизни немало дорог,
на любой соглашался маршрут,
но всегда и повсюду, насколько я мог,
уклонялся от права на труд.

$\mathcal{A}$, Господи, умом и телом стар;
я, Господи, гуляка и бездельник;
я, Господи, прошу немного в дар —
еще одну субботу в понедельник.

$\mathcal{A}$вились мысли — запиши,
но прежде — сплюнь слегка
слова, что первыми пришли
на кончик языка.

$\mathcal{D}$оволен я и хлебом, и вином,
и тем, что не чрезмерно обветшал,
и если хлопочу, то об одном —
чтоб жизнь мою никто не улучшал.

$\mathcal{A}$ должен признаться, стыдясь
и робея,
что с римским плебеем я мыслю похоже,
что я всей душой понимаю плебея,
что хлеба и зрелищ мне хочется тоже.

*М*не власть нужна, как рыбе —
                               серьги,
в делах успех, как зайцу — речь,
я слишком беден, чтобы деньги
любить, лелеять и беречь.

В толпе не теснюсь я вперед,
ютясь молчаливо и с краю:
я искренне верю в народ,
но слабо ему доверяю.

Я живу ожиданьем волнения,
что является в душу мою,
а следы своего вдохновения
с наслажденьем потом продаю.

С утра теснятся мелкие заботы,
с утра хандра и лень одолевают,
а к вечеру готов я для работы,
но рядом уже рюмки наливают.

*С*вободой дни мои продля,
Господь не снял забот,
и я теперь свободен для,
но не свободен от.

В людской активности кипящей
мне часто видится печально
упрямство курицы, сидящей
на яйцах, тухлых изначально.

*М*ой разум, тусклый и дремучий,
с утра трепещет, как струна:
вокруг витают мыслей тучи,
но не садится ни одна.

*В*округ меня все так умны,
так образованы научно,
и так сидят на них штаны,
что мне то тягостно, то скучно.

*В*ся жизнь моя прошла в плену
у переменчивого нрава:
коня я влево поверну,
а сам легко скачу направо.

Я жил почти достойно, видит Бог,
я в меру был пуглив и в меру смел;
а то, что я сказал не все, что мог,
то, видит Блок, я больше не сумел.

За много лет познав себя до точки,
сегодня я уверен лишь в одном:
когда я капля дегтя в некой бочке —
не с медом эта бочка, а с гавном.

Я думаю, нежась в постели,
что глупо спешить за верстак;
заботиться надо о теле,
а души бессмертны и так.

Гуляка, прощелыга и балбес,
к возвышенному был я слеп и глух,
друзья мои — глумливый русский бес
и ереси еврейской шалый дух.

Никого научить не хочу
я сухой правоте безразличной,
ибо собственный разум точу
на хронической глупости личной.

Что угодно с неподдельным огнем
я отстаиваю в споре крутом,
ибо только настояв на своем,
понимаю, что стоял не на том.

Мне с самим собой любую встречу
стало тяжело переносить:
в зеркале себя едва замечу —
хочется автограф попросить.

Ни мыслей нет, ни сил, ни денег.
И ночь, и с куревом беда.
А после смерти душу денет
Господь неведомо куда.

В ЛЮБВИ ПРЕКРАСНЫ И ТОМЛЕНИЕ, И АПОГЕЙ, И УТОМЛЕНИЕ

*П*рирода тянет нас на ложе,
судьба об этом же хлопочет,
мужик без бабы жить не может,
а баба — может, но не хочет.

*М*ы счастье в мире умножаем
(а злу — позор и панихида),
мы смерти дерзко возражаем,
творя обряд продленья вида.

*Л*юблю, с друзьями стол деля,
поймать тот миг, на миг очнувшись,
когда окрестная земля
собралась плыть, слегка

качнувшись.

*Е*два смежает сон твои ресницы —
ты мечешься, волнуешься, кипишь,
а что тебе на самом деле снится,
я знаю, ибо знаю, с кем ты спишь.

*Е*сть женщины, познавшие с печалью,
что проще уступить, чем отказаться,
они к себе мужчин пускают в спальню
из жалости и чтобы отвязаться.

*О*н даму держал на коленях,
и тяжко дышалось ему,
есть женщины в русских селеньях —
не по плечу одному.

И дух и плоть у дам играют,
когда, посплетничать зайдя,
они подруг перебирают,
гавно сиропом разводя.

*М*ужик тугим узлом совьется,
но если пламя в нем клокочет —
всегда от женщины добьется
того, что женщина захочет.

*М*ы заняты делом отличным,
нас тешит и греет оно,
и ангел на доме публичном
завистливо смотрит в окно.

*Б*лажен, кому достался мудрый разум,
такому все легко и задарма,
а нам осталась радость, что ни разу
не мучились от горя от ума.

*Л*юблю величавых застольных
                                                мужей —
они, как солдаты в бою,
и в сабельном блеске столовых ножей
вершат непреклонность свою.

*П*од пение прельстительных романсов
красотки улыбаются спесиво;
у женщины красивой больше шансов
на счастье быть обманутой красиво.

*Ж*енившись, мы ничуть не губим
себя для радостей земных,
и мы жену тем больше любим,
чем больше любим дам иных.

*Б*олит, свербит моя душа,
сменяя страсти воздержанием;
невинность формой хороша,
а грех прекрасен содержанием.

В сезонных циклах я всегда
ценил игру их соблюдения;
зима — для пьянства и труда,
а лето — для грехопадения.

*Ч*то я смолоду делал в России?
Я запнусь и ответа не дам,
ибо много и лет и усилий
положил на покладистых дам.

Я устал. Надоели дети,
бабы, водка и пироги.
Что же держит меня на свете?
Чувство юмора и долги.

*М*ужчина должен жить не суетясь,
а мудрому предавшись разгильдяйству,
чтоб женщина, с работы возвратясь,
спокойно отдыхала по хозяйству.

С неуклонностью упрямой
все на свете своевременно;
чем невинней дружба с дамой,
тем быстрей она беременна.

В мечтах отныне стать серьезней
коплю серьезность я с утра,
печально видя ночью поздней,
что где-то есть во мне дыра.

*Е*сть женщины осеннего шитья:
они, пройдя свой жизненный экватор,
в постели то слезливы, как дитя,
то яростны, как римский гладиатор.

*М*еняя в весе и калибре,
нас охлаждает жизни стужа,
и погрузневшая колибри
свирепо каркает на мужа.

*Н*епоспешно и благообразно
совершая земные труды,
я аскет, если нету соблазна,
и пощусь от еды до еды.

*П*редпочитая быть романтиком
во время тягостных решений,
всегда завязывал я бантиком
концы любовных отношений.

*С*палив дотла последний порох,
я шлю свой пламенный привет
всем дамам, в комнатах которых
гасил я свет.

*Л*юблю вино и нежных женщин,
и только смерть меня остудит;
одним евреем станет меньше,
одной легендой больше будет.

*Е*сли я перед Богом не струшу,
то скажу ему: глупое дело —
осуждать мою светлую душу
за блудливость истлевшего тела.

КТО ПОНЯЛ ЖИЗНИ СМЫСЛ И ТОЛК, ДАВНО ЗАМКНУЛСЯ И УМОЛК

Не в силах никакая конституция

устроить отношенья и дела,
чтоб разума и духа проституция
постыдной и невыгодной была.

По эпохе киша, как мухи,
и сплетаясь в один орнамент,
утоляют вожди и шлюхи
свой общественный
                    темперамент.

Неистово стараясь прикоснуться,
но страсть не утоляя никогда,
у истины в окрестностях пасутся
философов несметные стада.

Я не даю друзьям советы,
мир дик, нелеп и бестолков,
и на вопросы есть ответы
лишь у счастливых мудаков.

*Б*лажен, кто знает все на свете
и понимает остальное,
свободно веет по планете
его дыхание стальное.

*Ж*аль беднягу: от бурных драм
расползаются на куски
все сто пять его килограмм
одиночества и тоски.

*В*ижу в этом Творца мастерство,
и напрасно все так огорчаются,
что хороших людей — большинство,
но плохие нам чаще встречаются.

*К*огда боль поселяется в сердце,
когда труден и выдох и вдох,
то гнусней начинают смотреться
хитрожопые лица пройдох.

*П*осмотришь вокруг временами
и ставишь в душе многоточие...
Все люди бывают гавнами,
но многие — чаще, чем прочие.

*Л*юбой мираж душе угоден,
любой иллюзии глоток...
Мой пес гордится, что свободен,
держа в зубах свой поводок.

*Н*е верю я, хоть удави,
когда в соплях от сантиментов
поет мне песни о любви
хор безголосых импотентов.

*В*есь день я по жизни хромаю,
взбивая пространство густое,
а к ночи легко понимаю
коней, засыпающих стоя.

*Е*сть в идиоте дух отваги,
присущей именно ему,
способна глупость на зигзаги,
недостижимые уму.

*Т*оскливей ничего на свете нету,
чем вечером, дыша холодной тьмой,
тоскливо закуривши сигарету,
подумать, что не хочется домой.

В кипящих политических страстях
мне видится модель везде одна:
столкнулись на огромных скоростях
и лопнули вразлет мешки гавна.

*Е*ще Гераклит однажды
заметил давным-давно,
что глуп, кто вступает дважды
в одно и то же гавно.

*В*езде в эмиграции та же картина,
с какой и в России был тесно знаком:
болван идиотом ругает кретина,
который его обозвал дураком.

*М*ы ищем истину в вине,
а не скребем перстом в затылке,
и если нет ее на дне —
она уже в другой бутылке.

Жить, не зная гнета и нажима,
жить без ощущенья почвы зыбкой —
в наше время столь же достижимо,
как совокупленье птички с рыбкой.

Не зря у Бога люди вечно просят
успеха и удачи в деле частном:
хотя нам деньги счастья не приносят,
но с ними много легче быть
несчастным.

Правнук наши жизни подытожит.
Если не заметит — не жалей.
Радуйся, что в землю нас положат,
а не, слава Богу, в мавзолей.

*У*ВЫ, КОГДА С ГОДАМИ СТАЛ
Я СТАРШЕ,
СО МНОЮ СТАЛИ СУШЕ СЕКРЕТАРШИ

*С*остариваясь в крови студенистой,
система наших крестиков и ноликов
доводит гормональных оптимистов
до геморроидальных меланхоликов.

*К*огда во рту десятки пломб —
ужели вы не замечали,
как уменьшается апломб
и прибавляются печали?

*Д*ушой и телом охладев,
я погасил мою жаровню;
еще смотрю на нежных дев,
а для чего — уже не помню.

*В*озвратом нежности маня,
не искушай меня без нужды;
все, что осталось от меня,
годится максимум для дружбы.

*П*окуда мне блаженство по плечу,
пока из этой жизни не исчезну —
с восторгом ощущая, что лечу,
я падаю в финансовую бездну.

*С*тократ блажен, кому дано
избегнуть осени, в которой
бормочет старое гавно,
что было фауной и флорой.

*Л*етят года, остатки сладки,
и грех печалиться.
Как жизнь твоя? Она в порядке,
она кончается.

*С*делать зубы мечтал я давно —
обаяние сразу удвоя,
я ковбоя сыграл бы в кино,
а возможно — и лошадь ковбоя.

*Г*лупо жгли мы дух и тело
раньше времени дотла;
если б молодость умела,
то и старость бы могла.

*С*лабеет жизненный азарт,
ужалось время, и похоже,
что десять лет тому назад
я на пятнадцать был моложе.

*Н*аступила в судьбе моей фаза
упрощения жизненной драмы:
я у дамы боюсь не отказа,
а боюсь я согласия дамы.

*Т*ак быстро проносилось бытие,
так шустро я гулял и ликовал,
что будущее светлое свое
однажды незаметно миновал.

*М*не жалко иногда, что время вспять
не движется над замершим
пространством;
я прежние все глупости опять
проделал бы с осознанным упрямством.

Я беден — это глупо и обидно,
по возрасту богатым быть пора,
но с возрастом сбывается, как видно,
напутствие «ни пуха, ни пера».

У старости душа настороже;
еще я в силах жить и в силах петь,
еще всего хочу я, но уже —
слабее, чем хотелось бы хотеть.

Увы, всему на свете есть предел:
облез фасад и высохли стропила;
в автобусе на девку поглядел,
она мне молча место уступила.

Не надо ждать ни правды, ни морали
от лысых и седых историй пьяных,
какие незабудки мы срывали
на тех незабываемых полянах.

Все-все-все, что здоровью противно,
делал я под небесным покровом;
но теперь я лечусь так активно,
что умру совершенно здоровым.

*Н*аш путь извилист, но не вечен,
в конце у всех — один вокзал;
иных уж нет, а тех долечим,
как доктор доктору сказал.

Я жил распахнуто и бурно,
и пусть Господь меня осудит,
но на плите могильной урна —
пускай бутыль по форме будет.

*C*МЕЯТЬСЯ ВОВСЕ НЕ ГРЕШНО
НАД ТЕМ, ЧТО ВОВСЕ НЕ СМЕШНО

*Б*ог в игре с людьми так несерьезен,
а порой и на руку нечист,
что похоже — не религиозен,
а возможно — даже атеист.

*К*ак новое звучанье гаммы нотной,
открылось мне, короткий вызвав шок,
что даже у духовности бесплотной
возможен омерзительный душок.

*З*десь, как везде, и тьма, и свет,
и жизни дивная игра,
и, как везде, — спасенья нет
от ярых рыцарей добра.

Зачем евреи всех времен
так Бога славят врозь и вместе?
Бог не настолько неумен,
чтобы нуждаться в нашей лести.

Прося, чтоб Господь ниспослал
благодать,
еврей возбужденно качается,
обилием пыла стремясь наебать
того, с кем заочно встречается.

Здесь разум пейсами оброс,
и так они густы,
что мысли светят из волос,
как жопа сквозь кусты.

Я Богу докучаю неспроста
и просьбу не считаю святотатством:
тюрьмой уже меня Ты испытал,
попробуй испытать меня богатством.

Чтоб не вредить известным лицам,
на Страшный суд я не явлюсь:
я был такого очевидцем,
что быть свидетелем боюсь.

*Н*авряд ли Бог назначил срок,
чтоб род людской угас, —
что в мире делать будет Бог,
когда не станет нас?

У нас не те же, что в России,
ушибы чайников погнутых:
на тему Бога и Мессии
у нас побольше стебанутых.

*В*сегда есть люди-активисты,
везде суются с вожделением
и страстно портят воздух чистый
своим духовным выделением.

*И*спанец, славянин или еврей —
повсюду одинакова картина:
гордыня чистокровностью своей —
святое утешение кретина.

*Е*врею нужна не простая квартира:
еврею нужна для жилья непорочного
квартира, в которой два разных
                                        сортира:
один для мясного, другой
                                для молочного.

*В*чера я вдруг подумал на досуге —
нечаянно, украдкой, воровато, —
что если мы и вправду божьи слуги,
то счастье — не подарок, а зарплата.

*У*став от евреев, сажусь покурить
и думаю грустно и мрачно,
что Бог, поспеша свою книгу дарить,
народ подобрал неудачно.

*Д*ля многих душ была помехой
моя безнравственная лира,
я сам себе кажусь прорехой
в божественном устройстве мира.

*Ч*асто молчу я в спорах,
чуткий, как мышеловка:
есть люди, возле которых
умными быть неловко.

*Ч*еловек человеку не враг,
но в намереньях самых благих
если молится Богу дурак,
расшибаются лбы у других.

Это навык совсем не простой,
только скучен и гнусен слегка —
жадно пить из бутылки пустой
и пьянеть от пустого глотка.

Нечто тайное в смерти сокрыто,
ибо нету и нету вестей
о рутине загробного быта
и азарте загробных страстей.

Дети загулявшего родителя,
мы не торопясь, по одному,
попусту прождавшие Спасителя,
сами отправляемся к нему.

ВТОРОЙ ИЕРУСАЛИМСКИЙ ДНЕВНИК

1993

Пришел в итоге путь мой
грустный,
кривой и непринципиальный,
в великий город захолустный,
планеты центр
провинциальный.

РОССИЯ ДЛЯ ДУШИ И ДЛЯ УМА — КАК ПЕРВАЯ ЛЮБОВЬ И КАК ТЮРЬМА

Темна российская заря,

и смутный страх меня тревожит:
Россия в поисках царя
себе найти еврея может.

Мы обучились в той стране
отменно благостной науке
ценить в порвавшейся струне
ее неизданные звуки.

В душе у всех теперь надрыв:
без капли жалости эпоха
всех обокрала, вдруг открыв,
что, где нас нет, там тоже плохо.

В чертах российских поколений
чужой заметен след злодейский:
в национальный русский гений
закрался гнусный ген еврейский.

*Е*сли вернутся времена
всех наций братского объятья,
то, как ушедшая жена, —
забрать оставшиеся платья.

*С*реди совсем чужих равнин
теперь матрешкой и винтовкой
торгует гордый славянин
с еврейской прытью и сноровкой.

*С*квозь общие радость и смех,
под музыку, песни и танцы
дерьмо поднимается вверх
и туго смыкается в панцирь.

*С*екретари и председатели,
директора и заместители —
их как ни шли к ебене матери,
они и там руководители.

*С*лепец бежит во мраке,
и дух его парит,
неся незрячим факел,
который не горит.

Я свободен от общества не был,
и в итоге прожитого века
нету места в душе моей, где бы
не ступала нога человека.

*И*грать в хоккей бежит слепой,
покрылась вишнями сосна,
поплыл карась на водопой,
Россия вспряла ото сна.

*Р*оссийской бурной жизни
                непонятность
нельзя считать ни крахом, ни концом,
я вижу в ней возможность, вероятность,
стихию с человеческим яйцом.

*Р*оссия обретет былую стать,
которую по книгам мы любили,
когда в ней станут люди вырастать
такие же, как те, кого убили.

*Е*врей весьма уютно жил в России,
но ей была вредна его полезность;
тогда его оттуда попросили,
и тут же вся империя разлезлась.

Я пишу тебе письмо со свободы,
все вокруг нам непонятно и дивно,
всюду много-то машин, то природы,
а в сортирах чисто так, что противно.

*О*дин еврей другого не мудрей,
но разный в них запал и динамит,
еврей в России больше, чем еврей,
поскольку он еще антисемит.

*И*гра словами в рифму — эстафета,
где чувствуешь партнера по руке:
то ласточка вдруг выпорхнет от Фета,
то Блок завьется снегом по строке.

И родом я чистый еврей, и лицом,
а дух мой (укрыть его некуда) —
останется русским, и дело с концом
(хотя и обрезанным некогда).

ХРАПИТ И ЯРОСТНО ДРОЖИТ КАЗАЦКИЙ КОНЬ ПРИ СЛОВЕ «ЖИД»

В евреях легко разобраться,

отринув пустые названия,
поскольку евреи — не нация,
а форма существования.

*Р*азвеяв нас по всем дорогам,
Бог дал нам ум, характер, пыл;
еврей, конечно, избран Богом,
но для чего — Творец забыл.

*В*езде цветя на все лады
и зрея даже в лютой стуже,
евреи — странные плоды:
они сочней, где климат хуже.

Я прекрасно сплю и вкусно ем,
но в мозгу — цепочка фонарей;
если у еврея нет проблем —
значит, он не полностью еврей.

*Е*вреи рвутся и дерзают,
везде дрожжами лезут в тесто,
нас потому и обрезают,
чтоб занимали меньше места.

*К*ак тайное течение реки,
в нас тянется наследственная нить:
еврей сидит в еврее вопреки
желанию его в себе хранить.

*Е*сть мечта — меж евреев она
протекает подобно реке:
чтоб имелась родная страна
и чтоб жить от нее вдалеке.

*Н*а пире российской чумы
гуляет еврей голосисто,
как будто сбежал из тюрьмы
и сделался — рав Монте-Кристо.

Знак любого личного отличия
нам важней реальных достижений,
мания еврейского величия
выросла на почве унижений.

В еврейском духе скрыта порча,
она для духа много значит:
еврей неволю терпит молча,
а на свободе — горько плачет.

У Хаси энергии дикий напор,
а вертится — вылитый глобус,
и если поставить на Хасю мотор,
то Хася была бы автобус.

Горжусь и восхищаться не устану
искусностью еврейского ума:
из воздуха сбиваем мы сметану,
а в сыр она сгущается сама.

На месте, где еврею все знакомо
и можно местным промыслом заняться,
еврей располагается как дома,
прося хозяев тоже не стесняться.

В евреях есть такое электричество,
что все вокруг евреев намагничено,
поэтому любое их количество
повсюду и всегда преувеличено.

В мире нет резвее и шустрей,
прытче и проворней (будто птица),
чем немолодой больной еврей,
ищущий возможность прокормиться.

*В*се ночью спит: недвижны воды,
затихли распри, склоки, розни,
и злоумышленник природы —
еврей во сне готовит козни.

*В*езде на всех похож еврей,
он дубом дуб в дубовой роще,
но где труднее — он умней,
а где полегче — он попроще.

*Н*и одной чумной бацилле
не приснится резвость Цили.
А блеснувшая монета
в ней рождает скорость света.

*Э*то кто, благоухая,
сам себя несет, как булку?
Это вышла тетя Хая
с новым мужем на прогулку.

*Е*врей везде еврею рад,
в евреях зная толк,
еврей еврею — друг и брат,
а также — чек и долг.

В истории бывают ночь и день,
и сумерки, и зори, и закаты,
но длится если пасмурная тень,
то здесь уже евреи виноваты.

*Т*у тайну, что нашептывает сердце,
мы разумом постичь бы не могли:
еврейское умение вертеться
влияет на вращение Земли.

*Н*еожиданным открытием убиты,
мы разводим в изумлении руками,
ибо думали, как все антисемиты,
что евреи не бывают дураками.

B лабиринтах, капканах и каверзах

рос

мой текущий сквозь вечность народ;
даже нос у еврея висит, как вопрос,
опрокинутый наоборот.

*О*т ловкости еврейской не спастись:
прожив на русской почве срок большой,
они даже смогли обзавестись
загадочной славянскою душой.

*М*не приятно, что мой соплеменник
при житейском раскладе поганом
в хитроумии поиска денег
делит первенство только с цыганом.

*Е*вреи уезжают налегке,
кидая барахло в узлах и грудах,
чтоб легче сочинялось вдалеке
о брошенных дворцах и изумрудах.

*Т*ак сюда евреи побежали,
словно это умысел злодейский:
в мире ни одной еще державе
даром не сошел набег еврейский.

Еврею от Бога завещано,
что, душу и ум ублажая,
мы любим культуру, как женщину,
поэтому слаще — чужая.

Из-за гор и лесов, из-за синих морей,
кроме родственных жарких приветов,
непременно привозит еврею еврей
миллионы полезных советов.

Загробный быт — комфорт и чудо;
когда б там было неприятно,
то хоть один еврей оттуда
уже сыскал бы путь обратно.

УВЫ, ПОДКОВОЙ СЧАСТЬЯ МОЕГО КОГО-ТО ПОДКОВАЛИ НЕ ТОГО

Вчерашнюю отжив судьбу свою,
нисколько не жалея о пропаже,
сейчас перед сегодняшней стою —
нелепый, как монах на женском пляже.

Декарт существовал, поскольку
                          мыслил,
умея средства к жизни добывать,
а я хотя и мыслю в этом смысле,
но этим не могу существовать.

Я пить могу в любом подвале,
за ночью ночь могу я пить,
когда б в уплату принимали
мою готовность заплатить.

*Г*лавное в питье — эффект начала,
надо по нему соображать:
если после первой полегчало —
значит, можно смело продолжать.

*В*чера я пил на склоне дня
среди седых мужей науки;
когда б там не было меня,
то я бы умер там со скуки.

*Ц*еня гармонию в природе
(а морда пьяная — погана),
ко мне умеренность приходит
в районе третьего стакана.

*К*офейным запахом пригреты,
всегда со мной теперь с утра
сидят до первой сигареты
две дуры — вялость и хандра.

С людьми я избегаю откровений,
не делаю для близости ни шага,
распахнута для всех прикосновений
одна лишь туалетная бумага.

И я носил венец терновый
и был отъявленным красавцем,
но я, готовясь к жизни новой,
постриг его в супы мерзавцам.

Я учился часто и легко,
я любого знания глоток
впитывал настолько глубоко,
что уже найти его не мог.

Увы, не стану я богаче
и не скоплю ни малой малости,
Бог ловит блох моей удачи
и ногтем щелкает без жалости.

От боязни пути коллективного
я из чувства почти инстинктивного
рассуждаю всегда от противного
и порою — от очень противного.

Сижу с утра до вечера
с понурой головой:
совсем нести мне нечего
на рынок мировой.

*П*олным неудачником я не был,
сдобрен только горечью мой мед;
даже если деньги кинут с неба,
мне монета шишку нашибет.

*В*он живет он, люди часто врут,
все святыни хая и хуля,
а меж тем я чист, как изумруд,
и в душе святого — до хуя.

*Е*динство вкуса, запаха и цвета
в гармонии с блаженством интеллекта
являет нам тарелка винегрета,
бутылкой довершаясь до комплекта.

*Б*олезни, полные коварства,
я сам лечу, как понимаю:
мне помогают все лекарства,
которых я не принимаю.

*З*аметен издали дурак,
хоть облачись он даже в тогу:
ходил бы я, надевши фрак,
в сандалиях на босу ногу.

И вкривь и вкось, и так и сяк
идут дела мои блестяще,
а вовсе наперекосяк
они идут гораздо чаще.

Я жил хотя довольно бестолково,
но в мире не умножил боль и злобу,
я золото в том лучшем смысле слова,
что некуда уже поставить пробу.

За лютой деловой людской рекой
с холодным наблюдаю восхищением;
у замыслов моих размах такой,
что глупо опошлять их воплощением.

В шумихе жизненного пира
чужой не знавшая руки,
моя участвовала лира
всем дирижерам вопреки.

В нашем доме выпивают и поют,
всем уставшим тут гульба и перекур,
денег тоже в доме — куры не клюют,
ибо в доме нашем денег нет на кур.

*Д*ушевным пенится вином
и служит жизненным оплотом
святой восторг своим умом,
от Бога данный идиотам.

*В*ысокое, разумное, могучее
для пьянства я имею основание:
при каждом подвернувшемся мне
                          случае
я праздную свое существование.

Я все хочу успеть за срок земной,
живу, тоску по времени тая:
вон женщина обласкана не мной,
а вон из бочки пиво пью не я.

*И*з деятелей самых разноликих,
чей лик запечатлен в миниатюрах,
люблю я видеть образы великих
на крупных по возможности купюрах.

*Е*сть ответ у любого вопроса,
только надо гоняться за зайцем,
много мыслей я вынул из носа,
размышляя задумчивым пальцем.

Я к мысли глубокой пришел:
на свете такая эпоха,
что может быть все хорошо,
а может быть все очень плохо.

*Б*ыть выше, чище и блюсти
меня зовут со всех сторон;
таким я, Господи прости,
и стану после похорон.

Я нелеп, недалек, бестолков,
да еще полыхаю, как пламя;
если выстроить всех мудаков,
мне б, наверно, доверили знамя.

*Б*ОЖЕСТВЕННОСТЬ ЛЮБОВНОГО ТОМЛЕНИЯ — ИСТОЧНИК УМНОЖЕНЬЯ НАСЕЛЕНИЯ

*П*риснилась мне юность отпетая,
приятели — мусор эпохи,
и юная дева, одетая
в одни лишь любовные вздохи.

*Н*е всуе жизнь моя текла,
мне стало вовремя известно,
что для душевного тепла
должны два тела спать совместно.

*Л*юбым любовным совмещениям
даны и дух, и содержание,
и к сексуальным извращениям
я отношу лишь воздержание.

В те благословенные года
жили неразборчиво и шало,
с пылкостью любили мы тогда
все, что шевелилось и дышало.

Даже тех я любить был не прочь,
на кого посмотреть без смущения
можно только в безлунную ночь
при отсутствии освещения.

Она была задумчива, бледна,
и волосы текли, как жаркий шелк;
ко мне она была так холодна,
что с насморком я вышел и ушел.

Красотки в жизни лишь одно
всегда считали унижением:
когда мужчины к ним давно
не лезли с гнусным предложением.

С таинственной женской натурой
не справиться мысли сухой,
но дама с хорошей фигурой —
понятней, чем дама с плохой.

*Т*еряешь разум, девку встретив,
и увлекаешься познанием;
что от любви бывают дети,
соображаешь с опозданием.

В моей судьбе мелькнула ты,
как воспаленное видение,
как тень обманутой мечты,
как мимолетное введение.

*Ч*тобы мерцал души кристалл
огнем и драмой,
беседы я предпочитал
с одетой дамой.
Поскольку женщина нагая —
уже другая.

*В*олнуя разум, льет луна
свет мироздания таинственный,
и лишь философа жена
спокойно спит в обнимку с истиной.

*Е*сли дама в гневе и обиде
на коварных пакостниц и сучек
плачет, на холодном камне сидя, —
у нее не будет даже внучек.

*В*селяются души умерших людей —
в родившихся, к ним непричастных,
и души монахинь, попавши в блядей,
замужеством сушат несчастных.

*В*он дама вся дымится от затей,
она не ищет выгод или власти,
а просто изливает на людей
запасы невостребованной страсти.

Я знание собрал из ветхих книг
(поэтому чуть пыльное оно),
а в женскую натуру я проник
в часы, когда читать уже темно.

*О*бманчив женский внешний вид,
поскольку в нежной плоти хрупкой
натура женская таит
единство арфы с мясорубкой.

*В*о сне пришла ко мне намедни
соседка юная нагая;
ты наяву приди, не медли,
не то приснится мне другая.

Дуэт любви — два слитных соло,
и в этой песне интересной
девица пряного посола
вокально выше девы пресной.

Как женской прелести пример
в ее глазах такой интим,
как будто где-то вставлен хер
и ей отрадно ощутим.

Все, что женщине делать негоже,
можно выразить кратко и просто:
не ложись на прохвостово ложе,
бабу портит объятье прохвоста.

Когда года, как ловкий вор,
уносят пыл из наших чресел,
в постели с дамой — разговор
нам делается интересен.

Всегда готов я в новый путь,
на легкий свет надежды шалой
найти отзывчивую грудь
и к ней прильнуть душой усталой.

$\mathcal{E}$сть явное птичье в супружеской
речи
звучание чувств обнаженных;
воркуют, курлычут, кукуют, щебечут,
кудахчут и крякают жены.

$\mathcal{N}$ро то, как друг на друга поглядели,
пока забудь;
мир тесен, повстречаемся в постели
когда-нибудь.

$\mathcal{Y}$ той — глаза, у этой — дивный стан,
а та была гурман любовной позы,
и тихо прошептал старик Натан:
«Как хороши, как свежи были Розы!»

$\mathcal{X}$отя мы очень похотливы,
зато весьма неприхотливы.

$\mathcal{A}$ жаль, что жизнь без репетиций
течет единожды сквозь факт:
сегодня я с одной певицей
сыграл бы лучше первый акт.

*К*огда к нам дама на кровать
сама сигает в чем придется,
нам не дано предугадать,
во что нам это обойдется.

*К*огда я не спешу залечь с девицей,
себя я ощущаю с умилением
хранителем возвышенных традиций,
забытых торопливым поколением.

*З*абав имел я в молодости массу,
в несчетных интерьерах и пейзажах
на девок я смотрел, как вор — на кассу,
и кассы соучаствовали в кражах.

*К*огда еще я мог и успевал
иметь биографические факты,
я с дамами охотно затевал
поверхностно-интимные контакты.

В разъездах, путешествиях, кочевьях
я часто предавался сладкой неге;
на генеалогических деревьях
на многих могут быть мои побеги.

*М*еж волнами любовного прилива
в наплыве нежных чувств изнемогая,
вдруг делается женщина болтлива,
как будто проглотила попугая.

*Н*аука описала мир как данность,
на всем теперь названия прибиты,
и прячется за словом «полигамность»
тот факт, что мы ужасно блядовиты.

*С*пектаклей на веку моем не густо,
зато, насколько в жизни было сил,
я жрицам театрального искусства
себя охотно в жертву приносил.

*М*олит Бога, потупясь немного,
о любви молодая вдовица;
зря, бедняжка, тревожишь ты Бога,
с этим лучше ко мне обратиться.

*Н*е знаю выше интереса,
чем вечных слов исполнить гамму
и вывести на путь прогресса
замшело нравственную даму.

В дела интимные, двуспальные
партийный дух закрался тоже;
есть дамы столь принципиальные,
что со врага берут дороже.

*П*етух ведет себя павлином,
от индюка в нем дух и спесь,
он как орел с умом куриным,
но куры любят эту смесь.

*П*одушку мнет во мраке ночи,
вертясь, как зяблик на суку,
и замуж выплеснуться хочет
девица в собственном соку.

*К*акие дамы нам не раз
шептали: «Дорогой!
Конечно, да! Но не сейчас,
не здесь и не с тобой!»

*З*а тем из рая нас изгнали,
чтоб на земле, а не в утопии
плодили мы в оригинале
свои божественные копии.

$\mathcal{C}$емья, являясь жизни главной

школой,

изучена сама довольно слабо,
семья бывает даже однополой,
когда себя мужик ведет как баба.

$\mathcal{У}$вы, но верная жена,
избегнув низменной пучины,
всегда слегка раздражена
или уныла без причины.

$\mathcal{Ч}$тобы души своей безбрежность
художник выразил сполна,
нужны две мелочи: прилежность
и работящая жена.

$\mathcal{Л}$огикой жену не победить,
будет лишь кипеть она и злиться;
чтобы бабу переубедить,
надо с ней немедля согласиться.

$\mathcal{А}$ та, с кем спала вся округа,
не успевая вынимать,
была прилежная супруга
и добродетельная мать.

В семье мужик обычно первый
бывает хворостью сражен,
у бедных вдов сохранней нервы,
ибо у женщин нету жен.

Г лаза еще скользят по женской талии,
а мысли очень странные плывут:
что я уже вот-вот куплю сандалии,
которые меня переживут.

$\mathcal{H}$АШ ДУХ БЫВАЕТ В ЖИЗНИ
ИСКУШЕН
НЕ РАНЬШЕ, ЧЕМ НЕВИННОСТИ ЛИШЕН

$\mathcal{C}$ возрастом яснеет божий мир,
делается больно и обидно,
ибо жизнь изношена до дыр
и сквозь них былое наше видно.

$\mathcal{H}$ плавал в море, знаю сушу,
я видел свет и трогал тьму;
не грех уродует нам душу,
а вожделение к нему.

$\mathcal{P}$азмазни, разгильдяи, тетери —
безусловно любезны Творцу:
их уроны, утраты, потери
им на пользу идут и к лицу.

*Н*рав у Творца, конечно, крут,
но полон блага дух Господний,
и нас не он обрек на труд,
а педагог из преисподней.

*Т*ри фрукта варятся в компоте,
где плещет жизни кутерьма:
судьба души, фортуна плоти
и приключения ума.

*Н*едюжинного юмора запас
использовав на замыслы лихие,
Бог вылепил Вселенную и нас
из хаоса, абсурда и стихии.

Я жил во тьме и мгле,
потом я к свету вышел;
нет рая на земле,
но рая нет и выше.

*Ж*ивешь, покоем дорожа,
путь безупречен, прям и прост...
Под хвост попавшая вожжа
пускает все коту под хвост.

$\mathcal{M}$ой разум точат будничные
                                    хлопоты,
долги над головой густеют грозно,
а в душу тихо ангел шепчет: жопа ты,
что к этому относишься серьезно.

$\mathcal{R}$ врос и вжился в роль балды,
а те, кто был меня умней,
едят червивые плоды
змеиной мудрости своей.

$\mathcal{U}$уя близость печальных
                                    превратностей,
дух живой выцветает и вянет;
если ждать от судьбы неприятностей,
то судьба никогда не обманет.

$\mathcal{Z}$абавен наш пожизненный удел —
расписывать свой день и даже час,
как если бы теченье наших дел
действительно зависело от нас.

$\mathcal{X}$отя еще Творца не знаю лично,
но верю я, что есть и был такой:
все сделать так смешно и так трагично
возможно лишь божественной рукой.

*М*олитва и брань одновременно
в живое сплетаются слово,
высокое с низким беременно
все время одно от другого.

*П*од осень чуть не с каждого сука,
окрестности брезгливо озирая,
глядят на нас вороны свысока,
за труд и суету нас презирая.

*Т*оварищ, верь: взойдет она,
и будет свет в небесной выси;
какое счастье, что луна
от человеков не зависит!

С азартом жить на свете так опасно,
любые так рискованны пути,
что понял я однажды очень ясно:
живым из этой жизни — не уйти.

*Р*ешит, конечно, высшая
                    инстанция —
куда я после смерти попаду,
но книги — безусловная квитанция
на личную в аду сковороду.

$\mathcal{A}$ жаль, что на моей печальной
тризне,
припомнив легкомыслие мое,
все станут говорить об оптимизме,
и молча буду слушать я вранье.

$\mathcal{C}$труны натянувши на гитары,
чувствуя горенье и напор,
обо мне напишут мемуары
те, кого не видел я в упор.

$\mathcal{H}$ам после смерти было б весело
поговорить о днях текущих,
но будем только мхом и плесенью
всего скорей мы в райских кущах.

Улучшить человека невозможно, и мы великолепны безнадежно

Разбираться прилежно и слепо
в механизмах любви и вражды —
так же сложно и столь же нелепо,
как ходить по нужде без нужды.

В житейской озверелой суете
поскольку преуспеть не всем дано,
успеха добиваются лишь те,
кто, будучи младенцем, ел гавно.

По замыслу Бога порядок таков,
что теплится всякая живность,
и, если уменьшить число дураков,
у них возрастает активность.

*Н*ет сильнее терзающей горести,
жарче муки и боли острей,
чем огонь угрызения совести;
и ничто не проходит быстрей.

*Н*есобранный, рассеянный
                    и праздный,
газеты я с утра смотрю за чаем;
политика — предмет настолько
                    грязный,
что мы ее прохвостам поручаем.

*П*о дебрям прессы свежей
скитаться я устал;
век разума забрезжил,
но так и не настал.

А вы — твердя, что нам уроками
не служит прошлое, — не правы:
что раньше числилось пороками,
теперь — обыденные нравы.

*Е*сть люди — едва к ним зайдя
                    на крыльцо,
я тут же прощаюсь легко;
в гостях — рубашонка, штаны и лицо,
а сам я — уже далеко.

*О*н душою и темен и нищ,
а игра его — светом лучится:
божий дар неожидан, как прыщ,
и на жопе он может случиться.

*С*лучай неожиданен, как выстрел,
личность в этот миг видна до дна:
то, что из гранита выбьет искру,
выплеснет лишь брызги из гавна.

*Ч*то царь или вождь — это главный
                                        злодей,
придумали низкие лбы.
цари погубили не больше людей,
чем разного рода рабы.

*П*ростая истина нагая
опасна тогам и котурнам:
осел, культуру постигая,
ослом становится культурным.

У всех по замыслу Творца —
своя ума и духа зона,
житейский опыт мудреца —
иной, чем опыт мудозвона.

*С*частлив муж без боли и печали,
друг удачи всюду и всегда,
чье чело вовек не омрачали
тени долга, чести и стыда.

*Л*юбой народ разнообразен
во всем хорошем и дурном,
то жемчуг выплеснет из грязи,
то душу вымажет гавном.

*В*ражда развивает мой опыт,
а лесть меня сил бы лишила,
хотя с точки зрения жопы
приятнее мыло, чем шило.

*Ж*естоки с нами дети, но заметим,
что далее на свет родятся внуки,
а внуки — это кара нашим детям
за нами перенесенные муки.

*У*ченье свет, а неучение —
потемки, косность и рутина;
из этой мысли исключение —
образование кретина.

*Н*аша разность —
не в мечтаниях бесплотных,
не в культуре и не в туфлях на ногах;
человека отличает от животных
постоянная забота о деньгах.

*О*т выпивки в нас тает дух сиротства,
на время растворяясь в наслаждении,
вино в мужчине будит благородство
и память о мужском происхождении.

*В*сегда в разговорах и спорах
по самым случайным вопросам
есть люди, мышленье которых
запор сочетает с поносом.

*У*меренность, лекарства и диета,
замашка опасаться и дрожать —
способны человека сжить со света
и заживо в покойниках держать.

*Т*ак Земля безнадежно кругла
получилась под божьей рукой,
что на свете не сыщешь угла,
чтоб найти там душевный покой.

*Т*олпа людей — живое существо;
и разум есть, и дух, и ток по нервам,
и даже очень видно вещество,
которое всегда всплывает первым.

*Т*ы был и есть в моей судьбе,
хоть был общенья срок недолог;
я написал бы о тебе,
но жалко — я не гельминтолог.

*Х*отя, стремясь достигнуть и познать,
мы глупости творили временами,
всегда в нас было мужество признать
ошибки, совершенные не нами.

*В*сегда вокруг родившейся идеи,
сулящей или прибыль или власть,
немедленно клубятся прохиндеи,
стараясь потеснее к ней припасть.

*С*удить людей я не мастак,
поняв давным-давно:
Бог создал человека так,
что в людях есть гавно.

*B*раги мои, бедняги, нету дня,
чтоб я вас не задел, мелькая мимо;
не мучайтесь, увидевши меня:
я жив еще, но это поправимо.

*D*олжна воздать почет и славу нам
толпа торгующих невежд:
между пеленками и саваном
мы снашиваем тьму одежд.

В ОРГАНАХ СЛАБОСТЬ, ЗА КОЛИКОЙ СПАЗМ, СТАРОСТЬ НЕ РАДОСТЬ, МАРАЗМ НЕ ОРГАЗМ

Начал я от жизни уставать,
верить гороскопам и пророчествам,
понял я впервые, что кровать
может быть прекрасна одиночеством.

Утрачивает разум убеждения,
теряет силу плоть и дух линяет;
желудок — это орган наслаждения,
который нам последним изменяет.

Не из-за склонности ко злу,
а от игры живого чувства
любого возраста козлу
любезна сочная капуста.

*Б*елый цвет летит с ромашки,
вянут ум и обоняние,
лишь у маленькой рюмашки
не тускнеет обаяние.

*У*вы, красавица, как жалко,
что не по мне твой сладкий пряник,
ты персик, пальма и фиалка,
а я давно уж не ботаник.

*С*мотрю на нашу старость с
одобрением,
мы заняты любовью и питьем;
судьба нас так полила удобрением,
что мы еще и пахнем и цветем.

*Т*ого, что будет с нами впредь,
уже сейчас легко достигнуть:
с утра мне чтобы умереть —
вполне достаточно подпрыгнуть.

*С*тало сердце покалывать скверно,
стал ходить, будто ноги по пуду;
больше пить я не буду, наверно,
хоть и меньше, конечно, не буду.

К ночи слышней зловещее
цоканье лет упорное,
самая мысль о женщине
действует как снотворное.

В душе моей не тускло и не пусто,
и, даму если вижу в неглиже,
я чувствую в себе живое чувство,
но это чувство юмора уже.

К любви я охладел не из-за лени,
и к даме попадая ночью в дом,
упасть еще готов я на колени,
но встать уже с колен могу с трудом.

*З*ря девки не глядят на стариков
и лаской не желают ублажать:
мальчишка переспит — и был таков,
а старенький — не в силах убежать.

*В*ремя льется даже в тесные
этажи души подвальные,
сны мне стали сниться пресные
и уныло односпальные.

С увлечением жизни моей детектив
я читаю, почти до конца проглотив.
Тут сюжет уникального кроя:
сам читатель — убийца героя.

*К*ипя, спеша и споря,
состарились друзья,
и пьем теперь мы с горя,
что пить уже нельзя,

*Б*олтая и трепясь, мы не фальшивы,
мы просто оскудению перечим;
чем более мы лысы и плешивы,
тем более кудрявы наши речи.

*П*одруг моих поблекшие черты
бестактным не задену я вниманием,
я только на увядшие цветы
смотрю теперь с печальным
пониманием.

*Т*о ли поумнел седой еврей:
мира не исправишь все равно,
то ли стал от возраста добрей,
то ли жалко гнева на гавно.

*У*же не люблю я витать в облаках,
усевшись на тихой скамье,
нужнее мне ножка цыпленка в руках,
чем сон о копченой свинье.

*В*есь день суетой загубя,
плетусь я к усталому ужину
и вечером в куче себя
уже не ищу я жемчужину.

*З*наю старцев, на жизненном склоне
коротающих тихие дни
в том невидимом облаке вони,
что когда-то издали они.

*Ш*епнуло мне прелестное создание,
что я еще и строен и удал,
но с нею на любовное свидание
на ровно четверть века опоздал.

*Д*ругим теперь со сцены соловьи
поют в их артистической красе,
а я лишь выступления свои
хожу теперь смотреть, и то не все.

*М*ечет сквозь нас река времен,
кипя вокруг, как суп;
был молод я и неумен,
теперь я стар и глуп.

*П*ришел я с возрастом к тому,
что меньше пью, чем ем,
а пью так мало потому,
что бросил пить совсем.

С годами нрав мой изменился,
я разлюбил пустой трезвон,
я всем учтиво поклонился
и отовсюду вышел вон.

*Н*ам пылать уже вряд ли пристало;
тихо-тихо нам шепчет бутылка,
что любить не спеша и устало —
даже лучше, чем бурно и пылко.

*Н*е стареет моя подруга,
хоть сейчас на экран кино,
дует западный ветер с юга
в наше северное окно.

На склоне лет на белом свете
весьма уютно куковать,
на вас поплевывают дети,
а всем и вовсе наплевать.

Подвергнув посмертной оценке
судьбу свою, душу и труд,
я стану портретом на стенке,
и мухи мой облик засрут.

Прочтите надо мной мой некролог
в тот день, когда из жизни уплыву;
возвышенный его услыша слог,
я, может быть, от смеха оживу.

Мне жаль, что в оперетте
                    панихидной,
в ее всегда торжественном начале
не в силах буду репликой ехидной
развеять обаяние печали.

Усовершенствуя плоды
любимых дум,
косится набекрень печальный ум

Листаю стихи, обоняя со скуки
их дух — не крылатый, но птичий;
есть право души издавать свои звуки,
но есть и границы приличий.

Во мне приятель веру сеял
и лил надежды обольщение,
и столько бодрости навеял,
что я проветрил помещение.

Когда нас учит жизни кто-то,
я весь немею;
житейский опыт идиота
я сам имею.

*B*овсе не отъявленная бестия
я умом и духом, но однако —
видя столп любого благочестия —
ногу задираю, как собака.

A вера в Господа моя —
сестра всем верам:
пою Творцу молитвы я
пером и хером.

*B*есь век понукает невидимый враг нас
бумагу марать со слепым увлечением;
поэт — не профессия, это диагноз
печальной болезни с тяжелым
течением.

*C*легка криминально мое бытие,
но незачем дверь запирать на засов,
умею украсть я лишь то, что мое;
я ветер ворую с чужих парусов.

*T*воих убогих слов ненужность
и так мне кажется бесспорной,
но в них видна еще натужность,
скорей уместная в уборной.

*Н*очью проснешься и думаешь
                           грустно:
люди коварны, безжалостны, злы,
всюду кипят ремесло и искусство,
душат долги и не мыты полы.

*Ч*тоб сочен и весел был каждый обед,
бутылки поставь полукругом,
а чинность, и чопорность, и этикет
пускай подотрутся друг другом.

*П*ортили глаза и гнули спины,
только все не впрок и бесполезно,
моего невежества глубины —
энциклопедическая бездна.

*Н*ас как бы судьба ни коверкала,
кидая порой наповал,
а мне собеседник из зеркала
всегда с одобреньем кивал.

*З*а то греху чревоугодия
совсем не враг я, а напротив,
что в нем есть чудная пародия
на все другие страсти плоти.

Я люблю, когда грустный некто
под обильное возлияние
источает нам интеллекта
тухловатое обаяние.

*М*не жалко всех, кого в азарте
топтал я смехом на заре —
увы, но кротость наша в марте
куда слабей, чем в октябре.

*В*осхищенные собственным чтением,
два поэта схлестнули рога,
я смотрю на турнир их с почтением,
я люблю тараканьи бега.

*С*тихов его таинственная пошлость
мне кажется забавной чрезвычайно,
звуча как полнозвучная оплошность,
допущенная в обществе случайно.

*Г*етера, шлюха, одалиска —
таят со мной родство ментальное,
искусству свойственно и близко
их ремесло горизонтальное.

*С*нимать устав с роскошных дев
шелка, атласы и муары,
мы, во фланель зады одев,
изводим страсть на мемуары.

*Н*астолько он изношен и натружен,
что вышло ему время отдохнуть,
уже венок из лавров им заслужен —
хотя и не на голову отнюдь.

*Ч*итатель нам — как воздух и вода,
читатель в нас поддерживает дух;
таланту без поклонников — беда;
беда, что у людей есть вкус и слух.

В похмельные утра жестокие
из мути душевной являлись
мне мысли настолько глубокие,
что тут же из виду терялись.

*П*очувствовав тоску в родном
пространстве,
я силюсь отыскать исток тоски:
не то повеял запах дальних странствий,
не то уже пора сменить носки.

*О*н талант, это всем несомненно,
пишет сам и других переводит,
в голове у него столько сена,
что Пегас от него не отходит.

*Р*угал эпоху и жену,
искал борьбы, хотел покоя,
понять умом одну страну
грозился ночью с перепоя.

*Б*еспечный чиж с утра поет,
а сельдь рыдает: всюду сети;
мне хорошо, я идиот,
а умным тяжко жить на свете.

*Г*лупо думать про лень негативно
и надменно о ней отзываться:
лень умеет мечтать так активно,
что мечты начинают сбываться.

*П*от познавательных потуг
мне жизнь не облегчил,
я недоучка всех наук,
которые учил.

*Г*лупо гнаться, мой пишущий друг,
за читательской влагой в глазу —
все равно нарезаемый лук
лучше нас исторгает слезу.

*О*н воплотил свой дар сполна,
со вдохновеньем и технично
вздувая волны из гавна,
изготовляемого лично.

*Н*ет, я на лаврах не почил,
верша свой труд земной:
ни дня без строчки — как учил
меня один портной.

*Ж*или гнусно, мелко и блудливо,
лгали и в стихе, и в жалкой прозе;
а в раю их ждали терпеливо —
райский сад нуждается в навозе.

*М*еня любой прохожий чтобы
помнил,
а правнук справедливо мной гордился,
мой бюст уже лежит в каменоломне,
а скульптор обманул и не родился.

ТРЕТИЙ ИЕРУСАЛИМСКИЙ ДНЕВНИК
1995

Я лодырь, лентяй и растяпа,
но в миг, если нужен я вдруг —
на мне треугольная шляпа
и серый походный сюртук.

*В*СЕ, КОНЕЧНО, МЫ БРАТЬЯ

ПО РАЗУМУ,

ТОЛЬКО ОЧЕНЬ КАКОМУ-ТО

РАЗНОМУ

*Н*аш век имел нас так прекрасно,
что мы весь мир судьбой пленяли,
а мы стонали сладострастно
и позу изредка меняли.

*П*о счастью, все, что омерзительно
и душу гневом бередит,
не существует в мире длительно,
а мерзость новую родит.

*В*овек я власти не являл
ни дружбы, ни вражды,
а если я хвостом вилял —
то заметал следы.

*С*ейчас полны гордыни те,
кто, ловко выбрав час и место,
в российской затхлой духоте
однажды пукнул в знак протеста.

*В*ор хает вора возмущенно,
глухого учит жить немой,
галдят слепые восхищенно,
как ловко бегает хромой.

*К*то ярой ненавистью пышет,
о людях судя зло и резко —
пусть аккуратно очень дышит,
поскольку злоба пахнет мерзко.

*Н*ас много лет употребляли,
а мы, по слабости и мелкости,
послушно гнулись, но страдали
от комплекса неполноцелкости.

В нас никакой избыток знаний,
покров очков-носков-перчаток
не скроет легкий обезьяний
в лице и мыслях отпечаток.

*В*се доступные семечки лузгая,
равнодушна, глуха и слепа,
в парках жизни под легкую музыку
одинокая бродит толпа.

*В*ладеть гавном — не сложный труд
и не высокая отрада:
гавно лишь давят или мнут,
а сталь — и жечь и резать надо.

*Е*ще вчера сей мелкий клоп
был насекомым, кровь сосущим,
а ныне — видный филантроп
и помогает неимущим.

*Б*ес маячит рядом тенью тощей,
если видит умного мужчину:
умного мужчину много проще
даром соблазнить на бесовщину.

*З*агадочно в России бродят дрожжи,
все связи стали хрупки или ржавы,
а те, кто жаждет взять бразды и вожжи,
страдают недержанием державы.

*П*о дряхлости скончался своевременно
режим, из жизни сделавший надгробие;
российская толпа теперь беременна
мечтой родить себе его подобие.

В раскаленной скрытой давке
увлекаясь жизни пиром,
лестно маленькой пиявке
слыть и выглядеть вампиром.

*В*идимо, в силу породы,
ибо всегда не со зла
курица русской свободы
тухлые яйца несла.

*О*т ветра хлынувшей свободы,
хотя колюч он и неласков,
томит соблазн пасти народы
всех пастухов и всех подпасков.

По воле здравого рассудка
кто дал себя употреблять —
гораздо чаще проститутка,
чем нерасчетливая блядь.

Россия ко всему, что в ней содеется,
и в будущем беспечно отнесется;
так дева, забеременев, надеется,
что все само собою рассосется.

Вокруг березовых осин
чертя узор хором воздушных,
всегда сколотит сукин сын
союз слепых и простодушных.

Живу я, свободы ревнитель,
весь век искушая свой фарт;
боюсь я, мой ангел-хранитель
однажды получит инфаркт.

Российская жива идея-фикс,
явились только новые в ней ноты,
поскольку дух России, темный сфинкс,
с загадок перешел на анекдоты.

*В*ыплескивая песни, звуки, вздохи,
затворники, певцы и трубачи —
такие же участники эпохи,
как судьи, прокуроры, палачи.

*Р*оссийской власти цвет и знать
так на свободе воскипели,
что стали с пылом продавать
все, что евреи не успели.

*Э*тот трактор в обличье мужчины
тоже носит в себе благодать;
человек совершенней машины,
ибо сам себя может продать.

*К*то сладко делает кулич,
принадлежит к особой касте,
и все умельцы брить и стричь
легко стригут при всякой власти.

*К*онечно, это горько и обидно,
однако долгой жизни под конец
мне стало совершенно очевидно,
что люди происходят от овец.

315

$\mathcal{C}$мотреть на мир наш объективно,
как бы из дальней горной рощи —
хотя не менее противно,
но безболезненней и проще.

$\mathcal{H}$адеюсь, я коллег не раню,
сказав о нашей безнадежности,
поскольку Пушкин слушал няню,
а мы — подонков разной сложности.

$\mathcal{H}$аш век настолько прихотливо
свернул обычный ход истории,
что, очевидно, музу Клио
потрахал бес фантасмагории.

$\mathcal{B}$озложить о России заботу
всей России на Бога охота,
чтоб оставить на Бога работу
из болота тащить бегемота.

$\mathcal{B}$се споры вспыхнули опять
и вновь текут, кипя напрасно;
умом Россию не понять,
а чем понять — опять не ясно.

$\mathcal{H}$аших будней мелкие мытарства,
прихоти и крахи своеволия —
горше, чем печали государства,
а цивилизации — тем более.

$\mathcal{X}$оть очень разны наши страсти,
но сильно схожи ожидания,
и вождь того же ждет от власти,
что ждет любовник от свидания.

$\mathcal{K}$огда кипят разбой и блядство
и бьются грязные с нечистыми,
я грустно думаю про братство,
воспетое идеалистами.

$\mathcal{O}$пасностей, пожаров и буранов
забыть уже не может ветеран;
любимая услада ветеранов —
чесание давно заживших ран.

$\mathcal{U}$стория бросками и рывками
эпохи вытрясает с потрохами,
и то, что затевало жить веками,
внезапно порастает лопухами.

Есть в речах политиков унылых
много и воды и аргументов,
только я никак понять не в силах,
чем кастраты лучше импотентов.

Всюду запах алчности неистов,
мечемся, на гонку век ухлопав;
о, как я люблю идеалистов,
олухов, растяп и остолопов!

За раздор со временем лихим
и за годы в лагере на нарах
долго сохраняется сухим
порох в наших перечницах старых.

Эпоха нас то злит, то восхищает,
кипучи наши ярость и экстаз,
и все это бесстрастно поглощает
истории холодный унитаз.

Мы сделали изрядно много,
пока по жизни колбасились,
чтобы и в будущем до Бога
мольбы и стоны доносились.

*Р*оссии вновь дают кредит,
поскольку все течет,
а кто немножко был убит —
они уже не в счет.

*Г*усты в России перемены,
но чуда нет еще покуда;
растут у многих партий члены,
а с головами очень худо.

*Р*усское грядущее прекрасно,
путь России тяжек, но высок;
мы в гавне варились не напрасно,
жалко, что впитали этот сок.

*П*ОСКОЛЬКУ ИСТИНА — В ВИНЕ,
ТО ЧАСТЬ ЕЕ УЖЕ ВО МНЕ

*К*огда, пивные сдвинув кружки,
мы славим жизни шевеление,
то смотрят с ревностью подружки
на наших лиц одушевление.

*С*овместное и в меру возлияние
не только от любви не отвращает,
но каждое любовное слияние
весьма своей игрой обогащает.

*Л*юбви горенье нам дано
и страсти жаркие причуды,
чтобы холодное вино
текло в нагретые сосуды.

$\mathcal{D}$а, мне умерить пыл и прыть
пора уже давно;
я пить не брошу, но курить
не брошу все равно.

$\mathcal{C}$ебя я пьянством не разрушу,
ибо при знании предела
напитки льются прямо в душу,
оздоровляя этим тело.

$\mathcal{D}$ух мой растревожить невозможно
денежным смутительным угаром,
я интеллигентен безнадежно,
я употребляюсь только даром.

$\mathcal{K}$огда к тебе приходит некто,
духовной жаждою томим,
для утоленья интеллекта
распей бутылку молча с ним.

$\mathcal{U}$веток и садовник в едином лице,
я рюмке приветно киваю
и, чтобы цветок не увял в подлеце,
себя изнутри поливаю.

*П*оскольку склянка алкоголя —
стекляшка вовсе не простая,
то, как только она пустая —
в душе у нас покой и воля.

*О*ставив дикому трамваю
охоту мчать, во тьме светясь,
я лежа больше успеваю,
чем успевал бы, суетясь.

*Ч*тоб жить разумно (то есть бледно)
и максимально безопасно,
рассудок борется победно
со всем, что вредно и прекрасно.

*Д*ушевно я вполне еще здоров,
и съесть меня тщеславию невмочь,
я творческих десяток вечеров
легко отдам за творческую ночь.

*Д*а, выпив, я валяюсь на полу;
да, выпив, я страшней садовых пугал,
но врут, что я ласкал тебя в углу;
по мне, так я ласкал бы лучше угол.

*В*о мне убого сведений меню,
не знаю я ни фактов, ни событий,
но я свое невежество ценю
за радость неожиданных открытий.

*Н*асмешлив я к вождям, старухам,
пророчествам и чудесам,
однако свято верю слухам,
которые пустил я сам.

*М*ы вовсе не грешим, когда пируем,
забыв про все стихии за стеной,
а мудро и бестрепетно воруем
дух легкости у тяжести земной.

*Х*отя погрязший в алкоголе
я по-житейски сор и хлам,
но съем последний хер без соли
я только с другом пополам.

*Д*уша порой бывает так задета,
что можно только выть или орать;
я плюнул бы в ранимого эстета,
но зеркало придется вытирать.

К лести, комплиментам и успехам
(сладостным ручьем они вливаются)
если относиться не со смехом —
важные отверстия слипаются.

*З*ачем же мне томиться и печалиться,
когда по телевизору в пивной
вчера весь вечер пела мне красавица,
что мысленно всю ночь она со мной?

*Д*ля жизни шалой и отпетой
день каждый в утренней тиши
творят нам кофе с сигаретой
реанимацию души.

*Н*е слушая судов и пересудов,
настаиваю твердо на одном:
вместимость наших умственных
сосудов
растет от полоскания вином.

*Б*ыл томим я, был палим и гоним,
но не жалуюсь, не плачу, не злюсь,
а смеюсь я горьким смехом моим
и живу лишь потому, что смеюсь.

*Н*ет, я в делах не тугодум,
весьма проста моя замашка:
я поступаю наобум,
а после мыслю, где промашка.

Я б рад работать и трудиться,
я чужд надменности пижонской,
но слишком портит наши лица
печать заезженности конской.

*Н*е темная меня склоняла воля
к запою после прожитого дня:
я больше получал от алкоголя,
чем пьянство отнимало у меня.

*Х*оть я философ, но не стоик,
мои пристрастья не интимны:
когда в пивной я вижу столик,
моя душа играет гимны.

*П*итаю к выпивке любовь я,
и мух мой дым табачный косит,
а что полезно для здоровья,
мой организм не переносит.

*М*не чужд Востока тайный пламень,
и я бы спятил от тоски,
век озирая голый камень
и созерцая лепестки.

*Т*ак ли уж совсем и никому?
С истиной сходясь довольно близко,
все-таки я веку своему
нужен был, как уху — зубочистка.

*П*одлинным по истине томлениям
плотская питательна утеха,
подлинно высоким размышлениям
пьянство и обжорство — не помеха.

*П*ока прогресс везде ретиво
меняет мир наш постепенно,
подсыпь-ка чуть нам соли в пиво,
чтоб заодно осела пена.

*Х*оть мыслить вовсе не горазд,
ответил я на тьму вопросов,
поскольку был энтузиаст
и наблюдательный фаллософ.

*П*оздним утром я вяло встаю,
сразу лень изгоняю без жалости,
но от этого так устаю,
что ложусь, уступая усталости.

*Н*а тьму житейских упущений
смотрю и думаю тайком,
что я в одном из воплощений
был местечковым дураком.

*П*о многим я хожу местам,
таская дел житейских кладь,
но я всегда случаюсь там,
где начинают наливать.

*П*озабыв о душевном копании,
с нами каждый отменно здоров,
потому что целебно в компании
совдыхание винных паров.

*М*ы так во всех полемиках орем,
как будто кипяток у нас во рту;
настаивать чем тупо на своем,
настаивать разумней на спирту.

*В*о мне смеркаться стал огонь;
сорвав постылую узду,
теперь я просто старый конь,
пославший на хер борозду.

*С*егодня ощутил я горемычно,
как жутко изменяют нас года;
в себя уйдя и свет зажгя привычно,
увидел, что попал я не туда.

*Л*овил я кайф, легко играя
ту роль, какая выпадала,
за что меня в воротах рая
ждет рослый ангел-вышибала.

*З*ачем под сень могильных плит
нести мне боль ушедших лет?
Собрав мешок моих обид,
в него я плюну им вослед.

ЛЮБВИ ВСЕ ВОЗРАСТЫ ПОКОРНЫ, ЕЕ ПОРЫВЫ — РУКОТВОРНЫ

Мы всякой власти бесполезны
и не сильны в карьерных трюках,
поскольку маршальские жезлы
не в рюкзаках у нас, а в брюках.

Не раз и я, в объятьях дев
легко входя во вдохновение,
от наслажденья обалдев,
остановить хотел мгновение.

А возгораясь по ошибке,
я погасал быстрее спички:
то были постные те рыбки,
то слишком шустрые те птички.

Я никак не пойму, отчего
так я к женщинам пагубно слаб;
может быть, из ребра моего
было сделано несколько баб?

*Д*уша смиряет в теле смуты,
бродя подобно пастуху,
а в наши лучшие минуты
душа находится в паху.

*М*ы когда крутили шуры-муры
с девками такого же запала,
в ужасе шарахались амуры,
луки оставляя где попало.

*П*ока я сплю, не спит мой друг,
уходит он к одной пастушке,
чтоб навестить пастушкин луг,
покуда спят ее подружки.

*В*сегда ланиты, перси и уста
описывали страстные поэты,
но столь же восхитительны места,
которые доселе не воспеты.

Из наук, несомненно благих
для юнцов и для старцев согбенных,
безусловно полезней других
география зон эрогенных.

Достану чистые трусы,
надену свежую рубашку,
приглажу щеточкой усы
и навещу свою милашку.

Погрязши в низких наслаждениях,
их аналитик и рапсод,
я достигал в моих падениях
весьма заоблачных высот.

Вот идеал моей идиллии:
вкусивши хмеля благодать
и лежа возле нежной лилии,
шмелей лениво обсуждать.

Я женских слов люблю родник
и женских мыслей хороводы,
поскольку мы умны от книг,
а бабы — прямо от природы.

*Б*ез вакханалий, безобразий
и не в урон друзьям-товарищам
мои цветы не сохли в вазе,
а раздавались всем желающим.

*В*сем дамам нужен макияж
для торжества над мужиками:
мужчина, впавший в охуяж,
берется голыми руками.

Я близок был с одной вдовой,
в любви достигшей совершенства,
и будь супруг ее живой,
он дал бы дуба от блаженства.

*Н*е знаю слаще я мороки
среди морок житейских прочих,
чем брать любовные уроки
у дам, к учительству охочих.

*Я*вляют умственную прыть
пускай мужчины-балагуры,
а бабе ум полезней скрыть —
он отвлекает от фигуры.

Даму обольстить не мудрено,
даме очень лестно обольщение,
даму опьяняет, как вино,
дамой этой наше восхищение.

Соблазнам не умея возражать,
я все же твердой линии держусь:
греха мне все равно не избежать,
так я им заодно и наслажусь.

Хоть не был я возвышенной натурой,
но духа своего не укрощал
и девушек, ушибленных культурой,
к живой и свежей жизни обращал.

Одна воздержанная дама
весьма сухого поведения
детей хотела так упрямо,
что родила от сновидения.

Любой альков и будуар,
имея тайны и секреты,
приносит в наш репертуар
иные па и пируэты.

*Т*е дамы не просто сидят —
умыты, завиты, наряжены, —
а внутренним взором глядят
в чужие замочные скважины.

*К*огда земля однажды треснула,
сошлись в тот вечер Оля с Витей;
бывает польза интересная
от незначительных событий.

*Б*росает лампа нежный свет
на женских блуз узор,
и фантики чужих конфет
ласкают чуткий взор.

*У*видев девку, малой толики
не ощущаю я стыда,
что много прежде мысли — стоит ли? —
я твердо чувствую, что да.

*В*ажна любовь, а так ли, сяк ли —
хорош любой любовный танец;
покуда силы не иссякли,
я сам изрядный лесбиянец.

*Л*юбил я сесть в чужие сани,
когда гулякой был отпетым;
они всегда следили сами,
чтобы ямщик не знал об этом.

*Л*егко мужчинами владея,
их так умела привечать,
что эллина от иудея
не поспевала отличать.

*Х*ватает на бутыль и на еду,
но нету на оплату нежных дам,
и если я какую в долг найду,
то честно с первой пенсии отдам.

*Х*вала и слава лилиям и розам,
я век мой пережил под их наркозом.

К любви не надо торопиться,
она сама придет к вам, детки,
любовь нечаянна, как птица,
на папу капнувшая с ветки.

*М*илый спать со мной не хочет,
а в тетрадку ночь и день
самодеятельно строчит
поебень и хуетень.

*В*есьма заботясь о контрасте
и относясь к нему с почтением,
перемежал я пламя страсти
раздумьем, выпивкой и чтением.

В тихой смиреннице каждой,
в робкой застенчивой лапушке
могут проснуться однажды
блядские гены прабабушки.

*Б*ес любит юных дам подзуживать
упасть во грех, и те во мраке
вдруг начинают обнаруживать
везде фаллические знаки.

*К*огда Господь, весы колебля,
куда что класть негромко скажет,
уверен я, что наша ебля
на чашу праведности ляжет.

С возрастом острей мужицкий глаз,
жарче и сочней души котлета,
ибо ранней осенью у нас,
как у всей природы — бабье лето.

*Р*омашки, незабудки и гортензии
различного строенья и окраски
усиливают с возрастом претензии
на наши садоводческие ласки.

*Э*то грешно звучит и печально,
но решил я давно для себя:
лучше трахнуть кого-то случайно,
чем не мочь это делать, любя.

*З*а повадку не сдаваться
и держать лицо при этом
дамы любят покрываться
королем, а не валетом.

Я красоту в житейской хляби
ловлю глазами почитателя:
беременность в хорошей бабе
видна задолго до зачатия.

$\mathcal{A}$ жалко, что незыблема граница,
положенная силам и годам,
я б мог еще помочь осуществиться
мечте довольно многих юных дам.

$\mathcal{M}$ы судим о деве снаружи —
по стану, лицу и сноровке,
но в самой из них неуклюжей
не дремлет капкан мужеловки.

$\mathcal{D}$а, в небесах заключается брак,
там есть у многих таинственный враг.

$\mathcal{B}$ог чувствует, наверно, боль и грусть,
когда мы в суете·настолько тонем,
что женщину ласкаем наизусть,
о чем-то размышляя постороннем.

$\mathcal{M}$не кажется, былые потаскушки,
знавашие катанье на гнедых,
в года, когда они уже старушки,
с надменностью глядят на молодых.

*Т*ворца, живущего вдали,
хотел бы я предупредить:
мы стольких дам недоебли,
что смерти стоит погодить.

Я в разных почвах семя сеял:
духовной, плотской, днем и ночью,
но, став по старости рассеян,
я начал часто путать почву.

Я прежний сохранил в себе задор,
хотя уже в нем нет былого смысла,
поэтому я с некоторых пор
подмигиваю девкам бескорыстно.

С годами стали круче лестницы
и резко слепнет женский глаз:
когда-то зоркие прелестницы
теперь в упор не видят нас.

А бывает, что в сумрак осенний
в тучах луч означается хрупкий,
и живительный ветер весенний
задувает в сердца и под юбки.

*Ч*то к живописи слеп, а к музыке
                              я глух —
уже невосполнимая утрата,
зато я знаю несколько старух
с отменными фигурами когда-то.

*Л*огической мысли забавная нить
столетия вьется повсюду:
поскольку мужчина не может родить,
то женщина моет посуду.

*З*ря вы мнетесь, девушки,
грех меня беречь,
есть еще у дедушки
чем кого развлечь.

*З*ря жены квохчут оголтело,
что мы у девок спим в истоме,
у нас блаженствует лишь тело,
а разум — думает о доме.

*Т*ы жуткий зануда, дружок,
но я на тебя не в обиде,
кусая тайком пирожок,
какого ты сроду не видел.

*В*нутри семейного узла
в период ссор и междометий
всегда легко найти козла,
который в этой паре третий.

*Н*астолько в детях мало толка,
что я, признаться, даже рад,
что больше копий не нащелкал
мой множительный аппарат.

*К*уда ни дернешься — повсюду
в туман забот погружена,
лаская взорами посуду,
вокруг тебя сидит жена.

*Г*лаз людской куда ни глянет,
сохнут бабы от тоски,
что любовь мужская вянет
и теряет лепестки.

*П*ослушно соглашаюсь я с женой,
хотя я совершенно не уверен,
что конь, пускай изрядно пожилой,
уже обязан тихим быть, как мерин.

Когда у нас рассудок, дух и честь
находятся в согласии и мире,
еще у двоеженца радость есть
от мысли, что не три и не четыре.

Да, я бывал и груб и зол,
однако помяну,
что я за целый век извел
всего одну жену.

СЛИШКОМ Я ЛЮБЛЮ ДРУЗЕЙ МОИХ, ЧТОБЫ СЛИШКОМ ЧАСТО ВИДЕТЬ ИХ

Течет беспечно, как вода
среди полей и косогоров,
живительная ерунда
вечерних наших разговоров.

Тяжки для живого организма
трели жизнерадостного свиста,
нету лучшей школы пессимизма,
чем подолгу видеть оптимиста.

Не могут ничем насладиться вполне
и маются с юмором люди,
и видят ночами все время во сне
они горбуна на верблюде.

Мы одиноки, как собаки,
но нас уже ничем не купишь,
а бравши силой, понял всякий,
что только хер зазря затупишь.

По собственному вкусу я сужу,
чего от собеседника нам нужно,
и вздор напропалую горожу
охотнее, чем умствую натужно.

Ты в азарте бесподобен
ярой одурью своей,
так мой пес весной способен
пылко трахать кобелей.

Я вижу объяснение простое
того, что ты настолько лучезарен:
тебя, наверно, мать рожала стоя
и был немного пол тобой ударен.

Хоть я свои недуги не лечу,
однако, зная многих докторов,
я изредка к приятелю-врачу
хожу, когда бедняга нездоров.

То истомясь печалью личной,
то от погибели в вершке,
весь век по жизни горемычной
мечусь, как мышь в ночном горшке.

Я курю возле рюмки моей,
а по миру сочится с экранов
соловьиное пение змей
и тигриные рыки баранов.

Мой восторг от жизни обоснован,
Бог весьма украсил жизнь мою:
я, по счастью, так необразован,
что все время что-то узнаю.

В эпоху той поры волшебной,
когда дышал еще легко,
для всех в моей груди душевной
имелось птичье молоко.

Сбыл гостя. Жизнь опять моя.
Слегка душа очнулась в теле.
Но чувство странное, что я —
башмак, который не надели.

*П*оскольку я большой философ,
то жизнь открыла мне сама,
что глупость — самый лучший способ
употребления ума.

С утра неуютно живется сове,
прохожие злят и проезжие,
а затхлость такая в её голове,
что мысли ужасно несвежие.

С утра суется в мысли дребедень
о жизни, озаренной невезением,
с утра мы друг на друга — я и день —
взираем со взаимным омерзением.

*Н*есчастным не был я нисколько,
легко сказать могу теперь уж я,
что если я страдал, то только
от оптимизма и безденежья.

*Н*а убогом и ветхом диванчике
я валяюсь, бездумен и тих,
в голове у меня одуванчики,
но эпоха не дует на них.

346

Я часто спорю, ярый нрав
и вздорность не тая,
и часто в споре я не прав,
а чаще — прав не я.

*П*оскольку я жил не эпически
и брюки недаром носил,
всегда не хватало хронически
мне времени, денег и сил.

*П*оскольку я себя естественно
везде веду, то я в награду
и получаю соответственно
по носу, черепу и заду.

*С*вои серебряные латы
ношу я только оттого,
что лень поставить мне заплаты
на дыры платья моего.

*Ч*тобы вынести личность мою,
нужно больше, чем просто терпение,
ибо я даже в хоре пою
исключительно личное пение.

*В*рут обо мне в порыве злобы,
что все со смехом гнусно хаю,
а я, бля, трагик чистой пробы,
я плачу, бля, и воздыхаю.

*Н*е в том беда, что одинок,
а в ощущеньях убедительных,
что одинок ты — как челнок
между фрегатов победительных.

*Н*астолько не знает предела
любовь наша к нам дорогим,
что в зеркале вялое тело
мы видим литым и тугим.

*Ж*ивя не грустя и не ноя,
и радость и горечь ценя,
порой наступал на гавно я,
но чаще - оно на меня.

*З*астолья благочинны и богаты
в домах, где мы чужие, но желанны,
мужчины безупречны и рогаты,
а женщины рогаты и жеманны.

Напрасно я нырнул под одеяло,
где выключил и зрение и слух,
во сне меня камнями побивала
толпа из целомудренных старух.

Порой издашь дурацкий зык,
когда устал или задерган,
и вырвать хочется язык,
но жаль непарный этот орган.

У многих авторов с тех пор,
как возраст им понурил нос,
при сочинительстве — запор,
а с мемуарами — понос.

Верчусь я не ради забавы,
я теплю тупое стремление
с сияющей лысины славы
постричь волоски на кормление.

Не зря мы, друг, о славе грезили,
нам не простят в родном краю,
что влили мы в поток поэзии
свою упругую струю.

*К*огда насильно свой прибор
терзает творческая личность,
то струны с некоторых пор
утрачивают эластичность.

Я боюсь в человеках напевности,
под которую ищут взаимности,
обнажая свои задушевности
и укромности личной интимности.

*К*огда с тобой беседует дурак,
то кажется, что день уже потух,
и свистнул на горе вареный рак,
и в жопу клюнул жареный петух.

*О*н не таит ни от кого
своей открытости излишек,
но в откровенности его
есть легкий запах от подмышек.

*Н*е лез я с моськами в разбор,
молчал в ответ на выпад резкий,
чем сухо клал на них прибор,
не столь увесистый, как веский.

*Н*а вид неловкий и унылый,
по жизни юрок ты, как мышь;
тебя послал я в жопу, милый, —
ты не оттуда ли звонишь?

*Т*акой терзал беднягу страх
забытым быть молвой и сплетней,
что на любых похоронах
он был покойника заметней.

*Х*валишься ты зря, что оставался
честным, неподкупным и в опале;
многие, кто впрямь не продавался —
это те, кого не покупали.

*П*окуда крепок мой табак
и выпивка крепка,
мне то смешон мой бедный враг,
то жалко дурака.

*Н*ет беды, что юные проделки
выглядят нахально или вздорно;
радуюсь, когда барашек мелкий
портит воздух шумно и задорно.

*Д*а, друзья-художники, вы правы,
что несправедлив жестокий срок,
ибо на лучах посмертной славы
хочется при жизни спечь пирог.

*П*ишу печальные стишки
про то, как больно наблюдать
непроходимость той кишки,
откуда каплет благодать.

*З*абавно желтеть, увядая,
смотря без обиды пустой
на то, как трава молодая
смеется над палой листвой.

В НАС ОЧЕНЬ ОСТРО ЧУВСТВО ДОЛГА, МЫ ПРОСТО ЧУВСТВУЕМ НЕДОЛГО

По счету света и тепла,
по мере, как судьба согнула,
жизнь у кого-то протекла,
а у другого — прошмыгнула.

Все растяпы, кулемы, разини —
лучше нас разбираются в истине:
в их дырявой житейской корзине
спит густой аромат бескорыстия.

Душе уютны, как пальто,
иллюзии и сантименты,
однако жизнь — совсем не то,
что думают о ней студенты.

*Б*родяги, странники, скитальцы,
попав из холода в уют,
сначала робко греют пальцы,
а после к бабе пристают.

*Н*аш разум налегке и на скаку
вторгается в округу тайных сфер,
поскольку ненадолго дураку
стеклянный хер.

*О*днажды человека приведет
растущее техническое знание
к тому, что абсолютный идиот
сумеет повлиять на мироздание.

*Д*а, Господь, лежит на мне вина:
глух я и не внемлю зову долга,
ибо сокрушители гавна
тоже плохо пахнут очень долго.

*М*ерзавцу я желаю, чтобы он
в награду за подлянку и коварство
однажды заработал миллион
и весь его потратил на лекарство.

*У*вы, при царственной фигуре
(и дивно морда хороша)
плюгавость может быть в натуре
и косоглазой быть душа.

*П*окрытость лаками и глянцем
и запах кремов дорогих
заметно свойственней поганцам,
чем людям, терпящим от них.

*П*оскольку нету худа без добра,
утешить мы всегда себя умеем,
что если не имеем ни хера,
то право на сочувствие имеем.

*Г*де сегодня было пусто
на полях моих житейских,
завтра выросла капуста
из билетов казначейских.

Я спорю искренно и честно,
я чистой истины посредник,
и мне совсем не интересно,
что говорит мой собеседник.

*Б*егу, куда азарт посвищет,
тайком от совести моей,
поскольку совесть много чище,
если не пользоваться ей.

Я б устроил в окрестностях местных,
если б силами ведал природными,
чтобы несколько тварей известных
были тварями, только подводными.

*Н*аука зря в себе уверена,
ведь как науку ни верти,
а у коня есть путь до мерина,
но нет обратного пути.

*В*есь день сегодня ради прессы
пустив на чтение запойное,
вдруг ощутил я с интересом,
что проглотил ведро помойное.

*К*ак, Боже, мы похожи на блядей
желанием, вертясь то здесь, то там,
погладить выдающихся людей
по разным выдающимся местам.

Ценю читательские чувства я,
себя всего им подчиняю:
где мысли собственные — грустные,
там я чужие сочиняю.

Не в муках некой мысли неотложной
он вял и еле двигает руками —
скорее в голове его несложной
воюют тараканы с пауками.

А кто орлом себя считает,
презревши мышью суету,
он так заоблачно летает,
что даже гадит на лету.

Я не уверен в божьем чуде
и вижу внуков без прикрас,
поскольку будущие люди
произойдут, увы, от нас.

С народной мудростью в ладу
и мой уверен грустный разум,
что, как ни мой дыру в заду,
она никак не станет глазом.

ЧЕМ Я ГРУСТНЕЙ И ЧЕМ СТАРЕЙ, ТЕМ И ВИДНЕЙ, ЧТО Я ЕВРЕЙ

Всегда с евреем очень сложно,
поскольку очень очевидно,
что полюбить нас — невозможно,
а уважать — весьма обидно.

Стараюсь евреем себя я вести
на самом высоком пределе:
святое безделье субботы блюсти
стремлюсь я все дни на неделе.

Наш ум погружен в темь и смуту
и всуе мысли не рожает;
еврей умнеет в ту минуту,
когда кому-то возражает.

*Н*е надо мне искать
ни в сагах, ни в былинах
истоки и следы моих корней;
мой предок был еврей и в Риме и
в Афинах,
и был бы даже в Токио еврей.

*В*се зыбко в умах колыхалось
повсюду, где жил мой народ;
евреи придумали хаос,
анархию, спор и разброд.

*К*огда бы мой еврейский Бог
был чуть ко мне добрей,
он так легко устроить мог,
чтоб не был я еврей!

*С*овсем не к лицу мне корона,
Бог царского нрава не дал,
и зад не годится для трона,
но мантию я бы продал.

*У*мения жить излагал нам науку
знакомый настырный еврей,
и я благодарно пожал ему руку
дверями квартиры своей.

*Ч*тоб речь родную не забыть,
на ней почти не говоря,
интересуюсь я купить
себе большого словаря.

*В*ысветив немыслимые дали
(кажется, хватили даже лишку),
две великих книги мы создали:
Библию и чековую книжку.

С еврейским тайным умыслом слияние
заметно в каждом факте и событии,
и слабое еврейское влияние
пока только на Марсе и Юпитере.

*С*реди болотных пузырей,
надутых газами гниения,
всегда находится еврей —
венец болотного творения.

*Е*врея тянет выше, выше,
и кто не полный идиот,
но из него портной не вышел,
то он в ученые идет.

*Н*адеждой душу часто грея,
стремлюсь я форму ей найти;
когда нет денег у еврея,
то греет мысль: они в пути.

*Е*врей, зажгя субботнюю свечу,
в мечтательную клонится дремоту,
и все еврею в мире по плечу,
поскольку ничего нельзя в субботу.

*Н*апрасно осуждается жестокий
финансовый еврейский хваткий норов:
евреи друг из друга давят соки
похлеще, чем из прочих помидоров.

В соплеменной тесноте
все суются в суету,
чтобы всунуть в суете
всяческую хуету.

*С*мотрю на волны эмиграции
я озадаченно слегка:
сальери к нам сюда стремятся
активней моцартов пока.

*K*огда-то всюду злаки зрели,
славяне строили свой Рим,
и древнерусские евреи
писали летописи им.

*K*огда Россия дело зла
забрала в собственные руки,
то мысль евреев уползла
в диван культуры и науки.

*П*люет на ухмылки, наветы и сплетни
и пляшет душа под баян,
и нет ничего для еврея заветней
идеи единства славян.

*Н*е терся я у власти на виду
и фунты не менял я на пиастры,
а прятался в бумажном я саду,
где вырастил цветы экклезиастры.

*Е*врей — не худшее создание
меж божьих творческих работ:
он и загадка мироздания,
и миф его, и анекдот.

*Н*И ЗА КАКУЮ В ЖИЗНИ МЗДУ
НЕЛЬЗЯ ДУШЕ ВЛЕЗАТЬ В УЗДУ

С Богом я общаюсь без нытья
и не причиняя беспокойства:
глупо на устройство бытия
жаловаться автору устройства.

*С*егодня жить совсем не скучно:
повсюду пакость, гнусь и скверна,
все объясняется научно,
и нам неважно, что неверно.

*Ж*иву сызмальства и доныне
я в убежденности спокойной,
что в мире этом нет святыни,
куска навоза не достойной.

*В*ся история нам говорит,
что Господь неустанно творит:
каждый год появляется гнида
неизвестного ранее вида.

И думал я, пока дремал,
что зря меня забота точит:
мир так велик, а я так мал,
и мир пускай живет как хочет.

*А*нгел в рай обещал мне талон,
если б разум я в мире нашел;
я послал его на хуй, и он
вмиг исчез — очевидно, пошел.

*П*ричудлив духа стебель сорный,
поскольку если настоящий,
то бесполезный, беспризорный,
бесцельный, дикий и пропащий.

С укором, Господь, не смотри,
что пью и по бабам шатаюсь:
я все-таки, черт побери,
Тебя обмануть не пытаюсь.

*И*з бездонного духовного колодца
ангел дух душе вливает (каждой —
ложка),
и естественно, кому-то достается
этот дух уже с тухлятиной немножко.

*П*устым горением охвачен,
мелю я чушь со страстью пылкой;
у Бога даже неудачи
бывают с творческою жилкой.

*Н*а свете столько разных
вероятностей,
внезапных, как бандит из-за угла,
что счастье — это сумма
неприятностей,
от коих нас судьба уберегла.

*Д*уша моя, признаться если честно,
черствеет очень быстро и легко,
а черствому продукту, как известно,
до плесени уже недалеко.

У душ (поскольку божьи твари)
есть духа внешние улики:
у душ есть морды, рожи, хари,
и лица есть, а реже - лики.

*B*о мне то булькает кипение,
то прямо в порох брызжет искра;
пошли мне, Господи, терпение,
но только очень, очень быстро.

*M*ало что для меня несомненно
в этой жизни хмельной и галдящей,
только вера моя неизменна,
но религии нет подходящей.

*M*ольбами воздух оглашая,
мы столько их издали вместе,
что к Богу очередь большая
из только стонов лет на двести.

*Д*уша моя безоблачно чиста,
и крест согласен дальше я нести,
но отдых от несения креста
стараюсь я со вкусом провести.

*H*адо пить и много и немного,
надо и за кровные и даром,
ибо очень ясно, что у Бога
нам не пить амброзию с нектаром.

Чтоб нам в аду больней гореть,
вдобавок бесы-истязатели
заставят нас кино смотреть,
на что мы жизни наши тратили.

Знать не зная спешки верхоглядства,
чужд скоропалительным суждениям,
Бог на наше суетное блядство
смотрит с терпеливым снисхождением.

Я праведностью, Господи, пылаю,
я скоро тапки ангела обую,
а ближнего жену хотя желаю,
однако же заметь, что не любую.

Твердо знал он, что нет никого
за прозрачных небес колпаком,
но вчера Бог окликнул его
и негромко назвал мудаком.

Увы, в обитель белых крыл
мы зря с надеждой пялим лица:
Бог, видя, что Он сотворил,
ничуть не хочет нам явиться.

Мольба слетела с губ сама
и помоги, пока не поздно:
не дай, Господь, сойти с ума
и отнестись к Тебе серьезно.

Давай, Господь, поделим благодать:
Ты веешь в небесах, я на ногах —
давай я буду бедным помогать,
а Ты пока заботься о деньгах.

Творец забыл — и я виню
Его за этот грех —
внести в судьбы моей меню
финансовый успех.

Пылал я страстью пламенной,
встревал в междоусобие,
сидел в темнице каменной —
пошли, Господь, пособие!

Я уже привык, что мир таков,
тут любил недаром весь мой срок
я свободу, смех и чудаков —
лучшего Творец создать не мог.

В духовной жизни я такого
наповидался по пути,
что в реках духа мирового
быть должен запах не ахти.

Давно пора устроить заповедники,
а также резервации и гетто,
где праведных учений проповедники
друг друга обольют ручьями света.

Ханжа, святоша, лицемер —
сидят под райскими дверями,
имея вместо носа хер
с двумя сопливыми ноздрями.

Идея, когда образуется,
должна через риск первопутка
пройти испытание улицей —
как песня, как девка, как шутка.

Я так привык уже к перу,
что после смерти — верю в чудо —
Творец позволит мне игру
словосмесительного блуда.

*Р*абота наша и безделье,
игра в борьбу добра со злом,
застолье наше и постелье —
одним повязаны узлом.

*М*ного нашел я в осушенных чашах,
бережно гущу храня:
кроме здоровья и близостей наших,
все остальное — херня.

*С*пасибо Творцу, что такая
дана мне возможность дышать,
спасибо, что в силах пока я
запреты Его нарушать.

К Богу явлюсь я без ужаса,
ибо не крал и не лгал,
я только цепи супружества
бабам нести помогал.

*С*вое оглядев бытие скоротечное,
я понял, что скоро угасну,
что сеял разумное, доброе, вечное
я даже в себе понапрасну.

*К*ак одинокая перчатка,
живу, покуда век идет,
я в божьем тексте — опечатка,
и скоро Он меня найдет.

НА СВЕТЕ НИЧЕГО НЕТ ПОСТОЯННЕЙ ПРЕВРАТНОСТЕЙ, ПОТЕРЬ И РАССТАВАНИЙ

Уходит засидевшаяся гостья,
а я держу пальто ей и киваю;
у старости простые удовольствия,
теперь я дам хотя бы одеваю.

В толпе замшелых старичков
уже по жизни я хромаю,
еще я вижу без очков,
но в них я лучше понимаю.

Что в зеркале? Колтун волос,
узоры тягот и томлений,
две щелки глаз и вислый нос
с чертами многих ущемлений.

*В*от я получил еще одну
весть, насколько время неотступно,
хоть увидеть эту седину
только для подруг моих доступно.

*М*не гомон, гогот и галдеж —
уже докучное соседство,
поскольку это молодежь
или впадающие в детство.

А в кино когда ебутся —
хоть и понарошке, —
на душе моей скребутся
мартовские кошки.

*П*оездил я по разным странам,
печаль моя, как мир, стара:
какой подлец везде над краном
повесил зеркало с утра?

Я в фольклоре нашел вранье:
нам пословицы нагло врут,
будто годы берут свое...
Это наше они берут!

*У*вы, но облик мой и вид
при всей игре воображения
уже не воодушевит
девицу пылкого сложения.

*У*же куда пойти — большой вопрос,
порядок наводить могу часами,
с годами я привычками оброс,
как бабушка — курчавыми усами.

*М*ои слабеющие руки
с тоской в суставах ревматических
теперь расстегивают брюки
без даже мыслей романтических.

*Д*аже в час, когда меркнут глаза
перед тем, как укроемся глиной,
лебединая песня козла
остается такой же козлиной.

*В*округ лысеющих седин
пространство жизни стало уже,
а если лучше мы едим,
то перевариваем — хуже.

Зачем вам, мадам, так сурово
страдать на диете ученой?
Не будет худая корова
смотреться газелью точеной.

Но кто осудит старика,
если спеша на сцену в зал,
я вместо шейного платка
чулок соседки повязал?

Не любят грустных и седых
одни лишь дуры и бездарности,
а мы ведь лучше молодых —
у нас есть чувство благодарности.

Еще наш закатный азарт не погас,
еще мы не сдались годам,
и глупо, что женщины смотрят на нас
разумней, чем хочется нам.

Дряхлеет мой дружеский круг,
любовных не слышится арий,
а пышный розарий подруг —
уже не цветник, а гербарий.

*Н*ичто уже не стоит наших слез,
уже нас держит ангел на аркане,
а близости сердец апофеоз —
две челюсти всю ночь в одном стакане.

*Н*ас маразм не обращает в идиотов,
а в склерозе много радости для духа:
каждый вечер — куча новых анекдотов,
каждой ночью — незнакомая старуха.

*К*огда нас повезут на катафалке,
незримые слезинки оботрут
ромашки, хризантемы и фиалки
и грустно свой продолжат нежный труд.

*В*есь век я был занят заботой о плоти,
а дух только что запоздало проснулся,
и я ощущаю себя на излете —
как пуля, которой Господь промахнулся.

Из книги «Пожилые записки»

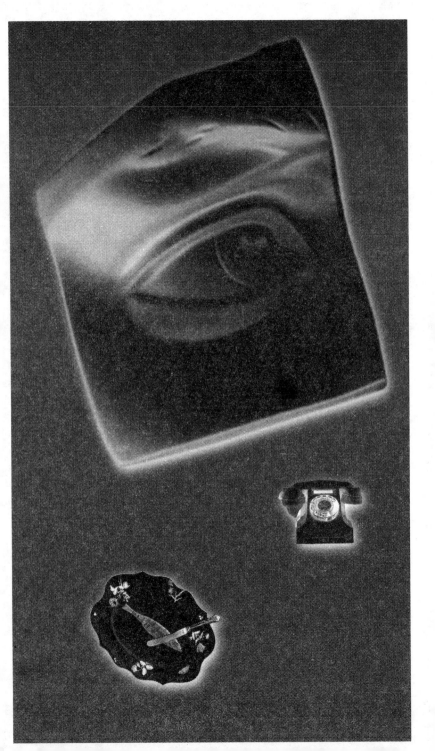

*Н*ЕОБХОДИМОЕ ПРЕДИСЛОВИЕ

*К*ак и откуда приходит к человеку ощущение, что пора писать мемуары?

Я лично на этот вопрос могу ответить с полной определенностью: когда всем надоели твои застольные байки и слитный хор друзей и близких (главные жертвы устных воспоминаний) советует перенести их на бумагу — а не морочить нас одним и тем же, звучит в подтексте.

Так я и понял, что действительно пора. Явно прожита большая часть жизни, уже смутно помнятся услады лихой зрелости, а шалости нестойкой юности забыты вовсе. Готовясь к седой и бессильной (но зато какой умудренной!) старости, сочинил я для себя и для ровесников утешительную народную пословицу: все хорошо, что хорошо качается. Оброс наш дом друзьями и гостями, а случайные заезжие даже бросают в унитаз монеты — как в море, чтоб вернуться сюда снова. Ниагара унитазного слива их не уносит, и они трогательно блестят на дне. Достану как-нибудь, если наступит полная нищета.

Кроме того, достиг я совсем недавно той секунды подлинного творческого успеха, выше которого ничего не бывает: на моем выступлении уписалась от смеха одна солидная и тучная дама. Она сперва раскачивалась всем своим обильным телом, вертелась, всплескивая руками; я обратил внимание на ее благодарную впечатлительность и уже читал как бы прямо ей непосредственно. Это было в большом зале частного дома в одном американском городе, а где находится сортир, я понял, когда она взлетела вихрем на небольшое возвышение, с которого я выступал, и, чуть не сбив микрофон, юркнула в дверь за моей спиной. Когда минуты три спустя дверь скрипнула снова, то я, не оборачиваясь, сказал с невыразимым чувством:

— Спасибо, это лучший комплимент моим стихам.

И женщина величественно сошла со сцены.

Что еще надо человеку? Покой? Его не будет никогда.

Кроме того, очень хочется записать различные житейские случаи и разговоры на ходу. Я ничего не знаю лучше и содержательней подобных торопливых диалогов и всю жизнь стараюсь сохранить их в памяти. Как сохраняют воду в решете герои народных сказок. И пока блестят еще какие-то капли, надо положиться на перо и бумагу.

Поражали меня всегда и радовали истории мелкие, и мудрый человек от них лишь носом бы презрительно повел. А у меня — душа гуляла. Но я какие-то запомнил только потому, что в это время что-нибудь попутное случалось. Так однажды я разбил три бутылки кефира, за которыми был послан родителями. Торопился я домой, авоськой чуть помахивая (мне уже за двадцать перевалило, было мне куда спешить, отдав кефир), и встретил у себя уже на улице писателя Борахвостова. Не помню, как его звали, он тогда мне стариком казался — было ему около пятидесяти. Борахвостов с утра до ночи играл на бильярде в Доме литераторов (а много позже книгу написал об этом выдающемся искусстве), больше никаких его трудов я не читал. Однажды я сказал ему, что если он среди писателей — первейший бильярдист, то и среди бильярдистов — лучший писатель, и с тех пор он перестал со мной здороваться. Вот и сейчас хотел я молча мимо прошмыгнуть, но тут он сам меня остановил.

— Постой, — сказал Борахвостов приветливо. — Говорят, у тебя с советской властью неприятности?

— Немного есть, — ответил я уклончиво. У меня только что посадили приятеля, выпускавшего невинный рукописный (на машинке, конечно) журнал «Синтаксис», состоявший из одних стихов. Это чуть позже Алик Гинзбург и его журнал стали знамениты и легендарны, а сам Алик пошел по долгому лагерному пути, в те дни для нас это была первая и непонятная беда такого рода. Два номера журнала вышли без меня, а третий был составлен весь из ленинградцев, я и собрал у них стихи, когда был там в командировке. Искал, знакомился, просил подборку. Со смехом после мне рассказывали, что приняли за стукача и провокатора, уж очень я раскованно болтал. А почему ж тогда стихи давали? Дивные, кстати, были стихи, теперь и имена приятно вспомнить, только ни к чему, поскольку каждый — знаменитость. И совсем были невинные стихи, не понимал я, что происходит вокруг Алика.

— И у меня были неприятности с советской властью, — радостно сообщил писатель Борахвостов. — Это еще в армии было, сразу после войны. Я отказался идти голосовать в день выборов.

— А почему? — спросил я вежливо.

— Хер его знает, — мой собеседник весь сиял, счастливый от щекочущих воспоминаний. — Или уже не помню просто. Или в голову заеб какой ударил. Вот не пошел — и все, так и сказал им: не пойду.

— А они что? — спросил я, не сильно понимая, о ком идет речь.

— А они меня заперли в избе, где гауптвахта у нас числилась, а сами побежали собирать военный трибунал.

— А вы что? — тупо продолжал я беседу.

— А я вылез и проголосовал, — молодо ответил ветеран идейного сопротивления.

И до сих пор не жалко мне, что я от смеха выронил кефир.

И ничего серьезного я не берусь вам сообщить и впредь. Но жизнь была, она текла и пенилась, кипела, пузырилась и булькала самыми разными происшествиями. Про них мне грех не рассказать. Но по порядку не получится. Ни по хронологическому, ни по причинно-следственному, ни по какому. Что, конечно, слава богу. Потому что этого порядка в жизни столько и без меня, что очень часто к горлу подступает. А тут как раз и стоит отдохнуть на моей неприхотливой книге. Ибо благую весть я никакую не несу, поскольку не имею. Да если б и была, то не понес бы.

Новых идей, мыслей и сюжетов тоже в этой книге не предвидится, поскольку все уже сочинено в далекие средние века — и современными авторами только воруется. А средневековые авторы, в свою очередь, покрали эти мысли у античных, и если что-то новое у них мелькнуло — это, значит, из источников, не сохранившихся и до нас не дошедших.

Еще чуть не забыл. Ведь мемуары пишутся затем, чтоб ненавязчиво и мельком прихвастнуть. И в этом смысле тоже самая пора. Поскольку в возрасте весьма солидном выпал мне большой и подлинный мужской успех. Об этом расскажу незамедлительно.

Случилось это в городе Нью-Йорке. Только что закончился мой вечер, почти все уже ушли, а мы с двумя приятелями медленно курили, дожидаясь третьего, который должен был везти нас выпить. Мы уже и разговаривали вяло — не терпелось сесть, расслабиться и налить по первой. К нам подошла женщина лет тридцати пяти с суровым от решительности и волнения лицом. В роскошной, почти до пола, енотовой шубе; американки таких дорогих шуб не носят — впрочем, я ее заметил еще в зале, очень она вся была в экстазе, когда слушала, даже не смеялась в тех местах, где все смеются. А сейчас у нее было и вовсе маршальское лицо. Никакого внимания на двух приятелей она не обратила, она просто их не видела в упор.

— Вы свободны? — отрывисто и сурово спросила она меня. Я ее понял как-то экзистенциально (и угадал), отчего ответил быстро и послушно:

— Нет, я женат и двое детей.

— А в ближайшие два дня вы свободны? — с той же непреклонностью спросила она. А я уже слегка опомнился от напора ее ощутимой энергии.

— Нет, — ответил я, — я улетаю, у меня вечера в Бостоне и Чикаго.

— А ближайшие два часа вы свободны? — Каменно и прекрасно было ее лицо, ничуть не мягче, чем у Петра Первого под Полтавой.

— Мы с друзьями едем выпивать, — виновато сознался я.

— А брат у вас есть? — требовательно спросила она.

Брат у меня есть, поэтому я растерялся на мгновение, подумав почему-то, что до Кольского полуострова, где живет мой брат, — много тысяч километров. А она, истолковав по-своему мое секундное замешательство, быстро-быстро сказала:

— Красивого не надо, можно такого же!

Могу ли я после этого медлить со своими мемуарами?

И похвалу себе уже я слышал — выше не бывает.

Как-то я пошел (еще в России) на проводы одной знакомой. Она много лет преподавала в университете, и десятка два ее студентов тоже заявились попрощаться. Выпив, несколько из них принялись читать мои стишки.

— Что, Гарька, приятно, что тебя так знает молодежь? — спросила у меня приятельница негромко. Но была услышана.

— Так это вы и есть Губерман? — снисходительно спросил самый активный юный декламатор.

— Вроде бы да, — ответил я смиренно.

— Надо же, — надменно пробурчал студент, — я был уверен, что вы давно уже умерли.

Непременно я был должен этим где-то похвастаться письменно.

Однако есть еще одна, возможно, главная причина.

Года два назад я с наслаждением трудился в качестве раба на подготовке выставки художника Окуня. Там были не только и не столько картины, сколько различные сооружения, созданные его причудливой фантазией. Две выставки одновременно открывались в двух музеях, и с месяц я там пропадал. А когда они открылись, я себя почувствовал их полноправным участником и водил по экспозиции друзей, хвастаясь мастерством Окуня как собственным. На одной выставке была маленькая выгородка, имитирующая кабинет психотерапевта. Там стоял стол и два небольших стула, были положены салфетки для отирания слез, все было белоснежно и врачебно, а бутылку и стаканы я туда принес по личному кощунству. А когда отпили понемногу, я сказал своему другу, высокому профессионалу психотерапии доктору Володе Файвишевскому:

— Ну что, слабо со мной без подготовки провести сеанс лечения?

— Садись и начинай, — сказал Володя буднично. Я сел и начал:

— Доктор, на душе у меня очень тяжело. Нет удачи, мир устроен глупо и несправедливо. У меня душа болит, едва я оглянусь вокруг себя.

Первый день в Израиле (1988 г.)

С равом Зильбером — о Боге

На кухне в
Иерусалиме

Дед Мороз
раздает подарки

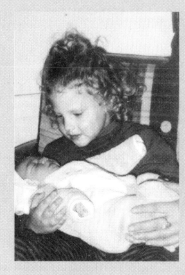

Внучки Гиля и Тали

С детьми сестры Нины

На свадьбе сына

Внук Ярон

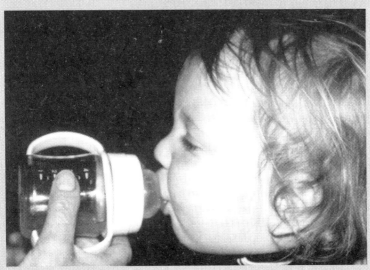

С Юлием Китаевичем   С Александром Окунем

Александр Городницкий
не поет, а показывает

С Борисом Жутовским

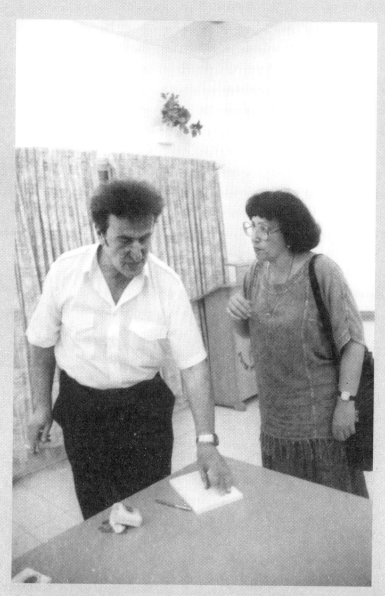

С Диной Рубиной

Со Львом Разгоном

С Виктором Браиловским

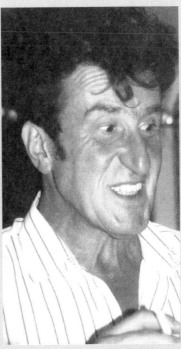

Лос-Анджелес

Ниагара

Лондон

Равенна

Тверия

На кухне у тещи

Музей Герцена

Самара. Бункер Сталина

Кижи

— На то она и душа, — ответил доктор. — Она есть, поэтому и болит. Она у вас еще *жива*, а это очень много.

— Меня все раздражает и не радует, — пожаловался я. — Мне одиноко и тоскливо.

— Все мы одиноки в этом мире, — эхом отозвался доктор. — Нас такими создали, и мы преодолеть этого не можем. Жизнь — очень тяжкая нагрузка, и она для всех нас такова.

— Томит меня все время что-то, и желаний нету никаких, одна усталость, и порой мне просто трудно жить, — настаивал пациент.

И он услышал ключевую утешительную фразу.

— Потерпите, голубчик, — ласково ответил доктор, — уже так немного осталось!

Подлинно ЛИТЕРАТУРНЫЙ МЕМУАР

Это, конечно, с Пушкина

так повелось и укрепилось в нашем сознании, что у каждого пишущего имеется в судьбе некий мэтр, который его некогда благословил. А в гроб сходя или несколько раньше — это детали. Но любого можно спросить: а кто был твой Державин? — и он поймет без разъяснений и ответит.

У меня так получилось, что мэтров, к которым я пришел с тетрадками стихов, было двое, и оба решительно отказали мне в благословении. А так как люди это были замечательные, то об этом грех не рассказать.

О первом написать могу я коротко и мало: у Михаила Аркадьевича Светлова я просидел всего лишь час. До этого он очень долго по телефону пытался отделаться от меня — ему звонили сотни графоманов, и я вполне его сейчас понимаю, но тридцать с лишним лет назад я совершенно был уверен, что пишу прекрасно и достоин. И конечно, был настырен, непонятлив и бестактен. Я тогда написал много стихов о евреях, с усердием и страстью завывал их на всех дружеских попойках, пользовался шумным успехом у поддавших приятелей и неприхотливых подруг — я был уверен, что старый мэтр придет в восторг и произнесет мне что-нибудь напутственное. Или, к примеру, пригласит по четвергам ходить к нему на семинары, а в субботу — вместе ужинать в компании коллег. И не могу я точно объяснить, зачем я так хотел его увидеть, но те, кто начинал писать, меня поймут: душе необходимо подтверждение, что нечто есть в тебе и стоит продолжать. И я не верю тем, кто говорит, что он в такой поддержке не нуждался и рос самостоятельно, как алмазный кристалл. Не верю.

После пяти-шести звонков Светлов сдался и назначил мне какой-то утренний час. Смутно надеясь, очевидно, что я не смогу пропустить работу (я сказал ему, что по профессии — инженер). Но на работу я наплевал еще накануне: собирал написанное, отбирал, что читать почтенному мэтру, с диким старанием пытался сочинить какие-нибудь легкие шутки-экспромты, чтобы ими походя и случайно блеснуть в беседе о том о сем.

Светлов принял меня, лежа на диване. «Простудился накануне», — сказал он кисло и принял таблетку анальгина, жадно запив ее холодной водой. Я такую простуду тоже знавал (и пивом от нее отпаивался), это прибавило мне бодрости, но пошутить на тему своих догадок я не посмел. После нескольких каких-то пустых фраз (даже на свою знаменитую насмешливую приветливость не было в то утро сил у Светлова) я начал усердно и старательно читать стихи. «Что в них смешного? — с ужасом думал я в процессе чтения. — Отчего друзья всегда так хохотали в застольях?» Слушавший меня поэт ни разу не улыбнулся. Я читал уже минут двадцать и от горя начал даже педалировать смешные места, как это делают плохие актеры на халтурах в сельских клубах, — не помогло. Я остановился и понурился.

— А чего тебе не нравится работать инженером, — вяло сказал Светлов, — такая хорошая профессия?

— Мне нравится, — сказал я тусклым голосом. Никаких летучих экспромтов на эту тему я не догадался приготовить.

— Ну, еще почитай, — сказал Светлов тоскливо.

Я послушно почитал еще.

О Господи, какое длинное бездарное занудство я, оказывается, пишу! Очень хотелось встать и убежать.

— Знаешь, — сказал Светлов очень серьезно, — ты извини, я себя плохо чувствую, ты позвони мне как-нибудь еще...

Я с облегчением вскочил.

— А главное, — сказал Светлов, — подумай на досуге...

Я злобно ожидал полезного совета больше читать классиков. За каким чертом я поперся к этому усталому старику?

— Понимаешь, — медленно тянул Светлов, будто раздумывая, стоит ли мне это говорить, — понимаешь, ты все про евреев пишешь, я когда-то тоже ведь писал такое...

«Но я поэтому ведь именно к вам и пришел», — хотел я сказать, но лишь уныло кивнул.

— А поезда эти, — твердо сказал Светлов, — идут в разные стороны, и тебя между ними разорвет. Ты понимаешь?

Много лет спустя я это понял (кожей ощутив), а в ту минуту снова тупо кивнул. И боюсь, что Светлов тогда подумал, что я чьи-то ему чужие читал стихи, ибо ни одну из заготовленных летучих реплик я не произнес, а только жалко и угрюмо кивал. А я зато, слетая со ступеньки на ступеньку, перемахивая по две от вернувшейся легкости бытия, так честил, в свою очередь, этого живого полуживого классика, что Светлов наверняка икал и пил холодную воду.

Но ничуть это меня не отрезвило, и спустя короткое время я снова поперся (за благословением, разумеется) на семинар переводчиков, который вел поэт Давид Самойлов. Меня туда приятель пригласил, сам он уже давно и здорово переводил с подстрочников кого придется. Читали там по очереди — кто как сидел, — а перед этим коротко представлялись. Почитал и я; мои будущие коллеги смеялись, и Самойлов смеялся, а потом сказал:

— А чего вам не нравится работать инженером, такая хорошая профессия?

Я обалдел от полного совпадения слов обоих мэтров и смотрел на него с тупостью такой, что все опять, засранцы, засмеялись. А Самойлов добавил:

— Не уверен я, что стоит вам ходить на семинар, уж очень узкая у вас тематика.

Я много лет спустя ему эти слова напомнил, он хохотнул и жизнерадостно сказал:

— Нет, хорошо, что я тебя тогда прогнал, а то скатились бы мы все в болото местечкового национализма. Наливай, а то опять в печаль ударишься.

Я к тому времени давно уже писал четверостишия. А как все это началось — не помню. Кажется, мне все-таки, что первыми были записки Саше Городницкому. Он жил тогда еще в Питере, а наезжал в Москву петь песни на кухнях у друзей и любить свою будущую жену Анну Наль. И было много шуток связано тогда с ее именем, все говорили, например, что Сашка ездит к нам в столицу принимать аннанальгин. А так как жить им было негде, то друзья их привечали у себя, у нас они при первой же возможности останавливались на привал особенно охотно, потому и помню я стишок, повешенный однажды мною на дверях их комнаты:

> Через год на край столицы
> все туристы рвались,
> тут недавно Городницкий
> делал аннанализ.

А сразу после этого я почему-то ясно помню Питер: я живу у Сашки, мне в архиве по знакомству дают разные бумаги, чтобы я читал их дома, и сижу я у него в задней комнате, делая выписки для книги о великом психиатре Бехтереве. А в комнату переднюю его приятели водили своих девушек, и я (от зависти, естественно) так злился и не мог сосредоточиться (попробуй это сделать под хрипы и стенания любви), что как-то на тахту в передней комнате положил лист ватмана со стихотворной укоризной (в Израиле шла война):

> Поваливши на лежанку,
> тут еврей любил славянку;
> днем подобные славянки
> для арабов строят танки.

А памятливый Городницкий мне прочел еще один стишок. Он как-то утром открыл для меня консервы, только я их есть не стал, а сверху на листочке написал:

> Дохнула смерть незримым взмахом крыл;
> Сальери шпроты Моцарту открыл.

А может быть, и раньше я ступал на эту скользкую стезю? Поскольку вспомнился еще один стишок:

> Следит за всем судьба-индейка:
> я лишь подумал о жене,
> а где-то пухлая еврейка
> уже мечтает обо мне.

А позже чуть уже писали мы наперебой с Юликом Китаевичем стишки для моей жены Таты, лежавшей дома по беременности, ибо так предписал врач. Писали мы на клочках, которые вешали над ней на стенку, оттого и первое название таких стихов было китайское: дацзыбао. Один из них я помню, он был явно мой, а две первые строки — из популярной песни:

> Моя жена — не струйка дыма,
> что тает вдруг в сиянье дня,
> но свет гася, ложусь я мимо,
> поскольку ей нельзя меня.

Наверно, столь могучим дружеским одобрением я был награжден за это мало-высокохудожественное творчество, что вскоре стал уже писать одни четверостишия. И обнаружил с удивлением, что мне четырех строк сполна хватает, чтобы выразить и высказать все — все до капли, что хочу я выразить и высказать. Ибо короткие, как выяснилось, мысли я имел, и чувства испытывал непродолжительно. И просто этого не стоило стесняться. И сама собой отпала прежняя охота получить благословение от какого-нибудь зазевавшегося мэтра. Мне хватило добродушной фразы старого драматурга Алексея Файко — штук пять стишков услышав от меня, он ласково сказал:

— Да ты Абрам Хайям! — И я был счастлив.

Но не остался я без теплого напутственного слова. А Державиным моим вдруг оказался десять лет спустя человек совсем неожиданный: литературовед Леонид Ефимович Пинский. Хотя был он специалист по Рабле, Шекспиру и вообще Средневековью, но на самом деле он являлся в чистом виде живой литературно-философской энциклопедией. А так как еще был он по самой сути и природе своей наставником, учителем, монологистом, то каждая моя встреча с ним оборачивалась долгой и горячей лекцией-проповедью на любую подвернувшуюся тему. Говорил он сочно, остроумно и безжалостно, и счастьем было слушать его, а если удавалось понять, то счастьем двойным. Я понимал его далеко не всегда, ибо он был образован чрезвычайно и не находил необходимым спускаться до уровня собеседника, а про уровень познаний нашего поколения говорить, я думаю, не надо, считанные единицы — не в счет.

К Леониду Ефимовичу Пинскому я ходил брать книги для чтения — многие десятки людей в Москве (и не только в ней) обязаны своей духовной зрячестью его спокойному бесстрашию: он держал дома огромную библиотеку самиздата. За такие книги, найденные при обысках, неукоснительно давали тюремный срок, но Пинского судьба хранила. Свои лагерные годы он уже отбыл в сороковых-пятидесятых, и фортуна российская, словно соблюдая справедливость, берегла его теперь, хоть сам он не остерегался ничуть. Всем, что есть во мне, я обязан этому человеку. Я благоговейно слушал его, приходя обменивать книги (чаще просто не решался беспокоить), а про собственные стихи — даже не заикнулся ни разу. Но они уже ходили по рукам, и как-то раз, придя за новой порцией для чтения, я увидел краем глаза на его столе пачку своих четверостиший. Точно помню этот день, и станет сейчас ясно — почему. Случилось это двадцать пятого сентября семьдесят третьего года.

Леонид Ефимович кивнул на эту пачку и стал мне говорить хорошие слова. Наверно, длилось это все минуты две, но мне они казались райской вечностью. Размякнув от блаженства и утратив бдительность (всегда обычно помнил, с кем говорю), я сладостно пролепетал:

— Леонид Ефимович, а у меня вчера сын родился.

Пинский прервал хвалебный монолог, пожал мне руку, обнял и сказал:

— Я поздравляю вас! Именно это настоящее бессмертие, а не то гавно, которое вы пишете.

Вот такой у меня был Державин, и я буду вечно благодарен ему.

Прокатились шалые семидесятые годы, я в тюрьме уже узнал, что Пинский умер, и дневник тюремных своих стихов посвятил его памяти. Но так и не успел сказать ему, что мне в тюрьме и лагере жилось намного легче благодаря разговорам, которыми он некогда меня удостаивал. Я много раз мысленно оглядывался на него, когда в неволе надо было принимать какое-нибудь крутое решение.

А после была ссылка под Красноярском, и туда мне вдруг Самойлов, к радости моей, прислал большую книгу своих стихов. Он писал, чтоб я не жалел, что не успел уехать, что завидует нашему обильному снегу, желал здоровья. Думать не думал я тогда, что скоро буду выпивать с ним в качестве его жильца.

Когда вернулись мы в Москву и там меня не прописали, мыкался я в поисках укромного места по деревням и городкам Московской области и рядом, но настигала меня везде какая-то невидимая рука, и меня выписывали отовсюду — словно кто-то ожидал, чтобы я сделал от отчаянья какую-нибудь глупость, подвернувшись под новый срок. А Давид Самойлов уже оставил тогда столичную суету и жил в маленьком эстонском городе Пярну. Туда он меня к себе и пригласил: пожить, передохнуть, прописаться и здесь же снять судимость, чтобы можно было возвратиться в Москву. С благодарностью я принял его приглашение. В городе этом Давид Самойлов был уважаемой фигурой: возле купленного им дома останавливались автобусы с туристами — им объясняли с гордостью, что здесь живет известный русский поэт, отвергнувший столицу ради Пярну. И туристы ехали дальше — думаю, что мысленно удивляясь: уж они столицу не отвергли бы, а что возьмешь с поэта...

И я в том доме прописался. И — вперед забегаю — снял судимость ровно через год. Это вообще солидная процедура, совершаемая на специальном заседании суда. Но в Пярну длилась она две минуты —

время, пока задал мне судья один-единственный вопрос. И до сих пор я благодарно помню тот эстонский акцент, с которым он спросил меня:

— Товарищ Губерман, не подтвердите ли вы нам, что больше вы не будете преступлять свое преступление?

Я подтвердил — и был освобожден от судимости. Но это было через год, а в день прописки испытал я страх, который помню до сих пор. Уже в милиции я получил разрешение, уже Самойлов (он везде со мной ходил, тяжело и авторитетно опираясь о солидную палку) закупил бутылку и отправился домой, а мне еще по процедуре следовало стать на воинский учет. И в военкомате секретарша, повертев мой паспорт с воинским билетом, вдруг посуровела и ушла к начальству в кабинет. Оттуда выскочил майор, держа мой паспорт, убежал куда-то и вернулся со вторым майором. В мою сторону они даже не глянули; я ощутил зловещее предчувствие и в потянувшиеся минуты ожидания перебрал десяток вариантов неприятностей. За годы, что провел в Сибири, я не подлежал военной службе, но годы предыдущие я уклонялся от нее, то есть аккуратно и незамедлительно рвал все повестки, приходившие ко мне. Я знал, что после института числюсь лейтенантом запаса, и таких порою призывают на месячные воинские сборы. От этой радости я и спасался простейшим крестьянским способом: ничего не знаю, никаких повесток не получал. Годами это проходило для меня бесследно, у страны хватало лейтенантов без меня. Сейчас мне это запросто могли припомнить с самыми печальными последствиями. Их мысленно перебирая (а фантазия богата у вчера отпущенного зэка), я вздрогнул, когда высунулась секретарша и суровым голосом велела мне зайти. Войдя, я сразу же возле дверей застыл, как полагалось у начальства в лагере. В одном из перебранных мной вариантов было немедленное исчезновение из Пярну, чтобы осталось время поискать пути и выходы.

Оба майора тесно стояли плечом к плечу посреди кабинета. Прямо, сурово и неподвижно. Я машинально выпрямился тоже, и один из них сказал:

— Товарищ Губерман, вам вынесена благодарность за безупречную службу в запасе советских Вооруженных сил, с этого дня вы увольняетесь в отставку по возрасту в звании лейтенанта.

И оба мужественно и сурово пожали мне вялую от душевной слабости руку. Через четверть часа я это рассказывал за бутылкой.

В Пярну я за этот год приезжал довольно часто и с наслаждением общался с Самойловым. Был дурак, что не записывал его разговоры, хотя видел — с радостью и одобрением, как записывает украдкой все им сказанное его жена Галя. Очень часто шутки Самойлова были рифмованные: помню, как, задумчиво глядя на жену, накрывавшую на стол, Давид Самойлович закурил, нашарив зажигалку (видел уже плохо), и сказал:

— Еврею нужно только сало, табак, огниво и кресало.

Галя оставила нарезаемую колбасу и хищно метнулась в сторону за ручкой. Я надеюсь, что когда-нибудь возникнут эти записи в печати, были среди них удачные и неожиданные шутки и мысли. Как-то Давид Самойлович мне вслед (я в два часа каждый день бежал за выпивкой, в доме спиртное не держалось) сказал негромко:

> Не бегите в магазины,
> как узбеки и грузины,
> ведь грузины и узбеки
> не бегут в библиотеки.

Давид Самойлович и Галя оформили свои отношения, когда их дочке Варе было уже года три. С этим событием связана гениальная фраза нашего общего друга Толи Якобсона. Когда с целою толпой друзей и близких пара новобрачных явилась в ЗАГС, то маленькую Варю спрятали в толкучке, чтобы не смущать районную чиновницу. И Варя стояла тихо, пока эта казенная жрица произносила всякие формальные слова. Но кто-то зазевался, Варя выскользнула из толпы и с возгласом: «Мамочка, папочка!» — прильнула к своим родителям. Чуть ошалевшая служительница прервала свою речь и с ужасом спросила: «Кто это?» Все сконфуженно молчали, Толя Якобсон нашелся первым:

— А это их будущий ребенок, — услужливо ответил он. И церемонию пришлось прервать, ибо от хохота зашлись все разом.

Летом, когда съезжались курортники, в доме делался проходной двор, и Самойловы всерьез помышляли о временном переезде в гостиницу, чтобы иметь возможность спрятаться и передохнуть. В связи с таким наплывом и пришла мне в голову идея, которой я горжусь до сих пор. Приезжали ведь порой действительно интересные люди, и я, чтоб их следы запечатлеть, уговорил Самойловых завести свою «Чукоккалу». Они нашли мне большую амбарную книгу, я на обложке крупно написал: «Пярнография села Давидкова» — и с Гали взял слово, что она эту книгу будет подсовывать гостям для записи или рисунка. А чтобы гости не стеснялись и в излишнюю приличность не играли, я на первой же странице написал несколько своих стишков. Один из них был эхом моих непрестанных напоминаний об изгнании меня из семинара:

> Я вновь достойно и спокойно
> своим призванием горжусь:
> мне лично сам сказал Самойлов,
> что я ни на хер не гожусь.

А когда я снова приехал месяца через два, уже много-много страниц было заполнено словами и рисунками. Еще, Бог даст, мы что-нибудь прочтем из этой книги.

Но лучшими всегда были случайно брошенные слова хозяина дома. Например, однажды он сказал, что старость — это когда бутылку еще видишь, а рюмку — уже нет. Его двустишие о любви годится, по-моему, для хрестоматий:

> Дорогая, будь моею,
> а не то не будешь ею.

Глупо и поздно сетовать, что я все не записывал или наскоро чертил в блокноте какие-то закорючки, по хмельной беспечности полагая, что потом смогу их разобрать. Один раз разобрал (уже уехав) и горько пожалел об остальных, уже не поддавшихся прочтению. Самойлов говорил о том, как безупречна и пронзительна бывает мудрость пожилых людей, когда их устами вдруг начинает нечто излагать Его Величество житейский опыт поколений. Так однажды летом, отвезя семью на дачу, Давид Самойлович вернулся в город, искренне желая поработать, но в опустевший дом посыпались телефонные звонки, и вскоре он уселся пировать с друзьями и подругами. Внезапно появился его тесть, отец его жены, очень известный в свое время врач. По вполне понятной причине вся компания слегка смутилась, и веселье замерло, словно споткнувшись. А старик и бровью не повел, а даже извинился за вторжение, нашел какую-то ему необходимую книгу и учтиво раскланялся со всеми, уходя. Но возле двери он вдруг обернулся и сказал:

— Молодые люди! Вы уже не так молоды, как вам кажется в подобные минуты, а у вас в ходу все тот же пагубный набор утех: вино, сигареты, женщины.

Вам уже пора от чего-нибудь хотя бы одного отказаться самим. А не то этот выбор организм ваш сделает сам и в совершенно неожиданное время.

Очень было много разговоров по утрам. Дети уходили в школу, Галя еще спала, а мы растапливали печь, отпаивались пивом или кофе и неторопливо курили. Давид Самойлович был необыкновенно умен, очень тонко и пронзительно разбирался в людях, а его величественно спокойная неосудительность часто выводила меня из себя, когда речь заходила о подонках и приспособленцах. И наоборот — о людях качества высокого (на мой, конечно, взгляд) он умел вдруг сказать с такой убийственно точной насмешливостью, что меня оторопь брала. Цену себе как поэту он знал сполна, однако мании величия не было у него, и гордился он (вполне справедливо) главным, что принес он в русский стих — он сам об этом как-то написал: «Я возвратил поэзии игру». И столько же игры вносил он в разговоры и любое общение. Только вечером с ним спорить было опасно: выпив, Давид Самойлович становился в споре агрессивен, мог свирепо обругать, обидеть, оскорбить, и я эту черту его припомнил не случайно, ибо один такой случай непременно должен рассказать.

Не помню, с чего в тот вечер начался разговор, но через час (а приняли уже порядочно) он перешел на перестройку. Уже клубилась и густела в воздухе та оттепель, что завершилась пять лет спустя полным крушением империи. Но мы ведь о крушении таком тогда и думать не могли (как и те, что затевали перестройку, болтая об ускорении). Мы говорить могли только о том, как относиться к ранней оттепели и насколько можно ей довериться. Все еще было зыбко, неясно и подозрительно привлекательно (прошу прощения за ненарочную рифму). Давид Самойлович в тот вечер говорил о новых для России перспективах, о свободе и еще о чем-то, столь же прекрасном, что меня немало удивило в этом человеке, совершенно к идиллическим иллюзиям не склонном. Я возражал ему словами скепсиса и недоверия, нагло читал свои стишки, полные скепсиса и недоверия, и Давид Самойлович внезапно взорвался гневом.

— А раз ты так, то и проваливай в свой Израиль! — закричал он на меня.— Здесь нужны сейчас люди, у которых есть готовность и надежда, тогда что-нибудь получится, а циников здесь без тебя хватает.

Я нашел в себе силы (очень я любил Самойлова) молча вытерпеть хлынувший поток поношения за внутреннее эмигрантство, которое было разумно и праведно еще вчера, но омерзительно и недопустимо сегодня, когда снова появился просвет. Все это, разумеется, сочно перемежалось густым матом — ругань виртуозно аранжировала высокий нравственный напор.

— Давид Самойлович, — сказал я твердым от обиды и страха голосом, — я вам сейчас не буду возражать, а то вы меня выгоните на улицу, а мне ночевать негде, но я утром обещаю вам произнести убедительный монолог о вашей неправоте. Согласны?

— Иди спать, засранец, — сказал Самойлов чуть остывшим голосом, — от тебя и за столом уже нет никакого толка, пойдем, я дам тебе чтение.

Это шла речь о воспоминаниях Самойлова — совершенно непригодные к печати в те времена, они лежали толстой пачкой у него в кабинете, и по главке он давал мне на ночь их читать.

В тот вечер мне досталась глава о поэте Борисе Слуцком. Еще я весь кипел аргументами, которые намеревался завтра привести, еще не выдохлась обида, потому и начал я читать довольно вяло.

А через час я бегал по своей крохотной комнате, унимая вспыхнувшее радостное возбуждение. Случай явно благоволил ко мне: я вдруг наткнулся в мемуарах на те самые доводы, которые собирался завтра изложить.

Описывалось в этой главе, как почти тридцать лет назад, в пятьдесят седьмом году, прибежал к Самойлову его давний друг Борис Слуцкий и, захлебываясь, начал говорить о наступивших новых временах. Об оттепели и свободе, о необходимости поверить и соучаствовать, о появившемся просвете в общей судьбе и недопустимости мерзкого скепсиса вкупе с отчужденной иронией внутреннего эмигрантства. Ситуация совпадала буквально, а все тогдашние доводы, резоны и аргументы соответствовали нынешнему времени точно, как ключ — замку, и гармонично, как поклон — менуэту. Мне оставалось только переписать. Ибо Самойлов отвечал спокойно и великолепно, а что именно — я изложу чуть ниже.

Переписывать ужасно было лень, на всплеск восторга ушли последние силы. Я взял карандаш и прямо на машинописных страницах пометил тонкой линией места, где отточенные до афористичности слова Самойлова совпадали с моими корявыми мыслями. Отдельные фразы, по которым удалось бы догадаться об авторе или собеседнике, я тоже предусмотрительно обвел волнистой чертой, чтобы их не прочитать сгоряча вслух. Так я набрал страницы полторы и заснул, счастливый от предвкушения завтрашней игры.

Утром был Самойлов мрачен и неразговорчив. У меня даже мелькнула мысль, что он помнит свою вчерашнюю вспышку (или Галя ему о ней рассказала) и хочет загладить мою возможную обиду, но пока

400

упрямо по-стариковски молчит. Мы растопили печь, отхлебнули пива, и Давид Самойлович сказал:

— Послушай, мы вчера...

— Я написал, как обещал, — нагло перебил я его.

— Даже написал? — изумился Самойлов.

— Я боялся в устном слове сбиться, — объяснил я, — или вы перебивали бы меня, а все советские вожди читают, и им поэтому дают договорить.

— Неси скорей, — сказал Самойлов.

Я притащил большой блокнот, куда писал время от времени каракули после наших утренних сидений; вложенные внутрь него страницы были незаметны, я еще на всякий случай не садился и стоял на расстоянии от стола. Самойлов закурил и изобразил доброжелательное внимание.

О, я читал прекрасный текст! В нем говорилось, что сегодня к власти пришел очередной чиновник из партийного аппарата и хозяйским свежим глазом окинул свое обширное хозяйство. Обнаружил, что оно запущено, изгажено и разворовано, дела идут из рук вон плохо, все ветшает, прогнивает и шатается, надо невообразимо много менять. Ему следует прежде всего полностью свалить вину на предшественника, заменить сотни никуда не годных и проворовавшихся работников, снова обещать несбыточные улучшения, но все устройство — с несомненностью оставить прежним. Ибо по самой своей мыслительной сути не в состоянии понять этот чиновник, что все причины — именно в устройстве. А потому и доверять его замаху и зачину категорически нельзя, поскольку глупо.

Я читал неровно и взволнованно. Спотыкаясь, всматривался в текст, словно не мог разобрать собственные ночные закорючки. Я боялся, что Самойлов опознает свою руку, но его слова о ситуации тридцатилетней давности и психологии партийного вождя звучали абсолютно по-сегодняшнему. (Я и посейчас уверен: Горбачев хотел только ремонта империи, а что джинн из бутылки вырвется — вовсе не предполагал.)

Я закончил и закрыл блокнот. Самойлов медленно сказал, цедя слова:

— Во-первых, ты стал замечательно писать...

Я гоготнул, не удержавшись, но Давид Самойлович воспринял это как стеснительно-застенчивую реакцию на его (впервые за все годы) похвалу.

— А во-вторых... — он искал какое-то точное слово, но мне уже показалось неудобным этот розыгрыш тянуть, и я молча положил его листочки перед ним на стол. Он машинально отодвинул пиво и всмотрелся.

— Не серчайте, Давид Самойлович, — сказал я. — А текст действительно прекрасный.

— Да, хороший текст, — Самойлов говорил невесело, — и спорить не о чем, похоже. Я, видно, старый стал, если меня так можно провести...

Он, несомненно, не о розыгрыше говорил, а о своей вчерашней вспышке агрессивного оптимизма, это явно удручало его чем-то, не берусь вдаваться в догадки.

— А тебе, конечно, лучше уезжать, — не было в его словах одобрения, но я и раньше знал, как негативно он относится к отъездам. И мы оба быстро-быстро, дружно-дружно заговорили на какую-то совсем иную тему.

А год спустя на вечере Самойлова в Музее Герцена я был свидетелем того, как впервые прозвучал эпитет «русскоязычный» про этого большого русского поэта. Перед началом вечера стоял Давид Самойлович возле низкой сцены в зале музея, а вокруг него толпились почитатели, и я, естественно, толпился тоже. И кто-то только что приехал из Литературного института и взволнованно повествовал, что вот на семинаре некто (я забыл, кто именно) сказал сегодня, что, мол, Мандельштам, Пастернак и Самойлов — вовсе не русские, а только лишь русскоязычные поэты. Все тут же молча уставились на Самойлова, алчно ожидая от него какой-нибудь гневной публицистически-гражданственной тирады. И я еще раз поразился легкокрылой мудрости этого человека.

— Ах, я в хорошую компанию попал, — сказал Самойлов жизнерадостно и просто, чем весьма разочаровал ревнителей общественного красноречия.

А я — я больше не искал благословения у старших. А теперь уже и сам обильно получаю письма и тетрадки от графоманов.

И сюда, конечно, стоит включить записки, приходящие от зрителей во время выступлений. О, эта дивная литература, в ней бывают редкостные словесные удачи. Вот, например, какая есть у меня записка: «Вы источаете такую сексуальность, у меня от вас внутри что-то дрогает».

А вот образец подлинной прозы: «Не ваш ли это тонкий лирический рассказ, который кончается словами: догоню — убью к ебене матери?»

И множество приходит то хвалебных, то ругательных стихов. А как-то даже я вкусил сладость узнавания на улице.

Мы выходили из кино с женой и дочкой (в Иерусалиме это было), и внезапно кинулся ко мне короткий полноватый человек с живыми быстрыми глазами.

— Я узнал вас, — радостно воскликнул он, — ведь вы такой известный человек!

«Вот она, слава», — подумал я утомленно, искоса глянув мельком на близких — мол, дома ноги об меня вытираете, не понимая, с кем живете, а я вон какой на самом деле, меня уже на улицах узнают.

— Я сразу вас узнал, — частил быстроглазый, — вас нельзя не узнать, вы драматург Семен Злотников!!!

Почему же, встретив за десятки лет множество поэтов, литераторов, актеров, прочих творческих людей, никогда я не хотел о них написать? А потому, скорей всего, что интересны были неизменно не столько они сами, сколько их истории, притом чем неудачливей был человек на поприще своем, тем необычней были все его застольные истории.

И вот еще я почему с коллегами общался без охоты и стараясь близко не сходиться: мне всегда за них было изрядно стыдно, когда я читал их, а когда встречал, то страшно было, что меня могут спросить, а врать и уворачиваться было мне противно. Я не мог всерьез говорить об их творчестве, я не осуждал их, я был точно таким же, только я в отношении себя не заблуждался. Вся ведь русская литература, как давно уже было сказано, вышла из той гоголевской шинели, снятой, как известно, с чиновника. А когда чиновник снова надел шинель, то литература перестала выходить. Вот с этим большинство моих коллег (которых знал) смириться не хотело и упрямо полагало, что мыслимо умалчивать и врать и оставаться человеком из того же цеха, по которому уже бродили только тени. Я же занимался ремеслом, которое и не пыталось притвориться литературой. Поэтому о творчестве я разговаривать с коллегами стеснялся. Но байки ихние я обожал.

А у талантливых порой прекрасные были внезапные поступки. Так совершенно пьяный Гена Снегирев как-то с толпой подвыпивших приятелей забрел в Александровский сад, увидел огромную очередь в Мавзолей и злобно закричал им тоном древнего пророка:

— Материалисты, вашу мать, а копчушке поклоняетесь! — И его срочно увели, пока не подоспела милиция.

Не помню точно, от кого я именно выслушивал истории, которые так и хранятся в памяти, где смешано недостоверное с сомнительным, но сильно поразившее когда-то.

За Байкалом это было, в глухом северном селе. Учитель географии выводил детей на экскурсию по родному краю, и на обвалившемся крутом склоне возле реки нашли они яйцо птеродактиля. Огромное и по виду не тухлое — вечная мерзлота, а что птеродактиля или какого-то другого древнего ящера, так учитель это сразу понял. Позвонил в район — и привалила вдруг оттуда целая комиссия начальства. Перед этим позвонили районные начальники в Москву, прямо в Академию наук, и там их так по телефону восхваляли, что запахло в воздухе хвалебным очерком о культурной жизни отдаленного села. Вот и приехали они взглянуть, покуда не нагрянули газетчики и не уехало яйцо в столицу. Посмотрели, там же в доме у учителя напились, а тот, под собой не чуя ног от привалившей жизненной удачи, суетился и по мере сил угождал. Сам он холостой был, нищий, в доме пусто, самогон родители учеников доставили, выпивка еще была, а всю еду смели за час. И вне себя от счастья и в затмении ума учитель кинулся на кухню и из того огромного яйца гостям яичницу поджарил со свиными шкварками. Когда в себя пришел, уже доедали. Скорлупу они послали все же в Академию наук, но оттуда даже не ответили.

Историю высокую и благородную мне повестнул один актер-эстрадник. Огромная компания туристов плыла на теплоходе по Черному морю, а для их увеселения позвали в плавание несколько десятков артистов разных жанров. За столиком в кают-компании сидели два таких артиста с женами, и как-то утром один из них взволнованно сказал:

— Послушайте, какое чудо: я вчера подумал, что у нас в соседней каюте плывет какой-то сексозавр! Жена его кричала ночью так, что я от зависти не мог уснуть. Я утром специально задержался, чтобы посмотреть, и знаете, кто это оказался?

Он назвал имя одного крепко пожилого (мягко говоря) известного музыканта. И тут жена рассказчика сказала снисходительно и мягко:

— Какие же вы все-таки, мужики, глупые: она ведь потому так и кричала, что он уже плохо слышит.

Приятель мой когда-то жил в Ташкенте, по соседству с ними обитала дружная еврейская семья: мать с отцом и три сына. Все четверо мужчин были огромными и очень здоровыми, работали на мясокомбинате в цехе забоя. Я вспоминаю их, когда мне говорят, что мы — народ непьющий. Эти вставали каждый день в пять утра, выпивали по стакану водки (гладкому, а не граненому) и шли на работу. И только вернувшись, ели, хотя на работе тоже пили — на работе пили все. И тут один из сыновей женился. Новобрачная была росточка кукольного (из приличной уважаемой семьи: дочь портного) и своего гиганта-мужа боготворила до того, что даже дышала реже, когда смотрела на него. И спросила она как-то у свекрови (беспокоить мужа не осмеляясь):

— Мама, а почему Боря с утра пьет водку, а не завтракает кофе с булочкой?

И мать (ее все в доме уважали, в семье царил матриархат) немедля громко закричала:

— Борух, тут вот Роза интересуется, чего ты, как гой-босяк, пьешь с утра водку, а не кофе с булочкой?

Двухметровый Борух чуть подумал, наклонился ближе к невысокой матери и почтительно сказал ей:

— Мама, но кто ж это с утра осилит кофе с булочкой?

От маленьких таких историй вся душа моя играет и поет, я слушать их могу с утра до вечера, от них теплеет жизнь и мир становится светлее — будь у меня средства, я бы пьянки-сходняки для рассказчиков коротких баек устраивал, как некогда акынов собирали у ковра восточные властители-гурманы. Мне кажется, что эти мелочи — и есть та ткань, из которой соткана наша подлинная жизнь.

Приятель мой, входя в редакцию, с порога вопросил сотрудницу однажды:

— Аля, ты могла бы ради процветания своей страны и благоденствия любимого народа пропустить через свою постель дивизию солдат?

Красотка Аля, продолжая полировать свои розовые ноготки, меланхолически откликнулась:

— А дивизия — это сколько человек?

Вовек я не забуду историю одной очень пожилой поэтессы, замечательно доброго человека, автора великолепных песен. Это из-за нее, кстати, меня чуть не побили некогда в Загорской тюрьме. С утра до вечера талдычило там радио, и вспоминал я время от времени слова одного старика, уверявшего, что радио наверняка изобрели большевики: пока его слушаешь, невозможно думать ни о чем. И машинально отмечал я вслух, что знаю лично то того, то другого автора. Очень забавно это звучало в тюремной камере. Мои соседи относились к этому спокойно и естественно: раз сам писатель — значит, может знать своих коллег. Но когда я так же походя сказал, что превосходно знаю авторшу вот этой песни, то прервался стук костяшек домино, на меня уставились негодующие взгляды, и будь я помоложе, кто-нибудь гораздо ощутимей выразил бы мне по шее свое нравственное возмущение наглым враньем. Мне просто не по чину было знать человека, писавшего такие

песни. Но я-то знал ее! И гордо промолчал. Но я отвлекся, а история была прекрасная.

Она была певицей в молодости, и послевоенные
годы застали ее в одном крупном областном театре
большого южного города. К тому же муж ее тогдаш-
ний был в этом театре главным режиссером, так что
в доме их собирались все творческие и прочие замет-
ные люди города. И в один прекрасный день певицу
вызвали к наиглавнейшему чекисту области. Он
предложил ей сесть, спросил о творческих успехах и
без перехода предложил раз в месяц сообщать о разговорах в их доме. Время было не такое, чтобы можно было просто отказаться, это понимали они оба.
Она ссылалась на свою плохую память — он напомнил ей, что многочисленные арии она ведь исполня-
ет наизусть — не так ли? Она пыталась что-то лепе-
тать про свою умственную слабость — он ей сухо
возразил, что их интересует не истолкование бесед,
а голое их содержание. Деваться было некуда, и не-
откуда обрести спасение. Она взглянула на чекиста,
умоляюще шепнула: «Извините, я сейчас» — и побе-
жала к двери кабинета. Но, не добежав даже до края
огромного ковра, остановилась, виновато глядя на
него. По ворсистому роскошному ковру вокруг ее
прелестных ног расползалось мокрое пятно.

— Идите, — брезгливо сказал большой чекист, —
мне с вами все понятно.

А все застольные рассказы Зиновия Ефимовича
Гердта я немедленно записываю на салфетке, чтобы,
не дай Господи, не забыть эти благоуханные байки.
Про его тещу, в частности, с которой был он очень
дружен и которая была, по всей видимости, очень
чистым и наивным человеком. Как-то раз из Америки привез Зиновий Ефимович снимок с забавного
объявления, висевшего в каком-то городке в аптеке:
«Чтобы приобрести цианистый калий, недостаточно

показать фотографию тещи, нужен еще рецепт». На первой же дружеской пьянке в честь возвращения показал он этот снимок всем гостям, и все засмеялись, а теща негромко спросила:

— Зямочка, неужели она была таким плохим человеком, что он решил отравиться?

А постепенно появлялись байки и совсем свои. Мой первый негритянский роман я написал о народовольце Николае Морозове. Мне заказал эту работу мой приятель Марк Поповский, сам он в это время тайно писал книгу о хирурге и священнике Войно-Ясенецком, собирая воспоминания старых лагерников. Марк не только безупречно выполнил наш устный договор не менять в написанной мной книге ни единого слова, но пошел еще к директору издательства и попросил означить мое имя на обложке. Дескать, я активно помогал ему при сборе материалов, так что я — естественный соавтор. И директор замечательно ему ответил.

— Милый Марк, — сказал директор, — нам на обложке вот так хватит одного! — и выразительно провел рукой по горлу. Добрая половина авторов этой серии «Пламенные революционеры» была евреями. И я тогда провидчески сказал, что эта серия будет когда-нибудь именоваться «Пламенные контрреволюционеры» и ее будут писать те же самые авторы. Сейчас это легко проверить.

А один случай так польстил моему самолюбию, что уже много лет я как бы случайно вплетаю его в самые различные разговоры. Не премину и сейчас.

Я тогда работал инженером-наладчиком, только что получил новую бригаду, мы еще знакомились друг с другом, и конец недели нас застиг за пуском электрической подстанции. Я был начальником, то есть шатался, ничего не делая, поэтому за водкой побежал именно я. Какая-то кошмарная пылилась выпивка в ближайшем магазине — горькая настойка, я понимал, что привередничать никто не будет. На всю бригаду был один только стакан, и каждый выпивший легонько морщился, нащупывая огурец. От разливающего мастера сидел я человек через пять, уже хотелось очень выпить, и свою порцию я влил в себя, ничуть в лице не изменившись. Мы закурили, все заговорили вперебой, а ко мне сзади подошел монтажник Митин и негромко на ухо сказал:

— А ты не так прост, как кажешься.

И как я счастлив был, легко себе представить. Этот пропойца вскоре стал моим любимцем и нещадно пользовался этим. До сих пор моя жена вспоминает, как по осени он нам звонил и говорил ей:

— Передай Миронычу, я на работу эти дни не выйду, грибы пошли.

Моя любовь к таким коротким жизненным историям и довела меня до собирания эпитафий. Я вдруг сообразил, что лаконичные надписи на могилах ничуть не менее говорят о нашем сознании, чем байки. Подлинные, разумеется, надписи. Ибо придуманные — не случайно становятся анекдотами («Циля, теперь ты веришь, что я был болен?» или «Здесь лежит тот, кто должен был сидеть»). Но стоит присмотреться к эпитафиям, написанным всерьез, и сладкое охватывает чувство, что на самом деле все мы — персонажи анекдотов для кого-то, наблюдающего нас со стороны.

Москва: «Спи спокойно, дорогой муж, кандидат экономических наук».

Одесса: «Дорогому брату Моне от сестер и братьев — на добрую память».

Есть эпитафии, написанные с лаконичностью, достойной древних римлян:

«Лежал бы ты, читал бы я».

Заказывают надпись, не подозревая, как она прочтется посторонними глазами. Вот, например, нередкий текст (написан искренне, конечно):

«Ты ушла от нас так рано, дорогая мамочка! Благодарные дети».

Поэты всех времен и всех народов упражнялись в сочинении эпитафий. В том числе — и для самих себя заранее, как будто заклиная этим смерть от слишком раннего прихода. А что в эпитафиях есть некая мистическая сила, убедился я и сам когда-то.

Моему приятелю было под тридцать, когда он женился. Обожал жену, и внешне счастье их казалось полным и безоблачным. Но через год развелся. Я причин не знал и не расспрашивал, мы были не настолько близкими людьми. Женился снова. Мы как раз в этот период стали более дружны. И как-то он пришел ко мне прощаться: он решил уйти из жизни. И причину мне, конечно, рассказал (сейчас она понятна станет). Выслушав его, я закурил и медленно ему ответил вот что:

— Смотри, в твою судьбу я вмешиваться не имею права. Ты решил — твои дела. Но я по-дружески тебя хочу предупредить: я испохаблю, я вульгаризую и скомпрометирую твой героический уход какой-нибудь пакостной эпитафией. Так что решай.

И к вечеру я эпитафию ему уже принес:

> Деньгами, славой и могуществом
> пренебрегал сей прах и тлен;
> из недвижимого имущества
> имел покойник только член.

Приятель мой и злился и смеялся, пару раз нехорошо меня обозвал, но явно задумался. А я ушел, я долг свой выполнил. А дальше главное случилось: он поправился! И все в семье у него стало хорошо. А что причиною тому — мистическая сила эпитафии, понятно каждому, кто разумеет.

О чем думают люди, заказывая надписи на могилах усопших? Не всегда легко ответить на такой вопрос. Вот подлинная эпитафия начала века:

«Такая-то, купеческая дочь. Прожила на свете восемьдесят два года, шесть месяцев и четыре дня без перерыва».

А здесь у нас в Израиле на одном из городских кладбищ есть эпитафия, по которой сразу можно сказать, кто заказал ее и какова его натура (изменю только фамилию — ведь, может быть, хороший человек):

«Спи спокойно, жена известного певца Расула Токумбаева».

Когда-нибудь издам такой альбом. А на обложке помещу гениальную эпитафию со старого питерского кладбища:

Здесь покоится девица
Анна Львовна Жеребец.
Плачь, несчастная сестрица,
горько слезы лей, отец.
Ты ж, девица Анна Львовна,
спи в могиле хладнокровно.

ЗАМЕТКИ НА ПОЛЯХ ВОСПОМИНАНИЙ

Эта странная, загадочная наша страсть к известным людям, острый интерес к любому слову и поступку знаменитости сыграли вдруг со мной дурную шутку. Сел я писать воспоминания, напечатал несколько отрывков, и посыпались советы знакомых и незнакомых: пиши только о встречах с именитыми людьми, ведь ты их столько знал в те мельтешные годы! О писателях любых и всяких вспоминай, о всех известных типах, кому жал хотя бы руку, видел, слышал или рядом выпивал. Ведь это всем наверняка и жгуче интересно, а ты, дурак, то про свою бабушку пишешь, то о друзьях-балбесах, то вообще невесть о ком. Почему?!

Я защищался и оправдывался, на ходу глотая жаркие самому себе возражения. Поскольку ясно понимал, что даже сбоку припека упомянутое чье-нибудь звучное имя явно украшает текст и придает ему высокую значимость. Даже в случае, когда лицо это сказало полную банальность или сморозило немыслимую чушь. А если что-нибудь хоть каплю стоящее сказало невзначай это лицо, то счастье полное прочесть и пересказывать знакомым. На самом деле этой человеческой слабостью уже я пользовался, издавна заметив, что весомое имя автора сообщает любым словам сильно впечатляющее звучание. Давно когда-то я задумал примирить науку и религию, для чего в расхожую фразу (Ленин или Энгельс ее выдумали?) вставил я одно-единственное слово. Получилось очень убедительно и просто, вот как: «Материя есть объективная реальность, данная нам Богом в ощущении». Говорил ее ученым приятелям как свою — они чуть усмехались; говорил другим, что некогда это сказал Альберт Эйнштейн, — и хохотали во весь голос, вкусно причмокивали губами и восхищенно покачивали умными головами. А когда Сталина выкинули из Мавзолея, сочинил я на радостях древнеегипетскую народную пословицу: «Не в свою пирамиду не ложись». Но тут уж был я умудрен и сразу говорил, что это Жан-Поль Сартр, о котором все мы уже слышали, но еще никто его не читал. Ах, эти французы, умилялись друзья, скажут — как врежут. И никакой ревности от этого я не испытывал — ну что поделаешь, если звучное имя порождает сладостное чувство причастности к Олимпу и повышенную чуткость к долетевшему оттуда звуку.

Знал я это и по опыту своих статей и книг о науке. Свои книги щедро начинял я цитатами из разных классиков, но почти все эти цитаты я по лени и невежеству сочинял сам (я уже писал об этом), в силу чего имена древнеримских греков мирно соседствовали с именами моих приятелей, которым я приписывал изречения, пристойные для излагаемого текста. Интересно, что в издательстве, где я печатался, никто ни разу не удосужился эти цитаты проверить. Только единожды одна бдительная старушка-начальница спросила про два имени, стоявшие под эпиграфами в главах. Я насторожился и ответил бойко, что это два современных ученых, несомненная в недалеком будущем гордость отечественной науки. «Я не про заслуги ихние, — мягко улыбнулась начальница моей непонятливости, — я только хотела узнать: не подписывали они писем в защиту Даниэля и Синявского?» Я с горячностью заверил, что ни в коем случае нет, и говорил я чистую правду. Потому что двум этим безвестным пьяницам никто не предложил бы подписать какое бы то ни было письмо.

Конечно, что-то есть в известных именах, я сам порою чувствую их магию. В Сан-Франциско я останавливаюсь в доме у друзей, где спать меня кладут на огромный диван в подвальной комнате, там у них всегда спят гости. И ложу этому я посвятил стишок:

> Еврейки спали тут, и спали гойки,
> бывали дамы очень и не очень,
> со многими я спал на этой койке,
> но жалко — спали в разные мы ночи.

А когда написал и нес листок хозяевам, то вдруг подумал: а ведь любимая мной Белла Ахмадулина спала здесь тоже! — и сердце мое сладко стеснилось. Нет-нет, он существует в нас, гипноз имен, глупо с этим бороться, и нелепо осуждать, и стоит, стоит их упоминать, испытывая странную иллюзию прикосновения. По модели, дивно изложенной в чьем-то стародавнем стишке:

> Я сам весьма люблю Париж,
> хотя и не был я в Париже;
> когда о нем поговоришь,
> Париж становится поближе.

Но как же быть, если все лучшее, что слышал за жизнь, я слышал от начисто безвестных людей? Как быть, если все, что исходило от людей с именами, было вытертым общим местом? А разве приятны душе и памяти все без исключения звучные имена?

К моей приятельнице как-то в Москве в автобусе близко и доверительно склонился интеллигентного поношенного вида человек и сказал, дыша несильным перегаром:

— Вы не поверите, сударыня, но улицу нашу назвали именем Сальватора Альенде. Так выпьешь — и домой не хочется идти!

А как-то раз в Крыму в городишке Новый Свет мелькнуло одно мерзостное знаменитое имя. На тамошний завод шампанских вин меня и двух приятелей привели два равно благородных побуждения: живое любопытство и мечта обильно выпить на халяву. А так как у меня была бумажка, что я — сотрудник московского журнала, то по заводу нас водил главный технолог лично. И за полтора часа такой экскурсии мы все четверо очень крепко поддали, пробуя различной выделки напитки этого благородного предприятия. И мы, естественно, все время болтали, и главному технологу вдруг тоже захотелось повестнуть нам что-нибудь вне темы обработки винограда.

— Вы вот журналисты, — сказал он, — а к нам сюда и знаменитые поэты приезжают. Михалкова знаете, наверно?

— А сало русское едят! — воскликнул мой приятель в подтверждение, что знает. Он был так носат и курчав, а выпито уже было столько, что мы зашлись кошмарным смехом, и я, чтобы приличие восстановить, прочел свое любимое двустишие этого поэта:

Мне не надо ничего,
я задаром спас его.

— Да-да, — кивнул технолог и хвастливо продолжал: — Я тут его сам лично принимал и все показывал. Он приезжал с такой блондинкой (тут технолог плавно очертил руками, с какой именно), и мне сказал, что дочка. А я после работы шёл домой, смотрю: они там за кустами на скамейке — нет, не дочка.

Тут важно мне заметить, что такой рассказ, но про безвестного гуляку вряд ли был бы так же нам интересен. А мельчайший эпизод из жизни Михалкова принимался с острым любопытством. Как-то мудрый, пожилой и грустный профессор-психиатр мне лаконично эту нашу психологию обрисовал. Сказал он вот что:

— Все вы — измельчавшее поколение. О каждом поколении можно судить по его мании величия. У меня на всю клинику — ни одного Наполеона! Официантка заболевает, у нее мания величия — она директор ресторана. Привозят молодого лейтенанта, у него мания величия — он майор. Заболевает несчастный графоман, у него мания величия — он Евтушенко. Это типичное вырождение, сударь мой, деградация жизненных масштабов, это путь к убожеству.

Все сказанное этим грустным человеком полностью относится, по-моему, и к любопытству нашему, но с этим ничего не поделаешь.

А от общения с подлинно замечательными людьми порою остается мелочь, анекдот, пустяк, но вспоминать его невыразимо приятно. Много, очень много часов посчастливилось мне общаться с Гришей Гориным — безусловно, лучшим русским драматургом (а двумя его великими пьесами о Свифте и о бароне Мюнхгаузене будет наслаждаться, я уверен, не одно поколение). А вот запомнил почему-то лишь одну историю той поры, когда работал молодой врач Горин после института в «Скорой помощи». Приехав по вызову, обнаружил он у дряхлого еврея острое воспаление печени. Решили забирать его в больницу, и уже два дюжих санитара выносили на носилках стонущего старика с сомкнутыми от боли глазами. Но вдруг он приоткрыл глаза и глянул на врача, стоявшего над ним, и еле слышно прошептал:

— Скажите, доктор, вы аид?

— Да, я еврей, — растерянно ответил Гриша.

— Скажите, доктор, — тихо прошептал старик, — а могут ли печеночные колики быть от того, что слишком много съел мацы?

— Конечно, нет, — ответил Гриша быстро и недоуменно.

И откуда только взялись силы, но старик привстал вдруг на носилках и воскликнул, обращаясь торжествующе к роскошной пышнотелой блондинке — жене сына, своей невестке:

— Слышишь, мерзавка? — крикнул он и снова впал в болезнь.

Кстати, повстречавшись с именитыми людьми, порою получаешь не только интеллектуальное впечатление. Мне, к примеру, знаменитый на весь мир артист Борис Ливанов дал однажды очень сильный подзатыльник. Грузный и вальяжный, величаво он сидел за столиком в ресторане Дома актера, а меня туда провел приятель, сам я никакого отношения к такому элитарному месту не имел и вряд ли сумел бы просочиться. А приятель мой откуда-то Ливанова знал и не замедлил это мне продемонстрировать. И, полуобернувшись от соседнего стола, величественно рассказал Борис Ливанов, что он только что был в Англии, там шили ему для какого-то приема специальный фрак, и у портного не хватило метра, чтоб измерить его плечи, а в их театре костюмер сказал: «Ливанов есть Ливанов».

Я по молодости лет и злоязычию такого шанса упустить не мог и голосом наивным (получилось), тоном простака-провинциала спросил:

— А вы в театре работаете?

И в награду заработал жуткий подзатыльник. Если бы не общий смех, старик ударил бы меня еще раз и ловчее. Больше он ни разу к нам не обернулся.

А вот писать ли мне, что водку пил я с Юрием Гагариным? (И сукой быть и век свободы не видать, если вру.) До сих пор мне памятен этот несчастный, спившийся так быстро человек, обреченный, как подопытные кролики, но уцелевший в космосе и полностью сломавшийся от славы. Кстати, наша участковая врачиха периодически раз в полтора года сходила с ума, считая себя Юрием Гагариным, а после выздоравливала и впадала в депрессию, что не мешало ей работать и выписывать нам бюллетени и лекарства, так что был он истинно великий человек.

А мне случайно повезло. Со мной тогда повсюду шлялась одна редкой прелести подружка. И завел я ее в свой журнал «Знание — сила», когда мы встречались там с фантастом Станиславом Лемом. Шла довольно интересная болтовня, а мой приятель, всех перебивая, все у Лема домогался, чувствует ли тот, что философией своей обязан Кафке. Мудрый Станислав Самойлович (да, да, и Лем тоже, если кто не знает) вяло отшучивался, ибо явно не хотелось ему быть кому-то обязанным, он был тогда в зените своей славы. Но приятель все настырничал про Кафку, это уже становилось неудобным. Я его решил по дружбе оборвать, нашел удобную секунду и сказал: «Старик, не кафкай».

Засмеялся громче всех советник польского посольства по культуре (он повсюду Лема сопровождал), поэтому когда он после встречи предложил мне провести вечер вместе, то отнес я это, слепой дурак, к его восторгу перед моим остроумием. А спохватился уже только в ресторане, где он соколом стал виться над моей подружкой. В том же зале (это все в гостинице «Советская» происходило) сидел у окна с большой компанией Гагарин, и человек пять молодых людей с невыразительными лицами охраняли их покой от пьяных изъявлений посетителей.

Напившись почти сразу, мрачно думал я, что вот и Достоевский не любил поляков не случайно, и что с этим паном Пшекшипшевским (не помню, как его фамилия была) мне тягаться не по силам. И впервые в жизни ощутил я, до какой кошмарной степени заношен мой любимый свитер. Было мне нехорошо и смутно. Еще он меня вежливо все время в общую беседу вовлекал, по каковой причине я и вовсе себя чувствовал злобным идиотом. Тут я ему и промямлил, что вот до Гагарина даже ему не дотянуться, чтобы выпить. Не учел я, что в минуты эти ощущал себя посольский поляк молодым весенним оленем и на свете ему было все доступно. Он даже сам к тому столу не пошел. А подозвал официанта, тот окликнул одного из молодых людей в белых рубашках с невыразительными лицами, дал ему карточку посольскую, и минут через пять за стол наш присел Гагарин. Пан по культуре с ним о чем-то живо заговорил, принесли чистую рюмку, я же в свою (уже по край напился) с отчаянья плеснул минеральную воду. И, чокаясь, усмешливо сказал мне исторический герой:

— А что же ваша водка пузырится?

Но чокнулся. И руку мы друг другу пожали — это он так честь оказывал соседней дружеской державе.

А между прочим, девку я тогда не потерял, чуть позже от меня она сбежала к одному нашему общему знакомому — плевый был такой музыкантишка, он после бросил музыку и стал работать осветителем в кино.

Нет, не ради хвастовства и фанфаронства (точней — не только ради этого) мы из памяти выуживаем такие встречи. Ведь писать о людях знаменитых лестно и легко. Лестно — от иллюзии причастности к их сонму, а легко — поскольку с благодарностью читается.

Особенно если рассказ твой снижает образ выдающегося человека, делает его слегка смешным, доступным слабостям, понятным и земным. Поэтому, быть может, и возникло столько баек о злодеях нашей эпохи: нечто очистительное и раскрепощающее было в нашем многомиллионном смехе. И — освобождающее от гипноза, в коем все мы находились много лет. А покаянный стыд, что мы так долго верили этим ничтожествам, приходит позже (к тем, к кому приходит вообще).

Очень известный актер Весник из Театра сатиры как-то оказался в одном купе с легендарным вислоусым стариком — маршалом Тимошенко. Уютное двухместное купе и ночь езды до Ленинграда очень располагали к общению, и маршал благосклонно согласился распить бутылку коньяка с неведомым ему актеришкой столичного театра. После пустых каких-то обсуждений житья-бытья Весник не удержал обуревавшего его любопытства и, старательно подбирая слова, спросил у маршала, как это вышло все-таки, что такие талантливые полководцы были перед самой войной убиты Сталиным. Так изложил он деликатно свой вопрос, будто затрагивал чисто хозяйственную, строго интендантскую часть дела: мол, пригодились бы отчизне эти люди, ради чего же их так неразумно извели?

— А хер его знает, — бодро и беспечно ответил вислоусый, склеротически румяный командарм.

Снова чуть поговорили о житейском. А потом опять Весник не выдержал и спросил с такой же аккуратностью о первых днях войны: мол, как же не были готовы линии обороны и вооружение всей армии к возможному нападению заведомо вероломных фашистов?

— А хер его знает, — меланхолически ответил один из главных военачальников державы.

И повторилось то же самое еще пару раз — был безупречно одинаковым ответ на любой вопрос настырного артиста-патриота. А потом заглохла их беседа, оба спать легли, а утром возле Ленинграда был разбужен Весник уже одетым, в полной форме при регалиях державным полководцем.

— Товарищ актер Мензик, — сухо и твердо произнес Тимошенко, — я вчера вам, кажется, чего-то лишнего наговорил, так вы забудьте.

О Господи, тоскливо думал я после любой такой истории (а сотни их), какие же ничтожества владели полностью судьбой нашей и миллионами судеб современников! Да еще были для нас живой легендой, небожителями, по достоинству державшими в руках нити нашей жизни и смерти.

Много рабского, конечно, в нашем остром интересе к этой своре, но душе целебно, чтоб очнуться, низвержение вчерашних мизерных кумиров. А как очнется она полностью, то пропадает этот интерес — по крайней мере, очень сильно блекнет. Но пока что это очень близко, и еще живы вчерашние свидетели. Так, моего близкого друга, замечательного художника Бориса Жутовского лично Хрущев (с утра поддавший и от возбуждения потный), увидев его живопись на знаменитой выставке в Манеже, спросил весьма искусствоведчески:

— Вы, ребята, что — пидарасы?

А чтобы с этим типом выдающихся людей покончить, изложу я свой высокий разговор однажды в лагере с очень бывалым уголовником Одессой. (Я этот разговор уже в роман свой давний вставил, но уж очень он уместен тут, я повторю его с подлинным именем собеседника.)

К Одессе я в барак ходил, чтоб потрепаться, — меня в каждом разговоре поражала небанальность его взглядов на мир. И я ходил, преодолевая страх, который помню до сих пор, будто только что его чувствовал. Страха этого я настолько стыдился, что даже в лагерном дневнике ничего о нем не написал, как бы от самого себя скрываясь и надеясь, что забуду со временем. Не забыл.

Страх возникал во мне отнюдь не от запрета начальства ходить в соседние бараки (пять суток карцера за это полагалось); страх объяснялся тем, что в темноте могли наброситься и крепко потоптать. Юные воры и молодая шпана (главные обитатели нашей зоны) охраняли свои бараки от чужих, как собаки — территорию своего обитания. Я не могу понять и объяснить эту активную животную вражду к таким же точно, как они, но из соседнего барака. Может быть, таким образом вымещали они свою униженность и бессилие — не знаю, но свидетелем мгновенных и беспричинных расправ бывал не единожды. Пытался расспрашивать, но ответ ни разу не вышел за рамки угрюмого встречного вопроса: «А что им тут у нас крутиться?» Оттого и боялся.

Только все равно ходил к Одессе, потому что мне с ним было очень интересно. Лет примерно сорока и безо всякого образования, Одесса был умен каким-то острым, проницательно-безжалостным умом, и говорить с ним было чистым наслаждением, хоть часто я поеживался внутренне. Поскольку, например, с гуманностью (моей — семейной, книжной) суждения его просто никак не соотносились, не было в его душевном словаре такого понятия. Ему тоже, очевидно, было со мной интересно, ибо такого зверя он в своих лесах не встречал. Вот и сидели мы с ним, покуривая и чифиря, внутри барака нам уже никто не мешал, даже случалось, что провожали меня потом — на всякий случай.

И как-то, собеседуя вот так на нарах, я услышал, как один из его верных шестерок обозвал другого жидом. Никак не мог я сделать вид, что не услышал, просто не простил бы себе мгновенную слабинку (а была), да и нельзя такое пропускать, потом труднее будет. Я обернулся и сказал, чтоб фильтровал земляк базар, поскольку я еврей, и кличка эта — оскорбительна для нас. А поворотился — с изумлением смотрел на меня друг Одесса.

— Какой же ты еврей, Мироныч? — сказал он. — Ты что так взвился?

— Может, предъявить тебе, Одесса? — спросил я. — Он у меня всегда с собой, нас так и немцы отличали.

— Я на тебя в бане насмотрелся, — засмеялся Одесса. — Не спеши вынать, Мироныч, пока вставить некуда. И признак этот мне не суй. Ты и по паспорту еврей, я знаю, только ты другой, ты наш, не эти.

— А ну-ка изложи, — попросил я. Такой подход был начисто мне неизвестен, явно речь шла не о том, что я хоть и еврей, но хороший.

И тут услышал удивительную я концепцию. Напрасно не прошла чудовищная та кампания шестидесятых и семидесятых, когда, всюду и сквозь стены проникая, шла оголтелая (по телевизору, по радио и в прессе) борьба со всемирным сионизмом. Совершенно необычно преломилась она в сознании этого очень мудрого и совершенно темного квартирного вора. Уже он смутно про советскую власть понимал многое, но цельную картину наподобие салата намешал. По Одессе выходило, что злокозненность евреев несомненна и что тайный заговор евреев очевиден, только это некие международные еврейские злодеи, миру не видимые. А в империи прогнившей нашей опознать их легко: эти евреи окопались во всех центральных министерствах и в Центральном Комитете Коммунистической партии. А третье место их потаенного кучкования (это Одессе, по всей видимости, личный опыт подсказал) — фотоателье в столицах всех республик.

Я фотоателье оспаривать не стал и смехом миф Одессы не оскорбил, ибо обидчивость давно сидевших знал и чтил. Я у него только спросил, перебирая мысленно вождей с плакатов:

— Что же, Одесса, получается по-твоему, что и Хрущев с его свинячей ряхой — тоже еврей?

— Ну, может, смесь какая, но еврей, — уверенно ответил Одесса.

— И Брежнев тоже?

— Жид молдавский, — не задумавшись ни на секунду, сказал Одесса и великодушно добавил: — Ты на слово-то не обижайся, Мироныч, я тебе уже сказал, что ты здесь ни при чем.

— Что ж, и Андропов? — не унимался я. Этого верховного мерзавца с интеллектом я тогда особо выделял, изощренных пакостей от него ожидая.

— Ты, Мироныч, побывал бы у меня на родине в Енисейске, — сказал Одесса улыбчиво, — ты такого глупого, прости, вопроса никому уже не задал бы. Там есть у нас зубной врач Лифшиц — две капли воды с твоим Андроповым. А ты сомневаешься.

Я на мгновение замолк, и тут Одесса ключевую, поразительную мысль мне сообщил. Только великий, никуда не торопящийся народ найти способен такой точный аргумент для своих мифов и легенд.

— Если б они были русские люди, — медленно сказал Одесса, — разве они так бы поступали со своим родным народом?

Но сегодня это прошлое (какое счастье!), а вот люди подлинно интересные — по сути рядом, хотя многие уже отделены от нас стеной небытия.

Я как-то уходил, погостевав и выпив водки, от искусствоведа (знатока, гурмана) и издателя Юры Овсянникова. Он не сильно старше меня, но несравненно солидней и почтенней, так что стал я уворачиваться застенчиво, когда он в прихожей подал мне мое пальто. «Что вы, Юра, что вы», — бормотал я, отказываясь и пытаясь перехватить пальто. И так, в него вцепившись оба, мы затеяли с ним снова разговор.

— Знаешь, как аристократы в прошлом веке говорили? — начал Юра. — У себя дома не подают пальто только лакеи.

— Слушай, а я про академика Павлова вспомнил. У него студент вот так же уворачивался, а Павлов ему сказал: поверьте, милостивый государь, у меня нет никаких причин к вам подольщаться.

Юра усмехнулся, тверже перехватил мое пальто и, распахнув его, сказал:

— Влезай скорей, а я тебе такое расскажу — ты будешь счастлив, что тебе твой зипунишко подавал именно я.

Тут я послушно и поспешно влез в рукава и обернулся к Юре. Через минуту я и вправду уходил счастливый.

Ибо Юра издавал когда-то знаменитую «Чукоккалу» — ту самую книжку, в которой много лет писали что-нибудь и рисовали разные знакомые Чуковского. Приехал Юра к старику что-то уточнять, а когда стал уходить, то снял Корней Иванович с вешалки и подал ему пальто. Юра стал, конечно, отнекиваться, но Чуковский веско и просто ему сказал:

— Не глупите, молодой человек, сейчас благодарить меня будете за такую эстафету. Я однажды в вашем возрасте был по издательским делам в Ясной Поляне, и мне Лев Николаевич помог надеть пальто.

Куда и как вставлять в воспоминания такие вот истории, где смысла много больше, чем в расплывшихся подробных мемуарах?

А поскольку только что было помянуто замечательное имя, то хочу я одну грустную историю рассказать, только что привез ее из Америки.

В небольшом городе Солт Лэйк Сити расположен центр толстовского Фонда, а в университет туда же приехал из России один физик, очень скоро сильно заболевший. Предстояла срочная операция, и нужны были деньги. Большую часть суммы быстро и легко собрали меж собой его коллеги, оставалась малая лишь часть, но ее следовало достать.

Тогда один из физиков позвонил председателю этого толстовского Фонда. Он объяснил, что речь идет о жизни и смерти, что совсем немного нужно, чтобы человека спасти, просил помочь. Председатель отказал наотрез. Физик настаивал и умолял. Председатель ссылался на финансовые затруднения, на сложность оформления такой помощи, на необычность и непринятость таких расходов. Лопнуло у физика терпение, и он в сердцах сказал:

— А знаете, Лев Николаевич вас не одобрил бы!

— Какой Лев Николаевич? — спросил председатель Фонда.

«А кто поймет такое?» — грустно спросил у меня Марк Розовский, когда пили мы недавно водку в Иерусалиме, вспоминая, как тридцать лет назад были возмутительно молоды. Относился его вопрос как раз ко встрече со знаменитостью — да еще какой! Работал Марк тогда на радио, и шла по всем редакциям в тот день коллективная пьянка в честь какого-то табельного советского праздника. Побежал посреди пьянки Марк в уборную и вдруг увидел, что стоит с ним рядом — не поверил сразу Марк своему счастью — кумир его молодости (и миллионов кумир) — спортивный комментатор Вадим Синявский. От восторга онемев и не дыша, косился Марк на своего случайного соседа, обнаруживая, что кумир — смертельно, в доску, глубоко и тяжко пьян. Он раскачивался, что-то бормоча тоскливо и нечленораздельно, а потом они оба одновременно друг к другу обернулись, застегиваясь, и тут... Вадим Синявский, посмотрев пристально и смутно на незнакомого молодого человека, вдруг с отчаянным надрывом произнес медлительно и с расстановкой:

— Ах, ебена же мать! — после чего мгновенно вынул свой искусственный стеклянный глаз и с силой шарахнул его о мраморный пол. Празднично звякнули осколки, и они оба вышли, не произнеся ни слова.

Марк был прав: такое уже можно рассказать только людям нашего поколения, да и то далеко не всем. Ибо смыслом это полно лишь для тех, кто понять способен (или помнит), до какого градуса накала доходить могли отчаянье и душевная мука в те совсем еще недавние годы. И немедленно история всплыла, которую мне рассказывал некогда художник Иосиф Игин. Со многими незаурядными людьми дружил он, ибо рисовал изумительные дружеские шаржи, а по сути — очень точные портреты. Я не знаю, напечатал ли он эту историю, на всякий случай изложу, как помню.

Уже в самом конце войны это было. Ненадолго с фронта приехав, Игин встретился со своим давнишним другом Соломоном Михоэлсом, и пошли они бродить по Москве. Разговор у них был легкий и веселый: в воздухе отчетливо пахло победой, и надеялись на будущее оба. Добрели до зоопарка и пошли гулять по нему. Находили у животных и птиц похожие на их друзей черты (на это мастаки были оба), а когда дошли до хищников, настало время звериного кормления, и тиграм как раз дали по большому куску мяса. Старый тигр (или тигрица), положивши мясо между лап и отвернувшись от людей, неторопливо и угрюмо насыщался. А двое молодых тигрят, чуть от своих кусков отойдя, кидались на них, подкидывали лапой и хватали пастью на лету — охотились. И помрачнел Михоэлс, вдруг ушел в себя, замкнулся, и прервалось их общение, и молча проводил его Игин до дома. Пожимая руку у подъезда, горестно и мрачно сказал ему Михоэлс:

— Молодые еще играют в свободу.

А вот еще одна история, рассказанная мне Игиным — помню, как, послушав ее, молча решил я про себя, что никогда в жизни уже не буду обижаться на этого человека и заведомо прощу ему наперед все проявления отнюдь не мягкого характера. За тот поступок давних лет, о котором он нечаянно рассказал.

Это в Ленинграде было, в самый разгар подлой травли Зощенко, после которой он уже душевно не оправился. А Игин с ним давно дружил и, оказавшись в Ленинграде, заглянул по-свойски, как привык. Зощенко открыл ему дверь и, стоя на пороге, хмуро сказал, что он сейчас ни с кем не в силах общаться, а денег у него нету даже на еду, и он поэтому никого из друзей к себе не впускает, пусть его поймет и простит Игин. И дверь закрыл, едва попрощавшись. На все печальное у Игина была одна реакция, и он пошел в ближайшую пивную. Там он поставил у столика свой маленький фанерный чемоданчик и вокруг себя оглянулся только после третьей или пятой рюмки. И увидел, что от стола к столу ходит некий человек, мгновенно рисующий за порцию выпивки портрет желающих запечатлеть свой облик на бумаге. Краем глаза Игин ухватил, что рисует человек этот совсем неплохо и профессионально. А тот уже и к нему самому подходил: «Желаете?» — «Давай-ка лучше я тебя нарисую», — сказал Игин. «Ну-ну», — с надменностью ответил человек. А через две минуты возле столика Игина уже толпились люди: «И меня, и меня, сколько берешь?» — «Деньгами плата мне нужна, — сказал художник, — небольшими, но деньгами. Сколько стоит с прицепом? (Это рюмка водки, кружка пива и бутерброд.) Вот я столько и возьму. Кто первый?»

Через час (а может, два, рисовал он всегда стремительно) в фанерном чемоданчике лежала куча мятых трехрублевок — если я перевираю тогдашние купюры — вина моя, уже не помню. Только денег собралось довольно много, люди подходили и подходили, такого качества портрет было лестно повесить дома на стенку. Как только иссяк поток желающих, Игин захлопнул чемоданчик, встал и с радостью подумал, что идти недалеко. Зощенко открыл ему дверь и не успел, похоже, даже удивиться — Игин молча прошел мимо него в давно знакомую ему квартиру, молча вывалил на стол содержимое чемоданчика и молча подмигнул, уходя. Он так был счастлив происшествию, что вновь пошел куда-то в рюмочную, но в какую — он уже не помнил утром, ибо там отнюдь не рисовал.

Как эти исполненные смысла рассказы вплести в единое русло? А стоит ли упоминать разных людей лишь за известность их, как будто просто хвастаясь знакомством? Некогда в гостинице в Норильске я общался несколько часов подряд — мела пурга и деться было некуда — с необыкновенно знаменитым (говорили даже — гениальным) скрипачом. И более тупого, темного и вязкого, занудливо в себя лишь погруженного собеседника мне встречать не доводилось. То есть, безусловно, встречал, но вовремя смывался от общения. А этот ничего вокруг себя не видел и не знал и в состоянии был только медленно и безвкусно перечислять свои поездки и триумфы. Чьи-то замечательные вспомнил я тогда слова: что да, конечно, собственный пупок — это пейзаж, но очень уж однообразный. Стоит ли упоминать такое знакомство? А из душевной темной глубины мне мелкий червячок, во мне живущий (как и в каждом), шепчет еле слышно, но внятно: стоит. И я помню, как во мне завелся этот червячок.

В конце шестидесятых все взахлеб читали книжку молодого психиатра Владимира Леви «Охота за мыслью». Быстро стал он чрезвычайно популярен, и я очень радовался успеху приятеля, мне тоже нравилось, как он писал. И как-то я, войдя в вагон метро, увидел свою давнюю знакомую — даму солидную, почтенную и из почтенного журнала. Был я, как всегда, в измятых донельзя штанах и старом клочковатом свитере (это существенно для сути эпизода). Я протолкался, чтобы поболтать, и обнаружил рядом с дамой необыкновенно прикинутого фраера. Был он весь из себя, в замшевой роскошной куртке, галстук и рубашка — в тон и соответствовали, а про брючата нечего и говорить. И то ли чемоданчик, то ли папка с ручкой при нем были, и причесан был он весь, и хоть сейчас годился встать в галантерейную витрину. Мы пожали руки вежливо друг другу, пока дама щебетала, что передо мной известный архитектор, секретарь какого-то правления и еще очень кто-то там по части пластики и зодчества. А после сфокусировала она взор на мне, сказать успела: «Это Игорь…» — и я увидел дикое замешательство в ее чистых больших глазах: не находила добрая душа, чего бы лестного соврать про меня. Но во мгновение нашлась и тем же светским тоном возгласила:

— Он знает Владимира Леви!

С тех пор я, может быть, и осознал цену известности. Однако именно безвестным людям я обязан всем, что чувствую и знаю. Это их то глупости, то шутки я издавна записываю, горестно порой вздыхая, что каков Эккерман, таков и его Гете. Ибо мудрых и глубоких изречений сроду не производили мои различные знакомые по бурной жизни. Но зато как жить они мне помогали, как я многое благодаря им понимал!

В сибирской ссылке был нашим соседом некий Федя. Толком я не знал, где он работает, сосед он был прекрасный, а еще меня в нем восхищало одно чисто джентльменское качество. С утра в субботу крепко выпив самогона со своей дородной Мотей, выходил он на лужайку перед домом. Мотя усаживалась на скамью возле калитки, время от времени что-то благодушно бормоча, а Федя — в костюме с галстуком и шляпе — спал ничком неподалеку на земле в полном блаженстве. Но если мимо проходил кто-то знакомый, Федя открывал лениво один глаз и, непостижимо как-то выгнув шею, чтобы голова чуть оторвалась от земли, ловко изогнутой рукой приподнимал немного шляпу. А затем бессильно отключался снова. Как-то летом рано утром в воскресенье притащил он нам огромный таз свежей рыбы, явно только что наловленной где-то.

— Жарьте, — сказал он лаконично. — Я сегодня сети ставил, а потом и с бреднем походил, у меня навалом дома еще есть.

— Спасибо, Федя, — сказал я удивленно и растроганно, — только ведь за сети и бредень рыбнадзор штрафует и под суд отдает — ты не боишься?

— Эх, Мироныч, — снисходительно сказал мне Федя. — Ты не знаешь, что ли? Я же и есть рыбнадзор.

И стала мне ясней намного вся в империи система охраны природы, из таких вот федь и состоявшая.

Рыбу эту, кстати, мы употребили под бутылку не простую: если вдуматься, имела она отношение к весьма известным людям. Ибо у нее на этикетке было аккуратно синими чернилами написано: «свояк свояка поит издалека». А дело в том, что незадолго до того, томимый длительным отсутствием интеллигентной болтовни с друзьями, сочинил я легкую загадку: «Свояк в свояка целит наверняка» — и в письмах разослал эту загадку, чтоб развлечься. И ни один высоколобый гуманитарий не догадался, что это Пушкин и Дантес (ведь они женаты были на сестрах), а мой свояк — догадался сразу и на радостях прислал эту бутылку. Впрочем, был всегда он весел и находчив. Еще в совсем далекой молодости, в детский сад пойдя впервые и вернувшись, на вопрос родителей: «Ну как?» — ответил с римской прямотой:

— Убил бы я вашего детского садика.

О Господи, какой же чушью переполнена моя голова! А слово тянет и прядет воспоминания, и вот уже сидим мы некогда в гостях, и заболтались очень допоздна, и вдруг из детской комнаты доносится к нам ангельский, но громкий голосок пятилетнего сына хозяев. Он обращен к любимой мамочке:

— Ложись спать, старая жопа, а то завтра тебя в детский садик не добудишься!

Другое слово дергает иные нити, и всплывает в памяти фигура, знаменательная донельзя. Арий Давыдович, простите, никогда не знал вашу фамилию, а вы когда-то мне доставили своим общением живое и незабываемое удовольствие.

Арий Давыдович ведал в Союзе писателей похоронами, был выдающимся специалистом, энтузиастом и гурманом своего почтенного дела. Как-то он заботливо сказал моей теще:

— Лидия Борисовна, умирайте, пока я жив, и вас хоть похоронят по-человечески.

Очень любил Арий Давыдович и трогательно помнил Михаила Светлова. И признался как-то в разговоре:

— Я когда любого писателя хороню, то непременно один венок из кучи забираю тихо, отнести чтоб на могилу Светлова. И писателю приятно...

Это Арий Давыдович сообщил знакомым свое — гениальное, по-моему, наблюдение: есть люди, которые даже на похоронах норовят быть главней покойника. (Я впоследствии эту идею украл и перепрятал в свой стишок.)

Он давно уже на пенсию ушел и вскоре умер без любимого дела, а из его преемников один — вы знаете, кто был? Наш нынешний земляк поэт Борис Камянов. И пусть мне после говорят, что я не знаю выдающихся людей.

А возле Дома литераторов, откуда Арий Давыдович увозил в последний путь своих клиентов, как-то стояли моя жена Тата и ее подруга Анна, жена Саши Городницкого (они, по-моему, его тогда и ждали). И произошло событие, о коем они уже лет тридцать сладостно вспоминают. Из дверей высунулся какой-то человек и негромко сказал им:

— Девочки, идите домой, сегодня работы не будет.

А с Борей Камяновым мы теперь по пятницам сидим в шашлычной Нисима на иерусалимском рынке Махане Йегуда. На невысокого и щуплого, всегда приветливого и по-восточному изысканно вежливого Нисима я смотрю с восторгом, изумлением и завистью. Некогда его сюда привезли родители еще мальчишкой, после он вырос, приобрел это заведение (или другое, не суть важно), тяжело работал, и однажды появились у него свободные деньги.

А теперь скажите мне (подумайте сначала) — что предпринимает работящий мыслящий еврей, если обнаруживает у себя свободные деньги?

Расширяет предприятие? Разумно. Вкладывает деньги в ценные бумаги? Дельно. Что-нибудь такое движимое или недвижимое прикупает, чтобы увеличить свой доход? Безупречно правильно.

Однако же у Нисима давно была мечта. Быть может, с детства, я не спрашивал, ибо его достоинство и деликатность не располагают к бесцеремонным расспросам, это даже я отлично чувствую и умеряю с ним мое щенячье любопытство. Нисим совершил мудрейший из разумных поступков, он исполнил свою давнюю мечту. И слетал на Северный полюс. Чтоб я из самолета выпал, если вру, вы можете спросить его и сами. Вот еще почему мы ходим только к Нисиму и с ним почтительно здороваемся за руку, придя.

А после, кстати, он в Таиланд летал, и там открыл где-то ресторан «Наша страна» с еврейской кухней, и вновь сейчас куда-то собирается неспешно, и, конечно, что-нибудь откроет он и там.

Поэтому, когда мне говорят, что вовсе не еврей Колумб открыл Америку, а некий мужественный викинг Олаф Рыжебородый, я легонько усмехаюсь: мы каких только фамилий и кликух себе не брали за прошедшие тысячелетия!

И вспомнил тут я об одном безвестном путешественнике, с которым как-то провел три часа в соседних самолетных креслах. Я первый раз летел в Россию после нескольких лет разлуки и, естественно, очень волновался. Я уже был иностранец, и читать прежние стишки казалось мне не очень приличным — ведь не станешь объяснять в каждом зале, что писал их в годы, когда это было чревато лагерем, и я поэтому имею право вспоминать их сейчас. А дразниться на расстоянии — непристойно и совсем не интересно, потому я и пишу теперь совсем иное — это тоже скучно объяснять. Ну, словом, я томился раздумьями. Кроме того, неустанно размышлял: куда же я лечу? На родину лечу или с родины? Всю свою жизнь (как и сейчас) я всей душой любил Россию, но, разумеется, странною любовью. Этот поручик Лермонтов горой своих гениальных черновиков закрыл нам начисто возможность отыскать какие-то собственные слова, и остальные классики поступили так же, давным-давно сказавши все про все; и машинально пользуешься их готовыми строчками. Чудным звоном заливается колокольчик; дай ответ, не дает ответа, приближаясь к месту своего назначения.

Стюардессы уже давно развозили спиртное.

Мой друг Саша Окунь как-то объяснил мне, почему в самолете надо выпивать с первой минуты, а еще лучше — начинать немного до: никто на самом деле до сих пор не знает, почему летит и держится в пространстве эта огромная железная машина, нужно много алкоголя влить в себя, чтобы в пути не размышлять об этом всуе. За всю жизнь не получал я более полезного совета.

Мой сосед, молодой еврей из Винницы, открыл в Европе свою собственную фирму. Когда я выпил первую порцию водки, запив ее банкой пива, он покосился на меня снисходительно, но с явным интересом. То ли сам не пил, храня реноме, то ли полагал, что в одни руки дается лишь один напиток. Когда я дважды повторил, он решил, что самая пора коротко рассказать мне всю его предшествующую жизнь. Винница, как всем известно, — кузница талантов (я в тюрьме и лагере не раз встречал людей из Винницы), но этот преуспел как-то особенно. Работал грузчиком, потом официантом, учил язык, ориентировался — и вот уже открыта собственная фирма где-то в Европе. Только по старой винницкой привычке он мне так и не сказал, чем его фирма занимается и с кем торгует. А я тихо загадал: если я за три часа полета этого не узнаю, то моя поездка увенчается какой-нибудь удачей. Когда нам дали есть, я пролил на штаны салатный соус, и он понял, что я проще, чем кажусь. От этого он стал рассказывать еще подробней, и я почувствовал, что мне пора помочь моей фортуне. Я попросил прощения и выбрался в конец салона покурить. А там сидел мой давний знакомый, ныне председатель (или секретарь?) Крестьянской партии. Он возвращался из Израиля, где изучал наши киббуцы. Я подошел к нему, чтоб убедиться, что лозунг «земля — крестьянам» был придуман до него. Он подтвердил, а рядом как раз снова ехали напитки. Я вернулся, и сосед немедленно возобновил беседу. Он жужжал, как пьяный пчеловод, но благодарная фортуна бережно меня хранила, и до самого прилета я не смог узнать, чем торгует винницкий хозяин жизни. Поэтому мои первые российские гастроли прошли удачно.

А потом прошли удачно и вторые. Я объездил много городов и очень разных повидал людей. Повсюду тлела и кипела скудная, беспечная и многообещающая жизнь. И я еще острее понял, как люблю друзей, заведенных за прожитые годы.

Нет-нет, не будет знаменитостей в моих воспоминаниях. А будут — как в одном довольно интересном (для истории литературы) случае, свидетелем которого я был. И записал, по счастью.

Моя теща отмечала день рождения Крученых, еще был жив этот знаменитый некогда футурист, и я во все глаза смотрел на маленького сухого старичка, воплощенную память российского Возрождения, оборванного и обрубленного круто. И не я один, естественно, смотрел на старичка такими же музейного почтения глазами. Очень странно было, что еще мог разговаривать и явно удовольствие от жизни получал этот реликтовый остаток той мифической эпохи. За столом народу было много, шел несвязный общий разговор, и вдруг одна старушка, писательница Лидия Григорьевна Бать (как-то сказал Светлов, что у нее вместо фамилии — глагол) по-гимназически восторженно спросила-воскликнула:

— Алексей Елисеевич, я все хочу у вас спросить: а Блока вы живого видели? Или встречали?

Крученых медленно намазал блин икрой (еще такие были времена), вкусно отправил его в рот, немного пожевал и наставительно сказал:

— Однажды я был на обеде у Владимира Галактионовича Короленко, и Владимир Галактионович мне сказал: когда я ем, я глух и нем.

И замолчал. И все какое-то мгновение недоуменно помолчали. Лидия Григорьевна нарушила тишину первая:

— А Блок? — спросила она.

— А Блока там не было, — ответил Крученых.

КОЕ-ЧТО О ДЕСЯТОЙ МУЗЕ

Порой мне жаль, что напечатали

наконец поэзию Баркова. Двести с лишним лет он был загадкой и туманностью, мифом и легендой, смутной тайной и поэтому — мечтой. Сбылась мечта, легенда сразу потускнела, миф лишается своего обаяния. Имя Баркова с давних пор витало вне и над литературой, осеняемое духом неприкаянной и забубенной вольности, а нынче низвели его, втолкнули в общий ряд и перечень, всучили в руки общего достояния. Зачем он нам такой? Он был величественней и нужнее в качестве бесплотного (безтекстового) мифа.

Очень мало в человеческой истории имен, оторвавшихся от текста и витающих свободно в райских кущах нашего сознания. А то даже гуляющих там настолько по-хозяйски, что мы физически ощущаем тень их, когда что-нибудь говорим, сочиняем, думаем. Это, безусловно, хитроумный и распахнуто свободный раб Эзоп (не читал я никогда и не буду читать его басни, ибо их уже сто раз украли потомки и перешили краденое по моде своих эпох). Это, конечно, рыночный гуляка и неутомимый спорщик Сократ, образ и символ подлинного философа (он сам на записи вообще плевал, а то, что записал Платон — не в счет, поскольку протекло через Платона). Это, разумеется, чудаковатый Диоген с его фонарем и бочкой (текст вообще уже не нужен). Смело и уверенно (ибо убежденно) я назову здесь и бродячего раввина, некоего Иисуса Христа, потому что все, что говорил он, записали другие, но остались образ и легенда.

А в России так покинуло свои письменные следы и воспарило в миф имя Баркова. И спасибо, что его так долго не печатали: с текстом на ногах имя не вынеслось бы в столь высокое пространство.

Да, конечно, это гнусная несправедливость, что его не печатали. Да, конечно, поразительна преемственность ханжества, длившегося два с лишним века. Но несправедливость, совершаемая так долго, обретает странным образом право и необходимость, становясь естественной частью нашего духовного существования. Да еще несправедливость, столь убедительно попранная глухой невянущей славой, обаянием мифа и вознесением в высокий символ. Ну, отыскали бы и напечатали подлинные тексты перечисленных выше лиц — что изменилось бы в их нетленном облике? К лучшему не изменилось бы ничего, уверяю вас, ровно ничего. Ну, раскопал дотошливый Шлиман маленькое скучное поселение по имени Троя — сей городок завоеватели и штурмовали небось минут сорок, путаясь в пыли и грязи узких улиц, — что же изменилось в том сверкающем, величественном и бессмертном мифе, который поведал нам слепой Гомер?

К лучшему не изменилось ничего. Вот потому и жаль немного, что мелкотравчатые просветители вкупе с поспешливыми книготорговцами облекли текстовой плотью лучшую из российских легенд.

Русский мат — явление уникальное, и, говоря о нем, я испытываю чувство, давно и точно определенное как национальная гордость великоросса. Очень, очень далеко ушли русские матерные слова от своей начальной функции обозначать мужские и женские половые органы, процесс продления рода или некую особенность характера молодой женщины. Слов-то можно насчитать всего несколько, а образуют они целую вселенную, властно вторгающуюся во все области и поры нашего существования. Властно и благостно, добавил бы я, поскольку знаю по себе и видел на других великое психотерапевтическое действие этих заветных нескольких слов.

В одиннадцатой камере Волоколамской следственной тюрьмы через проход напротив меня лежал на нарах потрепанный мужичонка лет сорока по имени Миша. Он душевно мучился неимоверно. Боль и тоска его проистекали от того, что тюрьму он заслужил вполне и давно (по его личным и советского закона понятиям), ибо нигде не работал, чуть подворовывал, бродяжил и крепко пил. Но в этот раз, именно сейчас был он прихвачен по пустому подозрению, не был он виновен в какой-то драке у пивной и содержался тут зазря. Отчего душа его пылала и разрывалась, чувством вековечной русской справедливости томясь, а истинного виновника найти никак не могли, и прокурор покладисто и равнодушно продлевал срок Мишиного задержания.

Так вот Миша этот, неправедно ввергнутый в узилище, страдал ужасно. А чтоб на время полегчало, делал нечто странное — на мой, естественно, фраерский интеллигентский взгляд. Каждый час (иногда минут сорок, но не чаще и не реже) он медленно и деловито слезал со своей шконки, неторопливо подходил к двери камеры и в эту наглухо обитую листовой сталью дверь говорил с непередаваемой ненавистью и энергией:

— У, скоты ебаные, — говорил он. Один только раз. И возвращался на место, умиротворенный и благостный, как старушка после истовой молитвы, а точнее — как разрядившийся электрический скат. После чего примерно с полчаса мог разговаривать и был спокоен.

А через несколько месяцев, возвращаясь в свою камеру после суда, я вдруг поймал себя на мысленном, а после вслух произнесении этой фразы, и тут только ее целебность ощутил сполна.

Впрочем, благодетельную для души роль мата знает наверняка каждый, кто хоть раз в своей жизни пользовался этим несравненным сокровищем великого, могучего, свободного и правдивого.

Но у российского мата есть еще множество всяких других ипостасей и предназначений. Необыкновенно широка и пластична его знаковая, семиотическая многогранность.

Матом можно выразить все нюансы, спектры и оттенки наших переживаний, впечатлений и чувств, стоит лишь поменять интонацию. Но это тоже всем известно, так что не будем терять время попусту и переводить бумагу.

Однако же есть нечто — самое, быть может, важное в явлении и назначении этого языкового счастья. Вековечно рабская (на всех уровнях общества) и вековечно ханжеская атмосфера российской жизни была бы гибельно удушливой для почти любой живой души, если бы в самом языке не возникла благодатно живительная щель, лакуна, пространство вольности, раскованности и распахнутости. Ибо российский мат — это еще игра и карнавал живого духа, глоток свежего воздуха и краткой эфемерной свободы.

Символом именно такого отдохновенного глотка кислорода стал в России автор никому не ведомых текстов, образ бесплотный и привлекательный. Очень завидная, невероятно редкостная участь и судьба.

Может быть, именно в силу многообразия своих жизненных назначений русский мат практически недоступен пониманию людей, проживающих свой век в иной атмосфере. Может быть, людям иных наречий просто не нужны были такие кислородные зоны краткого душевного отдыха и разрядки? Я не берусь судить, не знаю, только ведь и русская частушка — тоже уникальное явление именно из-за своей залихватской целебности в просветах непробудно тяжкой жизни. Арго и сленги существуют во множестве языков, но у них совсем иное назначение (как и у русской блатной фени) — нет в них аналогии российскому мату.

Есть широко известная история про то, как американцы-слависты недоуменно обсуждали русский фольклор и непонятный для них смех слушателей.

— В этом коротком народном стихотворении, — сказал докладчик, — содержится очень незамысловатый сюжет. Некая пожилая дама выражает желание посетить Соединенные Штаты Америки. В ответ на это ее муж не без раздражения замечает, что таковое путешествие будет затруднительно ввиду отсутствия железнодорожного сообщения. И более не сказано ничего.

Вы уже, конечно, догадались, читатель? Речь идет о весьма простой частушке:

> Говорит старуха деду:
> я в Америку поеду.
> Что ты, старая пизда,
> туда не ходят поезда.

Ну скажите, кто на свете, кроме нас, над этим засмеется?

Помню, как я мучился в тщетных попытках донести до знакомого иностранца (с очень правильным, но выученным русским языком) замечательность частушки, сочиненной отпетым русским интеллигентом, покойным Толей Якобсоном:

> Нашу область наградили,
> дали орден Ленина,
> до чего же моя милка
> мне остоебенела.

А счастье, которое испытывали слушатели от этой частушки, недоступно никому на свете. Может быть, мы все и выжили благодаря такой духовной экологической нише?

А один приятель мой, заядлый автомобилист, очень страдавший от выбоин и колдобин городских дорог (жалко было купленную ценой многих лишений машину), вдруг начинал с ненавистью бормотать полувслух, как заклинание или заклятие:

— Выебины и колдоебины, — говорил он монотонно, — выебины и колдоебины, — и успокаивался прямо на глазах, продолжая прерванную дорожную беседу.

Символом такого озонирования души был Барков, которого мы никогда не читали. А зачем? Я и сейчас жалею, что его прочитал, в виде мифа он мне нравился гораздо больше.

А когда в конце пятидесятых и в первые шестидесятые годы заматерилась почти вся городская рафинированная интеллигенция — не было ли это предвестием начала раскрепощения душ? По-моему, было несомненно. Ибо тот странный летаргический сон наяву, то полузабытье, в котором пребывали мы все (и не только от страха, совсем не только, был еще некий коллективный гипноз), вдруг начали слабеть, и мат явился признаком какого-то нового, просоночно-реального осознания жизни.

Прекрасные я вспомнил вдруг стихи, которые прямо соответствуют теме. Это покойного поэта Юрия Смирнова стихи, они как раз про интеллигенцию:

> Когда венецианский дож
> сказал ей: дашь или не дашь? —
> она почувствовала дрожь,
> потом превозмогла мандраж.
> Она тирану уступила,
> он был настойчив, как таран,
> он был вынослив, как стропила,
> и ей понравился тиран.

А было время Возрожденья,
народ был гол и необут,
но ведь теряешь убежденья
в момент, когда тебя ебут.

Собственно, именно это я и хотел сказать бессильной предыдущей прозой.

И над пробуждением этим тоже величественно и неотступно висела тень известного нечитаного поэта.

Нет ничего более нелепого и академически некорректного, чем зачисление Баркова по мелкому ведомству эротического жанра. Все словари определяют эротику в живописи и литературе как изображение чувственности, связанной с сексуальным общением, или как описание, возбуждающее эту чувственность. Но этого нету у Баркова и в помине! Каждое воспетое им совокупление — это скорей сражение, игралище богатырей, баталия, турнир и битва, удаль молодецкая и раззудись плечо (хотя плечо здесь ни при чем). Это рукопашная наотмашь (и случаются смертельные исходы), это Куликовская битва, купец Калашников и Ледовое побоище совместно. Это культовая ритуальная оргия в честь могучего и почитаемого божества, это игры героев эпоса, а не скользкий слабосильный коитус для стимуляции читателей, хилых плотью.

Человеческое соитие предстает в стихах Баркова как тотальная идеология жизни — о какой же тут жалкой чувственности может идти речь?

Более того, идеология эта настолько глобальна, что пронизывает все мироздание, плавно и естественно (то есть закономерно и реалистично) перехлестываясь из обиталища живых в загадочное царство мертвых.

Тут я просто вынужден одно стихотворение пересказать своими словами, хотя помню, что его теперь легко прочитать.

Представьте себе зловещий Аид, подземное царство мертвых. Там на троне восседает Плутон, распоряжаясь лично наказанием попавших сюда грешников. Рядом с ним — его царственная супруга, богиня преисподней Прозерпина. Истая женщина, она пытается смягчить жестокость мужа, а каким именно образом — догадайтесь или прочитайте. Нам сейчас важнее остальные действующие лица. Здесь бесчинствуют без жалости и милосердия три богини гнева и мести, три сестры-эринии: Тизифона, Алекса и Мегера. Поясняю цитатой из мифологического словаря:

«Вид эриний отвратителен. Это старухи с развевающимися змеями вместо волос, с зажженными факелами в руках. Из их пастей каплет кровь».

Тут же в округе орудуют кошмарные демоны всех мастей и наружностей, о которых страшно даже подумать, и пять разбойных сестричек-гарпий, блудных дочерей морского бога. Это полуженщины-полуптицы жуткого вида и столь же омерзительного нрава. Словом, общий облик всей компании понятен.

Изредка сюда спускались герои различных мифов. Кто хотел похитить старую приятельницу, безвременно сошедшую в Аид, кто по иным каким-нибудь делам. Для большинства это заканчивалось плачевно, а кто-то ускользал благополучно, рассказывая живым на земле разные достоверные ужасы своего путешествия.

Именно сюда пришел герой Баркова, как-то разузнав по случаю кратчайшую дорогу. Для чего же он сошел в преисподнюю?

А так, ни для чего, потрахаться, если повезет. Он уже на белом свете поимел тьму-тьмущую различного живого люда, познавал при случае скотов, зверей и птиц, теперь хотел полюбопытствовать на тени смертных. То есть он собрался (выражаясь в терминах научной фантастики и блатной музыки) проникнуть в канувшее прошлое и погулять там по буфету.

И добрался он до берега весьма известной речки Стикс. Где угрюмый, грязный и в лохмотьях старик Харон уже много веков неукоснительно брал плату за перевоз. (Для того ведь древним покойникам и клали в рот монету.) Денег у героя не было с собой (герои путешествуют без денег), но всегда он точно знал, как поступить, и немного старика Харона употребил, как это делал с разными встречными на земле. И Харон без звука согласился, что оплата была очень достойной. С ним даже герои древних эпосов так не догадывались поступить.

Далее, читатель, как вам известно, вход в Аид охраняет свирепый трехголовый пес Цербер. Он лаял, яростно ревел и укрощен был тем же способом. Я думаю, что смолк он от чистого удивления, ибо с ним античные герои наверняка не обращались так по-свойски.

Первой нашему путешественнику подвернулась страшная Тизифона. И понеслось! Хочу напомнить (ибо это вспомнил и Барков), что у подземного чудовища вместо волос повсюду вились змеи, и герой немало претерпел, но вовсе не утратил свой кураж. Я надеюсь, что хоть горящий факел старуха догадалась на это время отложить в сторону.

Тут подтянулись и остальные обитатели ада. Первыми прибежали сестрички-гарпии. С ними была Химера. Тут я хочу напомнить читателю, что это некое существо с тремя головами — льва, козы и змеи, — и все три изрыгают пламя.

Ну и что из этого? Химеру наш герой тоже не обошел своим рассеянным вниманием. И не обидел.

Интересная гуманистическая деталь: на это время поголовного ублажения подземной нечисти в аду приостановлены были мучения грешников, что в этом месте случается не часто.

И еще одна для зоркого внимания деталь: в сбежавшейся и ставшей в очередь толпе опять мелькнули эвмениды — так порой именовали тех же эриний. А поскольку нам известно, что мифологию Барков знал отменно, следует полагать, что три старушки подвернулись по второму разу.

Далее попался ему под руку (простите за неточность выражения) сам царь Плутон, а за ним настала очередь царицы Прозерпины. С которой герою было так хорошо, что Плутон из чистой ревности погнал героя вон. Кстати, всю остальную нечисть владыка ада разогнал чуть раньше, потому что они дико вопили и совсем забыли о своих прямых обязанностях.

На обратном пути и Цербер, и Харон получили то же вознаграждение, и герой вернулся в полном здравии. Хотя и не совсем, но все образовалось, конец счастливый.

И вот что вспоминается невольно. Жители Флоренции, прочитавшие только что вышедшую «Божественную комедию», боязливо и почтительно шептали друг другу, встречая Данте Алигьери: «Он побывал там! Он видел!» А могли ведь это же шептать и обыватели Санкт-Петербурга, встречая Иван Семеныча Баркова на вечерней прогулке, и ему наверняка было бы приятно такое внимание. Чисто российская случилась тут несправедливость, с этой точки зрения очень жаль, что не увидели света его тексты, и лишился он прижизненного удовольствия.

Еще изрядно жаль, что не дошла наука к тому времени до исследования и познания космоса, поскольку совершенно ясно, чем бы занимались в необъятных его просторах герои Баркова. И быть может, это был бы лучший способ налаживания контактов с обитателями иных миров, туземцами внеземных цивилизаций.

Но достоин обсуждения высокий и непростой вопрос: почему это в России именно Барков, а не кто-либо другой стал некой светлой загадочной туманностью, стал символом... — а кстати, символом чего он стал? Только неприличия и нарушения границ? Только скабрезности и мата?

Нет, упас Господь это имя, упас и предназначил, а для чего — мы попытаемся сейчас обсудить. Иначе Пушкин (знавший толк в поэзии и многом другом) не сказал бы однажды Вяземскому слова удивления: как, мол, вы собираетесь поступать в университет и не прочли Баркова до сих пор? Это курьезно, сказал Пушкин. И еще он вот что добавил (ввиду ответственности момента процитирую точно): «Стихотворения его в ближайшем будущем получат огромное значение».

Как это серьезно сказано — услышали? Теперь начнем совсем-совсем издалека. С мифологии древних греков начнем, ибо гипотезу я хочу предложить сугубо научную.

Конечно, музы есть и несомненно посещают смертных. Собственную музу видеть невозможно, ибо она исчезает в тот самый миг, как вспоминают о ее присутствии и намереваются бесцеремонно разглядеть. Но чужую музу иногда подсмотреть можно. Боже, какая она обычно плохонькая и неказистая! А порою наоборот — очень жирная, потная и совершенно непривлекательная. Музы ведь в равной степени посещают и способных, и бездарей. А от графоманов, к примеру, вообще почти не отходят. И никакой в этом нет загадки: просто древние греки, первыми обнаружившие муз, впали в естественное для первооткрывателей заблуждение. Они вообразили, что музы покровительствуют разным искусствам, вдохновляют артистов всех мастей и даже изредка увенчивают удачников лаврами. Это вполне типичный пример мифа, прошедшего нетронутым сквозь все века благодаря рассеянности нашего ума и поглощенности его другими заботами. Кроме того, льстивые музы действительно время от времени подают художнику нужную краску, а поэту — еле слышно подсказывают точное слово (а историку — бредовую идею, которая оказывается правдой), но вообще — ужасное суеверие полагать, что музы приносят и даруют вдохновение. Наоборот! Истые женщины, они сами питаются вдохновением и безошибочно прилетают на его не ощутимый смертными людьми острый запах. Истечение творческого духа — их любимая единственная пища. Именно поэтому они с равной охотой пасутся и возле таланта, и возле бездарности любой духовной масти, ибо этим несчастным одинаково свойственно вдохновение (резко различен только результат), и музы — постоянные клиентки тех и других. А что в знак признательности и приязни они могут порой принести незримый венок и возложить его на потное плешивое чело — так это просто стимуляция кормильца, и не стоит в этом смысле заблуждаться.

Но не только в этом ошибались древние греки. Они еще досадно просчитались. Ибо муз не девять, а десять. Что десятую они проглядели, в этом нету ничего удивительного: слишком часто она пасется вместе с одной из девяти своих сестер, и трудно отделить их друг от друга нашему поверхностному взгляду.

Как зовут эту десятую сестру, оставленную греками без внимания? Не посмею давать ей имя (оно ведь существует, просто неизвестно до поры), я только вид ее пристрастий обозначу: это муза вольного дыхания. Это муза духа, который веет, где хочет, и знать не знает — что можно, а что нельзя (ему это просто безразлично). Эта муза посещала очень многих (человечество давно живет на свете), но по сравнению с любой ее сестрой у нее ничтожно мало доноров-клиентов. И хотя полным-полно в духовной жизни человечества людей по виду духа вольного, но лишь десятая муза точно знает, сколь обманчив этот дух, как он порой недоброкачествен и к вольному дыханию не имеет никакого отношения, а то и вовсе ядовит.

Хотя клиентов полноценных очень мало, проживает муза вольного дыхания безбедно, потому что ей — в отличие от сестер — без разницы, чем занят человек. Если Клио, например, возле историков пасется, а Эрато и Евтерпа предпочитают поэтов-песенников, наша муза и поэтами не брезгует, и математиков знавала с физиками, и философов, и бродяг-скоморохов.

Интересно тут заметить походя, что о ее существовании догадывался Осип Мандельштам. Ибо сказал он как-то, что стихи для него делятся на разрешенные и написанные без разрешения, и первые — он что-то уничижительное тут сказал, а вторые — краденый воздух. Тут он то же самое божественное чутье проявил, что свойственно десятой музе по ее природе, этим чутьем она ведь и находит свою живительную пищу.

Безусловно (темным и глубинным чувством гения), это и Пушкин ощутил еще задолго до того, как стал Барков со своей низменной лирой высоким символом присутствия десятой музы. Бесплотным образом вольного дыхания сделался поэт разгульной плоти. И в сознании прижился этот образ. Что в российской жизни не случайный парадокс, и только рассусоливать неохота.

Сейчас как раз Ивану Семеновичу Баркову исполнилось бы двести шестьдесят с небольшим лет — очень пристойный возраст для первой публикации своих стихов. Это случай необыкновенный даже для России, которая уж чего только не делала со своими поэтами. (Смею заметить, что поэзии как таковой это шло только на пользу.)

Жизнь была прожита короткая, полная достоинства, удач и унижений. Он родился в семье священника, что предопределяло ровный и безоблачный житейский путь. Поступил двенадцати лет от роду в Александро-Невскую духовную семинарию. Смутным недовольством и тоскливой скукой обуян, поплелся отрок в университет, своим призванием влекомый, а каким — он сам еще не понимал. Уже приемные экзамены закончились (сам Ломоносов отбирал способных учеников), но юный Барков просил, канючил и убеждал, и ему проверку знаний учинили отдельную. В восхищение пришли бывалые педагоги от его латинского языка и общей вострости, и был зачислен юноша в университет. Ах, знал бы Ломоносов, какую он пригревает змею! Столько неприлично низких пародий написал впоследствии Барков на высокие классические оды благодетеля, что оды эти без смеха уже нельзя было читать.

А впрочем, он учился хорошо, переводил умело и охотно древних авторов, отлично успевал по тем предметам, к коим ощущал душевную склонность, и полностью обещал вписаться в свой век Просвещения, и в парике напудренном его бы лицезрели равнодушные потомки на обложке нудного собрания сочинений.

Подводило только поведение, а точнее выражаясь — благонравие. То есть тот таинственный и неясно очерченный, но весьма злокозненный предмет преткновения многих талантливых людей. Ибо гулял Барков, словно моряк на берегу или монах в коротком отпуске из обители. Второе будет поточней, поскольку он будто наверстывал годы, прожитые в строгой семье и постно-пресной духовной семинарии. Учинял он пьяные шумные кутежи, а на отеческое увещевание старших отвечал насмешливо и без тени почтения к возрасту. По распоряжению ректора университета бывал наказан неоднократно (то есть попросту секли голубчика), а однажды, как ему показалось, наказали его без вины, чего стерпеть никак было нельзя, это понятно. И понятно, что для храбрости он выпил и отправился бить морду не кому-нибудь, а ректору университета. И наплевать ему было, грубияну, что это не простой был ректор, а большой ученый и географ Крашенинников, еще ботаник и неустрашимый путешественник, соратник Ломоносова по очищению русской науки от иностранцев (да-да, это давно в России началось, только тогда евреями были немцы).

Уже исполнилось наглому студенту девятнадцать лет, и лопнуло терпение наставников. После учинения публичной порки его хотели сдать в матросы, но очень был, видать, талантлив юноша — назначили ему иную кару. Из университета, разумеется, отчислили, перевели наборщиком в университетскую типографию, но... с правом посещать занятия французским, русским и английским языками. Все-таки явно хорошими людьми были его учителя: ведь выгони они его на улицу, по вовсе скользкой бы дороге он пошел и быстро бы погиб наверняка: жестокая была эпоха на дворе и климат жесткий.

А еще он проявил себя способным копиистом, что весьма ценилось в то время, и к работе этой его тоже привлекли. Переписывал он рукописи Ломоносова, перебелял старинные исторические тексты и очень в этом качестве ценим был. И начальство академической канцелярии только вздыхало тяжело, когда время от времени приходилось разыскивать служивого Баркова с помощью полиции, уже знавшей, где его искать, ибо к местам загула проявлял поэт завидную верность.

А еще он переводчиком был превосходным, этот находчиво-дерзкий и запойный молодой человек, и работал с тем же азартом, что кутил. Можно с уверенностью утверждать, что было у него полным-полно друзей, а врагов — ничуть не меньше, ибо шутил наотмашь и без жалости, но был надежен и предан, излучал тепло и обаяние. Только дружил он (к нашему и всех потомков сожалению) с теми людьми, которые мемуаров не оставляют. Все, кто писал о нем по свежим впечатлениям, воздавали ему должное, но непременно выражали сдержанное, чуть высокомерное сожаление о пагубности избранной им порочной стези. Вот что писал, к примеру, достопочтенный Карамзин: «У всякого свой талант. Барков родился, конечно, с дарованием, но должно заметить, что сей род остроумия не ведет к той славе, которая бывает целью и наградою истинного поэта».

Ах, как порою близоруко благонравие приличных классиков! Хорошо, что сидевший в Пушкине собственный бес (не случайно сюда всю его жизнь прилетала десятая муза) помог поэту по достоинству оценить своего забубенного покойного собрата.

А Барков переводил и писал. Переводил, чтобы кормиться, а писал, чтоб жить и дышать. Он переводил сатиры Горация и басни Федра, нравоучительные (о благонравии!) двустишия некоего Дионисия Катона, снабжал переводы тщательными комментариями, и литературно эти переводы были на предельной для его времени высоте.

Разумеется, не обходилось без казусов, очень куражист был этот поэт на жаловании. Сохранилась одна доподлинная (среди тьмы недостоверных) история, как получил он в академии для перевода какую-то бесценную старинного издания книгу и долго-долго не приносил ее обратно. А на вопрос начальства каждый раз преданно и честно отвечал, что книжка неуклонно переводится. Когда терпение начальства лопнуло, Барков глумливо пояснил, что он не врал, и книжка переводится действительно: из кабака в кабак в качестве залога за выпитое. Более того, сказал Барков, он даже заботился, чтобы она переводилась как можно быстрее.

А для души и для друзей писал Барков непрерывно. Оды и элегии, поэмы и басни, эпиграммы и притчи, загадки в стихах и поздравительные мадригалы. Все это запоминалось, переписывалось, искажалось и непрестанно цитировалось. Только о печати даже не заикался никто.

Спустя сто лет издали сборник переводов Баркова, и давно умершие эти тексты (вовсе другим уже был в России литературный язык) предварили предисловием-надгробием. Это литература печатная, цензурная и благопристойная пыталась — не в первый уже раз — похоронить литературу непечатную, списочную и возмутительно живучую. Писалось так:

«Едва ли найдется в истории литературы пример такого полного падения, нравственного и литературного, — какое представляет И. С. Барков, один из даровитейших современников Ломоносова... В них (его произведениях) нет ни художественных, ни философских претензий. Это просто кабацкое сквернословие, сплетенное в стихи: сквернословие для сквернословия. Это хвастовство цинизма своей грязью».

Вдруг подумал я, пока перепечатывал, что глупо полемизировать с этой ханжеской и гнусной чушью, но пускай она все равно останется здесь, ибо забавно убедиться, что и спустя сто лет не в силах были вдумчивые российские коллеги ни понять Баркова, ни обрести великодушие, пристойное потомкам. Так что на советскую цензуру пенять нечего (я рад любой возможности защитить советскую власть от любых облыжных обвинений, ей сполна хватает справедливых).

Меж тем уволился от академической кормушки тридцатичетырехлетний переводчик Барков и на два года сгинул бесследно. А те, кто в это время составлял ему компанию, не писали, повторяю, мемуаров, да и не все они, опасаюсь, писать умели.

А умер он через два года, это известно с достоверностью. В очень достойном для художника возрасте умер, тут ему соседствуют и Рафаэль, и Пушкин с Моцартом, и Хлебников, и Байрон.

Рукописи не осталось ни единой. Только списки, сделанные почитателями. По счастью, несколько из них до нас дошли. В них гениталии гуляют сами по себе, вступая то в беседы, то в дебаты. В них иная, нежели в научных трудах — и куда более правдоподобная — философия истории человечества, поскольку ясно, от чего зависят все поступки, связи и события. В них гогочет, ржет и наслаждается человеческая неуемная плоть, круто празднуя свое существование. И уже нескладный нашему уху стих восемнадцатого века слышится законсервированно, как фольклор, которому излишне имя автора.

Тем более что имя витает самостоятельно и не нуждается в сопутствующих текстах.

В Израиле сбываются мечты — притом заветные, глубинные и потаенные, когда-то загнанные сознанием в подполье из-за очевидной их несбыточности. Словно земля эта и воздух извлекают из нас нечто, давно уже от самих себя предусмотрительно спрятанное. Как тот инопланетный океан в романе Станислава Лема «Солярис». От этого, быть может, здесь такое количество разводов: подавленная давняя мечта освободить себя от оказавшихся докучными семейных уз внезапно оборачивается тут возможной явью. Стоит присмотреться, и моя гипотеза вам не покажется безумной чушью. А со мною лично тут история произошла простая.

Когда в школе я учился, то последние три года посещал с усердием и страстью кружок художественной самодеятельности. Ставили мы там какие-то паскудные и стыдные спектакли, но напомню, что еще стояла на дворе ныне забытая эпоха раздельного обучения, поэтому в кружке этом я жадно дышал озоном не только театрального искусства. А в институте я участвовал в студенческих капустниках и вскоре обнаружил, что в пьяных застольях весьма поощряется завывание различных стишков, которые к тому времени я знал километрами. И вот однажды (почему-то помню, как сейчас) застенчиво спросил я у своего ближайшего друга, не кажется ли ему, что я могу стать чтецом-декламатором и свой репертуар завывать со сцены. Ближайший друг так дико посмотрел на меня, что я вопроса этого уже вовек и никому не задавал. Но знаю точно, что мечта такая завелась тогда во мне и поселилась в тайных душевных закоулках.

В Израиль приехав, обнаружил я, что сотни тут живут читателей моих стишков, но кроме удивления (смущения отчасти), ничего такое открытие во мне не пробудило. А земля эта присматривалась исподволь ко мне, копалась в тайниках моих, мне самому давно уж недоступных, и внезапно сделался я записным чтецом-выступателем, завывая собственные стишки. Не сетую отнюдь, что затаенная на тридцать лет мечта сбылась так неожиданно и полновесно, но я столкнулся, вылезши на сцену, с темой всей вышенаписанной главы.

Ибо со сцены глядя в зал, то тишиной его, то смехом наслаждаясь, я увидел, начиная с самых первых выступлений, негодующие, растерянные, недоуменные, глухо замкнувшиеся лица. О рассерженных покачиваниях головой и гневных переглядках нечего и говорить. Читатели мои представить не могли себе, что лексику, присущую стишкам, я вынесу на сцену. Которая для них была — всегда и вне сомнений — храмом и святилищем благопристойности. Столкнувшись с этим, я немало растерялся. И естественно, был вынужден задуматься. И зрителей терять не хотелось, и от стишков, давно любимых, было бы низкой подлостью отказаться.

Тут я и придумал предисловие. На голубом глазу я с самого начала упреждал почтенных слушателей, что встречается в моих стишках неформальная лексика. И осенял себя немедля тенью знатока русской словесности Юрия Олеши. Он действительно как-то сказал, что много читал смешного, но никогда не встретил ничего смешнее, чем написанное печатными буквами слово «жопа». Улавливая первый смех, я понимал, что анестезия действует. Чувствительная корка пакостного благоприличия таяла в слушателях прямо на глазах. Не буду долго размусоливать причин ее в нас появления и затвердения, но что она тонка и человек на воле с легкостью и облегчением лишается ее — могу свидетельствовать всем своим сценическим опытом. Чуть позже мой набор успокоительных словес обогатился дивной фразой знаменитого лингвиста Бодуэна де Куртене (благословенна будь его память, он мне очень помог жить). Этот академик сказал весомо и кратко: «Жопа — не менее красивое слово, чем генерал, все зависит от употребления».

Чуть позже я сообразил (по лицам вычислил, верней, и угадал), что закавыка — не только в ханжеском целомудрии, привитом нам в детстве, что есть люди, у которых огорчение от неформальной лексики имеет очень сокровенные причины. Условно я назвал бы их людьми с богатым воображением. Услышав мало принятое слово, эти люди живо и непроизвольно видят мысленно за ним предмет или процесс и вполне искренне конфузятся. Мне как-то рассказали про домработницу одного известного артиста, коя почитала неприличным слово «яйца» — думаю, что в силу вышеназванной причины. Возвращаясь с рынка и давая хозяйке отчет о купленном, она перечисляла овощи, мясо, рыбу, молоко, а после, густо покраснев, негромко добавляла: «И два десятка их» — и даже слово «их» звучало в ее устах слегка неприлично. После я прочел где-то о некоем майоре, который выстроил свое подразделение, чтобы с упреком им сказать:

— Вот вы сейчас матом ругаетесь, а после этими же руками хлеб есть будете!

Еще я сомневался в правильности своего психологического открытия, как подоспело подтверждение. В американском городе одном подошла ко мне женщина и сказала, что целиком согласна, такое богатство воображения — факт, а не гипотеза, и она готова это подтвердить случаем из собственной жизни.

Она сидела как-то в очень интеллигентной компании, и очень-очень интеллигентная дама величественно сказала ей:

— Передайте мне, пожалуйста, хрон.

— Хрен, что ли? — легкомысленно переспросила рассказчица.

У густо покрасневшей дамы восхищенно блеснули глаза, и она с явной завистью спросила:

— Вы это слово прямо так и произносите?

А что касается ревнителей чистоты российского слога, то сквозь их упреки проступает порой сокровенное их мировоззрение, и легкий пробегает у меня по коже холодок. Один такой ревнитель позвонил моей приятельнице и с возмущением сказал:

— Ты понимаешь, Губерман все называет своими именами, он запросто произносит названия мужских половых органов и даже не брезгует женскими!

Этот глагол — «брезгует» — настолько много говорит о ревнителе, что только жалость испытал я к искалеченному человеку.

Но коротко пора сказать о главном, для чего затеял я все окончание этой главы. Оттаявшие, ханжеской коры лишившиеся люди — несравненно лучше слушают стихи, гораздо тоньше реагируют на слово; ощутимо повисает в воздухе аура тесного взаимного общения, и через два часа работы не усталость, а подъем и силы чувствуешь. Как будто муза вольного дыхания, незримо в зале побывав, с тобою благодарно поделилась избытком собственной добычи.

ПРАВЕДНОЕ ВДОХНОВЕНИЕ ЖУЛИКА

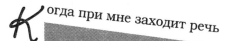

Когда при мне заходит речь

о творческом экстазе и загадочности всяких озарений, я молчу, хотя однажды остро и сполна познал такое состояние. А молчу я, потому что краткие минуты эти был я гениальным мошенником. Зато теперь я знаю, что возможно чудо: человек сам с изумлением слушает себя, ибо такое говорит, что не готовил вовсе, не задумывал, и непонятно самому, откуда что взялось. Пушкин, очевидно, был в таком состоянии, когда восторженно воскликнул (кажется, «Бориса Годунова» завершив): «Ай да Пушкин, ай да сукин сын!» Со мною, повторяю, это было лишь единожды и связано с мошенничеством — увы. А было так.

Ходил ко мне время от времени в Москве один типичнейший еврейский неудачник и слегка шлимазл (что по-русски, как известно, мишугенер) некий Илья Львович. Я не буду называть его фамилию, а имя тоже выдумано, поскольку вся история подлинна и полностью достоверна. Он сочинял когда-то музыку и подавал надежды, но жена рожала и болела, прокормить семью не удавалось, и ради супа с хлебом он пошел в фотографы, где и застрял. Лишь изредка играл на пригородных свадьбах, и более ничто не связывало его с музыкой. И внешне был он этакий растяпа-размазня (еще есть слово цудрейтер, и само обилие на идише подобных ярлыков для человека не от мира сего свидетельствует о распространенности таких чуть свихнутых евреев; я все эти слова слыхал, естественно, от бабушки — в свой адрес).

Очевидно, людям полноценным (следует читать это в кавычках) прямо-таки до смерти хотелось обмануть его или обидеть. Был он добр, доверчив и распахнуто-душевен. Изредка еще он зарабатывал, перепродавая какие-нибудь мелочи, но подвести его, надуть, недоплатить такому вечно норовили все, с кем он вступал в свои некрупные торговые отношения. Порой он заходил ко мне, деликатно выкуривал папиросу, испуганно и вежливо отказывался от чая и опять надолго исчезал. А собираясь появиться, предварительно звонил и спрашивал, не помешает ли, минут на десять забежав. И дольше не засиживался никогда. Полное одутловатое лицо его было всегда помятым и бледным, а подслеповатые глаза смотрели так, будто он хочет извиниться за само существование свое.

Однажды он вдруг появился без звонка. В прихожей туфли снял, хоть вовсе не было заведено такое в нашем доме, застенчиво и боком, как всегда, прошел в мою комнату, сел на диван и снял очки, чтоб протереть их. Тут и увидел я, что нечто с ним произошло, точней — стряслось, кошмарное было лицо у Ильи Львовича. Куда-то делась мятая округлая полнота, желтая кожа с синими прожилками туго обтягивала кости черепа, и дико выделялись мутные тоскливые глаза.

— Что с вами случилось, Илья Львович? — участливо спросил я. Он был всегда мне очень симпатичен.

— Честно сказать, я забежал, чтоб с вами попрощаться, — медленно ответил он и вымученно улыбнулся. — Вы были так добры ко мне и, кажется, — единственный, кто принимал меня как человека, я просто не мог не проститься с вами. Я сегодня вечером покончу с собой и уже все приготовил.

Случившееся с ним он рассказал мне сбивчиво, но внятно. Появился некий человек, попросивший его найти клиентов, чтобы продать золото, украденное где-то на прииске. Непреходящее желание подзаработать редко утолялось у Ильи Львовича, а тут удача плыла в руки сама, и было глупо отказаться. Проницательностью он не обладал никогда, а что однажды повезет — годами верил истово и страстно. И вот везение явилось. Он мигом разыскал компанию лихих людей, принес им пять горошин (подтвердилось золото) и получил от них двенадцать тысяч на покупку чуть не двух килограммов — всего, что было. Огромные по тем временам деньги составляла эта сумма, но и золото им доставалось баснословно дешево. Когда б оно и вправду было золотом. Но оказалась эта куча — чистой медью. Золотом были только те начальные подманные горошины. Продавец уже исчез, естественно. А брат его, к которому водил он Илью Львовича (и потому все выглядело так надежно), оказался нищим алкоголиком, приученным для этой цели к слову «брат» и ничего не знавшим о человеке, на неделю попросившем у него приюта и поившем его это время. Компания потребовала деньги им вернуть. Такую сумму лет за десять мог бы Илья Львович накопить, но если бы не пил, не ел и не было семьи. Крутые люди ничего и слышать не хотели. Испугался Илья Львович за детей (а про детей ему и было сказано открытым текстом) и почел за лучший выход самому из этой жизни уйти, прервав все счеты таким образом и все веревки разрубив. Даже узнал уже, что хоть и нищенская, но будет его жене и детям полагаться пенсия в случае потери кормильца.

Он очень спокойно это рассказал, не жалуясь ничуть, уже все чувства в нем перегорели.

Не был никогда я филантропом, да и деньги сроду не водились у меня такие, но как-то машинально я пробормотал:

— Нельзя так, Илья Львович, так нельзя, чтоб из-за денег уходить из жизни. Отсрочки надо попросить у этой шайки, где-нибудь достанем деньги.

В сущности, сболтнул я эти вялые слова надежды, но невообразимое случилось изменение с лицом Ильи Львовича. На кости стала возвращаться плоть, исчезли мертвенные синие прожилки — почти что прежним сделалось его лицо. И так смотрел он на меня, что не было уже пути мне отступать.

Дня через три достал я эти деньги. Мне их дал один приятель, деловой и процветающий подпольный человек. Он дал их мне на год с условием, что если я не раздобуду эту сумму, то коллекция моя (а я уже лет десять собирал иконы и холсты) будет уменьшена по его личному отбору. Он знал, что я его не обману, и я прекрасно это знал. И я угрюмо это изредка припоминал, но не было идей, а на пропавшего немедля Илью Львовича (он клятвенно и со слезами заверял, что в лепешку разобьется) не было надежды никакой.

А параллельно тут иная шла история. Ко мне давным-давно повадилась ходить одна премерзкая супружеская пара. Их как-то раз привел один знакомый (с ними в дальнем находился он родстве), потом уехал он, а этих было неудобно выгонять, и раз месяца в два они являлись ненадолго. Я даже не помню, как их звали, потому что мы с женой между собой не называли их иначе как лиса Алиса и кот Базилио. И внешне чуть они напоминали двух этих гнусных героев знаменитой сказки, а душевно были точным их подобием. Жадность и алчность были главными чертами их нехитрого душевного устройства. Уже давно все близкие уехали у них, они остались, не имея сил расстаться с некогда украденными (где-то он начальником работал) крупными деньгами. И ко мне они ходили, чтоб разнюхать, не удастся ли чего-нибудь приобрести у моих бесчисленных приятелей. Купить по случаю отъезда редкую и много стоящую картину, например, и за бесценок, разумеется, ввиду отъездной спешки. Прямо на таможне, по их глухим намекам, завелась у них надежная рука, а после вообще летал туда-сюда знакомый кто-то и совсем немного брал за перевоз. Но так как суетились они с раннего утра до поздней ночи, а при случае с охотой приумножали свой капитал, то и сидели, как мартышка, которая набрала в кувшине горсть орехов, но вынуть руку не могла, а часть орехов выпустить была не в силах. А еще, держа меня за идиота полного (ведь я бесплатно их знакомил с нужными людьми), но человека в некотором смысле ученого, они со мной и консультировались часто. Благодаря коту Базилио однажды я держал в руках скрипку с маленькой биркой «Страдивари» внутри и соответствующим годом изготовления. От дерева этого, от ярлыка и от футляра такой подлинностью веяло, что у меня дух захватило. И еще одно я чувство свое помню: боль угрюмую, что эта нежность воплощенная в такие руки попадает. Вслух я только долгое и восхищенное проговорил «вот это да!», на что Базилио не без надменности заметил:

— Вот потому старик в Малаховке и просит за нее пятьсот рублей.

Я отыскал им сведущего человека (он за консультацию взял с них такую же сумму), только пара эта, алчность превозмочь не в силах, кому-то продала бесценную свою находку, ибо для них немедленный доход имел верховный смысл.

И живопись они ко мне таскали, закупая все подряд, и я злорадствовал не раз, когда они показывали мне закупленную ими дребедень. И все не поднималась у меня рука им отказать от дома, лень моя была сильней брезгливости. Ходили они редко и сидели крайне коротко: всегда спешили.

И тут явились они вдруг. Не спрашивали, как обычно, кто из моих знакомых уезжает и нет ли у него чего, не хвастались удачами своими, а совсем наоборот: спросили, не хочу ли я кого-нибудь из близких друзей облагодетельствовать уникальным бриллиантом. Показать? И из какой-то глубочайшей глубины лиса Алиса вытащила камень.

— Мы уже почти собрались, — пояснила мне Алиса, — и только поэтому камень стоит баснословно дешево...

— Бесплатно, в сущности, — встрял Базилио.

— И мы хотим, — кокетливо сказала Алиса, — чтобы он достался вашему хорошему другу, и он вам будет благодарен, как мы вам благодарны за всю вашу помощь.

— А если хотите, то купите сами, — снова встрял Базилио. — Да вы, наверно, не потянете, хоть мы его задаром отдаем. Почти что.

Кроме того, что понимаю я в камнях, как воробей — в политике, еще передо мной стояло неотступно некое предельно пакостное зрелище. Всплыло, верней, при виде камня. Как-то давным-давно случайно попал я в Алмазный фонд и, шатаясь праздно вдоль витрин, набрел на удивительный экспонат. Выставлен был на специальной подставке вроде тонкого подсвечника исторически известный бриллиант по кличке «Шах». Когда-то Персия им откупилась от России за убийство Грибоедова. Так вот, в самом низу этой подставки, чтобы посетитель сразу вспомнил, стояла маленькая фотография последнего портрета Грибоедова. И вздрогнул я, ее увидев. Посмотрите, как бы говорил экспонат, за что была уплачена такая ценность, не зря погиб известный человек, совсем не зря.

Ну, словом, я алмазы не люблю. И денег отродясь у меня не было таких, и ни к чему он, если б даже были. Но лиса Алиса и кот Базилио так превозносили этот камень и ахали, перечисляя некие неведомые мне его породистые достоинства, так убивались, что должны его отдать по бросовой цене, что я не выдержал и позвонил приятелю, который жил неподалеку. Это был тот крутой парень, согласившийся выручить Илью Львовича; чем черт не шутит, подумал я, а вдруг это и в самом деле может оказаться некой формой благодарности.

Очень быстро он ко мне приехал, очень коротко на этот камень глянул и немедля отказался, к моему молчаливому удивлению сославшись на отсутствие свободных денег. И кофе отказался пить, поднялся сразу. А обычно мы неторопливо пили кофе, обсуждая разные его прекрасные темные дела (мы были много лет уже знакомы). Я вышел проводить его и извиниться, что позвал напрасно.

— Что за люди у тебя сидят? — спросил он сумрачно.

— Дерьмо, — ответил я жизнерадостно. — Но это родственники — помнишь его? (я назвал имя) — вы у меня однажды вместе выпивали.

— Помню, — медленно сказал приятель. — Понимаешь, это же подделка, а не бриллиант. Фальшак это. Искусственный алмаз. Фианит он называется. Но как они тебя так подставляют? Ну хорошо, что ты меня позвал, а если незнакомого кого? Да если бы еще с их слов наплел ту чушь, что я сейчас услышал? Ты просто какой-то сдвинутый, честное слово.

— Что такое фианит? — спросил я.

— Физический институт Академии наук, — сказал приятель. — Это искусственный камень, там такие лепят как хотят, и всем они известны. Их употребляют в промышленности.

— А они это могли не знать? — спросил я, все еще надеясь на человечество.

— Нет, — решительно сказал приятель. — Нет, они этого не знать не могут. Они явно разбираются в камнях.

И я отлично знал, что разбираются они в камнях.

— Они решили спекульнуть твоей репутацией и какому-нибудь лоху на твоем имени подсунуть, — пояснил приятель, усмехнувшись. — Только как они потом тебе в глаза посмотрят?

— Уезжают они, — глухо сказал я.

— Так не на Луну же, — возразил мне профессионал.

— Извини, — сказал я торопливо, — я тебе потом перезвоню.

Уже не злость и не растерянность я ощущал, а легкость и подъем душевный: знал, где достану деньги для возврата приятелю. Как именно — еще не знал, но чувствовал свирепую уверенность.

Я заварил нам чай и возвратился в комнату. Спокойно и доброжелательно смотрели на меня глаза этой супружеской пары.

— Может быть, вы знаете кого-нибудь еще, кто в состоянии купить такой прекрасный камень? — спросил Базилио.

Я отхлебнул большой глоток, обжегся чуть и вдруг заговорил. И с удивлением слушал собственные слова. Именно слушал, ибо осознавал я только то, что уже было произнесено, слова лились из меня сами.

Этот мой приятель близкий, говорил я, больше в бриллианты не играет, он переключился на другую, совершенно уникальную игру.

Их хищное внимание не только подстегнуло вдохновение, сейчас пылавшее во мне, еще явилось чувство рыбака, спокойно тянущего вдруг напрягшуюся леску.

Все деловые люди нынче, слышал я себя, играют только в мумие — и голос мой сошел к интимно-доверительному тону.

— Мумие? — спросила (тоже полушепотом) лиса Алиса. — Это какая-то лечебная смола?

Я знал об этом еще меньше, но откуда-то, оказывается, знал. Смола, кивнул я головой солидно и авторитетно, только неизвестного происхождения. Уже побольше трех тысячелетий знают все о ней из древних трактатов, лишь высоко в горах находят эти черные потоки с резким запахом, и невероятное количество болезней поддается этому веществу. Но то ли это испражнения каких-то древних птиц, то ли результат разложения на воздухе нефти — до сих пор не выяснил никто. А может быть, это особым образом сгнившая растительность древнейших времен, и как-то это связано с бальзамом, которым египтяне мумифицировали фараонов.

«Господи, откуда это мне известно?» — думал я почти на каждой фразе, продолжая вдохновенно говорить о залежах птичьего гуано в Чили, что оно, мол, не успело перегнить, и то уже творит чудеса. О том, что эти черные потоки назывались соком скал и кровью гор, и есть идея у ученых, что это вообще гигантские скопления пыльцы растений, заносимой в скалы ветром и смешавшейся там с птичьим пометом и подпочвенной водой, несущей нефть. Всего не помню. Но не исключаю, что среди наболтанного мной и свежая научная гипотеза могла спокойно затесаться.

Из-за его целебных свойств, говорил я, к нему сейчас вновь обратилась мировая медицина, а единственный источник подлинного мумие — Средняя Азия, где оно есть в горах Памира и Тянь-Шаня.

— И что же? — хором выдохнули кот с лисой свой главный вопрос. И я его, конечно, понял. И объяснил, что продается оно здесь по десять тысяч за килограмм, а в Америке та же цифра, но уже в долларах. А может быть, и в фунтах.

— В фунтах — это вдвое больше, — хрипло вставил кот Базилио.

— Конечно, — сказал я. — В английских фунтах это вдвое больше. Вот мой приятель и ухлопал все, что накопил, на мумие. А упакован был — не сосчитать. И мне пообещал купить килограмм, через неделю привезет.

— Покажете? — ласково спросила Алиса. И я пообещал, мельком подумав, что говорю чистую правду.

— А нам нельзя достать? — Алиса взглядом и улыбкой исторгнула такую ко мне любовь, что я вздрогнул от омерзения.

— Нет, к сожалению, — ответил я и с ужасом подумал: что же я несу? Но вдохновение не проходило.

— Нет, — повторил я, — он только по старой дружбе согласился. Мумие ведь собирают в недоступных человеку ущельях, потому там и селились древние птицы. Вам надо сыскать какого-то бывалого мужика, который много ездил в тех краях и знает местное население. Ведь мумие сейчас опасно собирать: милиция их ловит посильнее, чем торговцев наркотиками — чтоб этакие ценности не уплывали за границу. А государство само плохо собирает — кому охота за казенные копейки жизнью рисковать? Так мумие и лежит зря, только охраняется от частного собирательства. Ни себе, ни людям.

— Собаки на сене! — гневно выдохнула Алиса. Базилио возмущенно пожевал мясистым ртом.

— Нет времени искать, мы скоро едем, — горестно сказал он и глянул на меня в немой надежде. — Может быть, уступите свое по старой дружбе? Он ведь вам еще достанет.

— А знаете, кого вы можете сыскать? — задумчиво ответил я. — Вы помните Илью Львовича? Он вам когда-то что-то покупал по случаю. Он в тех краях бывал ведь очень много, для геологов делал какие-то снимки. Я уже года два его не видел. У вас нету, кстати, его телефона?

— Мы его не знали толком, он уже и умер, наверно, даже не прикину, где его искать, и телефона не было у него, — ответил Базилио так быстро, что я снова ощутил туго натянутую леску. Хотя, видит Бог, еще не понимал я, что за замысел созрел во мне и вот выходит из меня обрывками.

Лиса и кот сердечно попрощались, торопливости своей почти не тая.

Я покурил и позвонил пропавшему Илье Львовичу. Ехать к нему было лень, да говорить мне ничего особенного и не предстояло.

— Илья Львович, — сказал я, — есть возможность вернуть наш долг.

Он недоверчиво промолчал. ,

— Вы много лет уже отдали фотографии, — размеренно продолжил я. — Вираж-фиксажи всякие, проявители-закрепители, сплошная химия, не правда ли? Вы Менделеев, Илья Львович, вы Бородин, тем более что он был тоже музыкантом.

— Ну? — ответил Илья Львович.

— Сядьте и сварите мумие, — сказал я буднично. — Это такая черная смолообразная масса. Придумайте сами, из чего ее лучше сделать. Твердая и блестящая на сломе. Впрочем, я ее в глаза не видел. И чтобы было килограмма полтора. Нет, лучше два куска: один пусть весит килограмм, а второй — полтора. И привезите оба их ко мне.

— Вы здоровы? — осторожно спросил Илья Львович.

— Как никогда, — ответил я. — Но только помните, что мумие — это помет древних птиц. Или ка-

471

кой-то родственник нефти. Тут гипотезы расходятся, так что пускай оно чем-нибудь пахнет. Не важно чем, но сильно. И еще. К вам не сегодня завтра, а всего скорее через час приедут лиса Алиса и кот Базилио.

— Препакостная пара, — вставил Илья Львович.

— Да, это так, — охотно согласился я. — Они вас будут умолять немедленно лететь куда-то на Памир или Тянь-Шань и там сыскать кого-нибудь, кто носит мумие из недоступных человеку горных ущелий.

— Что, и они сошли с ума? — опять спросил меня бедный Илья Львович.

— Они вам дадут деньги на самолет, — продолжал я холодно и монотонно,— так что дня четыре вы поживете где-нибудь не дома. Вы скажете им, что это трудно, но возможно и что вы уже догадываетесь смутно, к кому можно обратиться где-нибудь во Фрунзе.

— Но Тянь-Шань — это совсем не там, — машинально возразил бывалый Илья Львович.

— Город вы сообразите сами, я в географии не силен, — ответил я. — За это время вы должны мне привезти два куска этого самого чистейшего мумие. Или оно склоняется? Тогда мумия.

— Безумие, — сказал мне Илья Львович. — Авантюра. Чушь какая-то. Вы до сих пор еще мальчишка.

Он говорил это так медленно и отрешенно, что было ясно: он уже обдумывал рецепт.

А вечером в тот день он позвонил мне сам.

— Уже изобрели? — обрадовался я.

— Я улетаю в Душанбе, — сказал он мне. — Они таки сошли с ума. Они пообещали мне бог знает что, а Алиса поцеловала меня. Они сами отвезли меня в кассу и купили мне билет. И дали деньги на обратную дорогу. И на мумие дали задаток, остальное вышлют телеграфом. И немного на еду. А на гостиницу не дали, Базилио сказал, что там достаточно тепло.

— И правильно, переночуйте на скамейке, — согласился я. — Теперь сдайте билет обратно в кассу и варите мумие. Вы давно с ними расстались?

— Нет, недавно. — Голос Ильи Львовича был бодр и деловит. — Билет я уже сдал, вы думаете, я такой уже растяпа? В такую даль чтоб я тащился, как вам нравится? И деньги теперь есть на химикаты.

— Жду вас и желаю творческой удачи, — попрощался я.

Он появился через день. «Везу!» — сказал он гордо, когда звонил, удобно ли приехать. Гладкие и круглые, похожие по форме на сыр, куски темно-сизой, почти черной массы внизу имели явный отпечаток больших мисок, в которых были сварены. Я молотком немедленно лишил их всех кухонных очертаний.

— Это асфальтовая смола, которой покрывают дороги, — пояснил мне с гордостью творца повеселевший Илья Львович. — Это перемолотый на мясорубке чернослив, головка чеснока, столярный клей, жидкость для очистки стекол и проявитель. Я понимаю, что сюда бы хорошо еще кусок дерьма, но я боялся, что придется пробовать. Так что же вы задумали, что? Я эту гадость продавать не буду. Даже им.

— Я б никогда вас не толкнул на жульнический путь, — с достоинством ответил я.

Ибо мой замысел уже дозрел во мне до осознания.

Спустя еще два дня Илья Львович позвонил коту Базилио и сообщил, что возвратился он пустой, но ему твердо обещали и еще дней через несколько все будет хорошо. И снова позвонил через пять дней — сказал, что все в порядке, завтра в десять пусть они придут к консерватории, прямехонько к сидящему Чайковскому, у памятника он их будет ждать.

— Что я должен с ними делать? — спросил он меня по телефону. — Вы со мной играете, как с маленьким ребенком, я волнуюсь, я имею право знать.

— Там будет замечательно, — ответил я, — и не ломайте себе голову напрасно.

Накануне вечером я попросил одного моего друга быть у меня завтра ровно в девять и иметь в запасе часа два.

— И умоляю тебя, ты не пей сегодня, — попросил я, потому что знал его много лет. — Ты завтра должен быть, как стеклышко, в твоих руках будут возмездие и справедливость.

— Боюсь не удержать, — ответил друг, ничуть не удивившись.

Но привычке уступил и напился. Отчего ко мне пришел слегка смущенный и в роскошных солнечных очках, чтоб от стыда меня не очень видеть. Я его не упрекал. Я волновался, как Наполеон перед заведомо победоносной битвой.

— Вот тебе кусок мумия, — буднично объяснил я. — Ты геолог и живешь в палатках на Памире. Дух романтики и поиска обвевает твою лысую голову. Давний знакомый Ильи Львовича, твой коллега — имя придумай сам, а Илья Львович его вспомнит, — попросил тебя продать в Москве этот кусок бесценного вещества с памирских гор. Сам ты в Москве по случаю, а вот зачем... — тут я замялся на секунду.

— Как это зачем? — обиженно спросил мой друг. — Я хочу купить автомашину «Волга». Я же полевой геолог, у меня денег куры не клюют.

Я был в восторге от такого варианта.

— Смотри только, не проси этих двоих, чтобы они тебе помогли достать машину, — предупредил я. — Опомниться не успеешь, как уплатишь полную ее стоимость и получишь старый подростковый велосипед.

— Есть вопрос, — сказал памирский геолог. — Как я узнаю твоего Илью Львовича, если никогда его не видел?

— Ты его и знать не должен, ты посланец, подойдешь и спросишь, — объяснил я снисходительно. — Не много будет у Чайковского с утра стоять отдельных групп из трех человек каждая.

Но внешность Ильи Львовича я все же описал.

— Слушай, классический преступник, — восхитился мой друг, — ни одной особой приметы!

— Положи кусок в портфель и помни его стоимость, — сказал я строго.

Накануне днем звонила мне лиса Алиса, пела, как они соскучились, и попросила, чтобы я сегодня после десяти утра был с часик дома, чтоб они могли заехать. Буду рад, сердечно ответил я.

Звонок в дверь раздался одновременно с телефонным. Жестом пригласив Алису снять пальто (Базилио был только в легкой куртке, он на дело вышел), я взял трубку.

— Старик! — Мой друг геолог явно был неподалеку. — Они оставили меня в машине рядом с твоим домом и смылись вместе с добычей, а твой Илья Львович дрожит мелкой дрожью и шепотом домогается, откуда я взялся. Он не в курсе, что ли? Они у тебя?

— Спасибо, доктор, — ответил я ему. — Спасибо, что вы так заботливы ко мне. Все у меня в порядке, я себя прекрасно чувствую. Извините, тут ко мне пришли. Буду рад вас видеть, когда вы найдете время.

Гости мои явно торопились.

— Вам уже привезли ваше мумие? — отрывисто спросила лиса Алиса.

— Да, — ответил я растерянно и недоуменно. — А откуда вы знаете, что я себе купил мумие?

— Разведка знает все, — ответил кот Базилио. И снисходительно добавил: — Вы же нам рассказывали сами. Можно посмотреть?

И только тут (наверно, шахматисты знают радость хода, продиктованного подсознательным расчетом и сполна осознанного много позже) я вдруг сообразил, зачем держал этот второй кусок. И снова молча подивился тайнам нашего устройства.

Я вытащил из ящика стола свое сокровище. И тут же жестом фокусника кот Базилио мгновенно вынул из портфеля свой кусок. И тут я с ужасом заметил, что завернут он в газету с карандашным номером нашей квартиры в уголке — пометка почтальона, чтоб не спутать. Я оцепенел, обмяк, и предвкушение удачи испарилось из меня.

— Тоже купили? — тускло спросил я. Но Базилио, не отвечая, хищно и пристально сравнивал качество изделий.

— Похожи! — торжествующе воскликнул он.

— Нет, ваш, по-моему, древней, — пробормотал я.

— А чем древней, тем лучше, правда же? — радостно спросила Алиса. Она вообще обожала процесс любого приобретения.

— Конечно, — сказал я, уже держа в руках накрепко смятую газету. — Положите только сразу в этот целлофановый пакет, чтоб не выветривались летучие вещества. И вот еще веревочка, перевяжите.

— Вы десять тысяч заплатили? — спросил Базилио, прикидывая на руках вес обоих кусков.

— Килограмм, — ответил я. Упругость медленно в меня возвращалась.

— А как вы думаете, торговаться стоит? — озабоченно спросил Базилио.

— Торговаться стоит всегда, — грамотно заметил я. — Но они могут вмиг найти кого-нибудь другого. Ведь американцы пользуются мумием в каких-то военных исследованиях, так что оторвут с руками.

— Вот там и надо торговаться! — назидательно воскликнула Алиса, горящая от нетерпения приобрести.

Но кот Базилио остался верен себе. И полтора часа я изнывал в ожидании. Лиса Алиса, как потом узнал я, тоже торговалась с яростным азартом, суля заезжему геологу с Памира множество изысканных московских удовольствий и знакомство с очень ценными людьми, включая дам, в любви необычайных. Геолог постепенно уступал. Там было полтора ведь килограмма, а что нужно мне двенадцать тысяч, он отлично знал. На этой сумме обе стороны сошлись и с радостью расстались. А геолог в благодарность за доставку и уступчивость получил на память телефон Алисы и Базилио — там было пять неверных цифр.

И уже вечером я возвратил весь долг, а пили мы на собственные деньги. Ни угрызений совести, ни гордости за вдохновение свое ни капли я не ощущал. Лишь изумление перед устройством человеческого разума еще долго сохранялось у меня.

О, если бы история закончилась на этом! Но жизнь богаче всяких схем, как это издавна известно.

Примерно месяц или полтора спустя (я писал повесть, время уплывало незаметно) заявился ко мне снова Илья Львович. Он как-то затаенно был сконфужен, мялся, бормотал, как он пожизненно мне благодарен, и спросил вдруг, не нуждаюсь ли я в деньгах. Спасибо, нет, ответил я и строго посмотрел на вмиг увядшего соратника по преступлению. Сразу догадался я, в чем дело.

— Мы ведь договорились с вами, Илья Львович, — сказал я мерзким голосом профессионального моралиста, — что вы больше не будете варить мумие.

— Очень хотелось мне купить японскую камеру, — с блудливой виноватостью ответил Илья Львович. — Я ведь только фотографией и зарабатываю, очень хотелось иметь хороший аппарат. И сварил я только полкило.

Он неумело врал и сам почувствовал, что мне это заметно.

— Скажу вам честно, — он внезапно оживился, как человек, стряхнувший с себя скверну лжи, — и я клянусь покойной матерью, сварил я полный килограмм, но продал коту Базилио только полкило, и дело совершенно не в этом, потому я и приехал к вам.

— А в чем же? — сухо спросил я, уже с трудом изображая нравственное негодование.

— Дело в том, — взволнованно сказал Илья Львович, — что жена не верит мне, что я сам придумал мумие, и пользуется им как лекарством. У нее давние неполадки с печенью.

— И помогло? — Я удержал усмешку, что оказалось совершенно правильным.

— Не просто помогло! — вскричал Илья Львович. — Не просто помогло, а полностью исчезли боли!

Из дальнейшего несвязного изложения выяснилось, что его жена уже активно пользовала этим средством родственников и соседей. Результат был очень впечатляющ, а спектр воздействия чудовищно широк: ревматические боли в суставах, застарелый астматический кашель, приступы язвы желудка, аллергические раздражения кожи (об ожогах нечего и говорить), даже кровяное давление (без разницы — повышенное или пониженное) — вмиг и невозвратно исцеляла наша смесь асфальта с черносливом. Уже его жена от родственной благотворительности собиралась перейти к частной практике и требовала новую большую порцию снадобья. Собственно, за этим Илья Львович и приехал — за напутственным благословением на медицинскую стезю. Поскольку нужды военной фармацевтики Америки были, кажется, сполна утолены — Базилио уже не появлялся.

— Если людям помогает, Илья Львович, — рассудительно и медленно говорил я, — то им, конечно же, нельзя отказать. Да вы и не удержитесь против напора своей жены. Но только вот в чем дело, Илья Львович...

Цедя эти слова пустые, лихорадочно пытался я сообразить, чем я могу остановить полившийся поток смолы и страсти.

Что наше средство помогает от болезней, я не очень удивился. Я был начитан о внушении и безотказности воздействия чего угодно, во что больной поверил. Особенно с примесью чуда, тайны и авторитета (знаю, что цитирую Достоевского, но я по медицинской части). Прочитав об этом некогда впервые, помню, как сам безжалостно поставил такой опыт. У меня остался ночевать один приятель, человек впечатлительный и нервный. Несмотря на молодость (давненько это было), он страдал бессонницей и вечером спросил, нет ли чего снотворного в аптечке моей матери — она была на даче в это время. Не моргнув глазом, я сказал, что есть, при этом чрезвычайно эффективное: мы достаем его для матери по блату у врача, который пользует начальников. (Уж очень мне хотелось проверить справедливость только что прочитанного в книге.)

И я принес ему таблетку пургена. Или две, уже не помню точно. И не только как прекрасное снотворное подействовало это сильное слабительное средство, но и не сработало по своему прямому назначению. А когда я рассказал однажды этот случай (разумеется, без имени) одной знакомой, та ничуть не удивилась. Рассказав, в свою очередь, как она вместо таблетки снотворного приняла однажды на ночь оторвавшуюся от бюстгальтера пуговицу (обе в темноте лежали рядом) и самозабвенно проспала всю ночь.

А может быть, тут вовсе не внушение было причиной, а моя праведная злость наделила целебной силой этот кусок асфальтовой смолы?

— Но дело только в том, Илья Львович, — тянул я, уже сообразив, куда мне надо повернуть, — что знахарство уголовно наказуемо и вы вместе с женой на склоне лет влипаете в криминальную на сто процентов ситуацию. А дети как же? Ведь на вас через неделю донесут ваши же благодарные пациенты, и вы сами это знаете прекрасно. Объясните все жене и прекратите немедленно.

И этот довод, кажется, подействовал. Слухи о чудесных исцелениях чуть побурлили по Москве и стихли.

А лиса и кот пришли ко мне еще раз. Прямо от порога принялась меня благодарить лиса Алиса, а потом сказала:

— Мы решили в знак признательности ваше мумие перевезти вместе со своим. И за перевоз с вас денег не возьмем. А как только его там продадим, переведем вам вашу долю.

И я понял, что я вижу их в последний раз.

— Спасибо вам, — сказал я радостно и благодарно. — Я сейчас его достану с антресолей.

И я достал и выдал им этот заслуженный кусок. Им сразу было неудобно уходить, и кот Базилио сказал:

— В Америку мы попадем не скоро, мы в Германию собрались, но вы не сомневайтесь, продавать поедем мы в Америку. И ваше тоже. Если по пути не пропадет, конечно. Знаете, какие сейчас люди.

О, какие сейчас люди, я прекрасно знал и не сомневался, что в дороге пропадет. Расстаться мне хотелось поскорей, и я сказал:

— Спасибо вам большое. Пусть у вас удача будет, и пускай к вам люди так же будут благородно относиться, как вы к ним.

— Это правда, — вздохнула лиса Алиса, и на розовую пудру ее щек скользнули две прозрачные слезы.

С тех пор почти что двадцать лет прошло. Не знаю, живы ли эти прекрасные люди. Но слыша слово «мумие», я усмехаюсь горделиво и сентиментально, а жена моя, чистейший человек, в эти мгновения глядит на меня с горестным укором.

КЛОЧКИ И ОБРЫВКИ

о сих пор я так и не решил:

наша память — это корзина с мусором или ларец драгоценностей? Наверно, никогда и не решу. Поскольку сразу вслед за пылью, шлаком и золой внезапно возникает вдруг история, в которой есть и посегодня смысл, вкус и запах притчи. Поэтому и начинать полезно с сора, зная непреложно, что за этим шумом жизни возникает содержательный звук. А впрочем, шум и сор я тоже не хотел бы походя обидеть: некогда была в них радость, новизна и сочные рассказы за столом.

Так лет пятнадцать провисела в нашем доме люстра — мы ее друзьям отдали, уезжая, и теперь уже они гордятся биографией этого много повидавшего светильника. Мне как-то позвонил приятель и сказал:

— Ведь ты до всякого старинного дерьма охотник? Приезжай.

И я немедленно приехал. А приятель мой начальник был в большой конторе, и она перемещалась в дом на улице Новослободская. Это был дом десятых приблизительно годов начала века, отыскать его и сейчас легко, с ним рядом — замечательно красивый двухэтажный особняк, лет на сорок его старше. Я особняк тот издавна запомнил: у него в торце спускалась прямо со второго этажа уютная лесенка, меня всегда интриговавшая. Не как пожарная она была построена, не кое-как, но почему снаружи дома ее сделали? И все мне было недосуг хоть мельком внутрь дома заглянуть.

А тут и это прояснилось. Оказалось, что в домишке был в начале века процветающий публичный дом. И боковая эта лесенка укромная имела важное назначение, предоставляя тайный выход прямо со второго этажа. И столько там клиентов было, что постепенно стало тесновато. Рядом как раз вырос к тому времени большой доходный дом (куда приятель мой сейчас переезжал со всей конторой). И девушкам купили там по комнате, обставив комнаты нехитрой нужной мебелью, теперь они в особнячок ходили только посидеть, потанцевать и забрать очередного клиента.

Все это рассказала моему приятелю чрезвычайно ветхая старушка, переезжавшая куда-то на окраину в положенную ей взамен то ли квартиру, то ли комнату. Весь свой убогий скарб она с легкостью уместила в два чемодана ее же возраста, а на вопрос, не хочет ли она прихватить с собой почтенного обличия тахту, с непередаваемым чувством ответила доверчиво и тихо:

— Если бы вы знали, как она мне надоела!

И тут приятель мой сообразил, сколько могла бы рассказать эта тахта, и кинулся мне позвонить о ее ровеснице-люстре.

А раз уж о древнейшей сей профессии зашла речь, то вот и современная история. В ней содержание глубокое весьма, поскольку повествуется о неразрывной связи жизни и искусства. Тут у нас в Израиле публичные дома имеют вывеску массажных кабинетов. Горе и позор тому туристу, кто по невежеству туда придет, чтоб медицинский получить массаж: и засмеют, и выгонят, и пальцем вслед покажут, чтобы и улица успела посмеяться над убегающим фраером заезжим. А работают в этих уютных заведениях девицы двух несхожих географий (в основном, конечно): из Марокко жгучие брюнетки и расцветок разных наши россиянки — бывшие и гастролерки. Очень дружно уживаются они, болтают мирно в ожидании клиентов, но из разницы географической проистекает (слово, мною нелюбимое, сейчас донельзя будет кстати) разная ментальность.

Неприязнь моя к этому слову объясняется его чудовищной затасканностью, очень уж его употребляют к месту и не к месту все, у кого слов и мыслей недостаточно, чтоб обойтись без этого туманного латинизма. И забавно, что в России моя теща точно так же не переносит русский синоним этого слова — тоже за модную затасканность. Моя теща говорит замечательно: лучше я пять раз услышу слово «жопа», чем один раз слово «духовность».

Я отвлекся. Сводится к тому духовное несходство жриц любви, что марокканки ставят на магнитофон, пока свободны, их народную восточную музыку, а наши — исключительно Высоцкого предпочитают. Что свидетельствует, кстати, о таланте и пронзительности этого поэта куда весомей, нежели пространные статьи бездарных восхвалителей его, торгующих без вкуса и умения своей искусственной любовью.

И вот пришел как-то клиент, и выбрал пышнотелую марокканку, и ушли они в соседнюю комнату, а наша, чуть посидев при музыке восточной, сообразила, что пока послушать может что-нибудь свое заветное. И быстренько поставила Высоцкого. Товарка ее вышла через некоторое время, ласково проводила клиента, после чего выключила магнитофон и гневно, и с укором вот что произнесла:

— Никогда больше так не поступай. Никогда! Мой клиент словил ритм, и я б за пять минут освободилась, а ты сменила музыку, и вот я бултыхалась почти час!

Но раз мы о ментальности заговорили, то до эстетики рукой подать. А я при слове этом вспоминаю всегда лагерь и татуировки наши тамошние, и одну загадку, чисто эстетическую. Наколоть во всю спину — от шеи до поясницы — Сикстинскую Мадонну со всеми сопутствующими святыми стоило у кольщиков четыре пачки чая, а на груди гораздо меньшую битву Руслана с Головой — шесть пачек. До сих пор люблю загадать эту загадку какому-нибудь оголтелому искусствоведу, вопиющему о ценности и стоимости красоты.

Мне вредно вспоминать любую подробность, связанную с лагерем или тюрьмой, поскольку тут уж механизм ассоциаций начинает раскручиваться сам по себе, и только успевай догадываться, почему что всплыло в памяти. Ибо сейчас вот о прокуроре Сугробове я хочу рассказать, и даже знаю, где тут связь, и она скоро проявится.

Он был на моем суде обвинителем и в этом качестве явил дремучую бездарность (что не помешало судье дать мне максимальный срок). Напомнить следует, что отыскали ради меня двух молодых мужиков, недавно осужденных за бесчисленные кражи, и ради скощения своего срока показали они с усердием, что купил я у них в свою коллекцию пять заведомо краденных икон. А так как у меня при обыске, естественно, их не нашли, то осудили меня очень справедливо, то есть не только за покупку краденого, но и за его сбыт.

Так вот Сугробов пылко заявил, что рост преступности в Московской области (где населения, хочу напомнить — много миллионов) имеет две главные причины: удивительный и просто-таки непомерный рост благосостояния трудящихся (во-первых) и наличие злокозненного Губермана, который эту самую преступность неустанно стимулирует и поощряет. Зная заведомо, что имеет дело с преступниками, ибо на левой руке одного из них имеется заметная татуировка, а наколки только уголовники и носят, как известно всякому порядочному человеку.

Тут раздался в зале общий смех, ибо в порыве вдохновения не обратил внимания сей жрец, что двигает руками, отчего задрался у него рукав мундира, и зал мог наблюдать татуировку давних лет (я потому и вспомнил эту гнусь).

А кстати, я тому Сугробову даже отчасти благодарен. Я во время его речи остро и внезапно осознал, что в руки к нелюдям попал и к их рабам, что еще хуже. И обречен поэтому, и все мои слова будут напрасны. А после этого я успокоился и даже изредка шутил, чего никак не мог понять судья, впервые, очевидно, видевший такую беспечность в человеке со скамьи подсудимых.

И сразу же тревожат память люди, чье мышление волнующе-загадочно, поскольку говорят они, словно не слыша, не осознавая, что несут. Я поясню это сейчас подробней, множество таких примеров собрано уже в фольклоре, неустанно эти тексты пополняют преподаватели военных кафедр в институтах. Так однажды мой приятель фразу подполковника записал. Тот ему вот что с укоризной произнес:

— Какой же из вас будущий советский офицер, если ремень висит у вас на яйцах, как у беременной девушки?

А логика давнего чеченского речения, ставшего народным, — просто, по-моему, гениальна:

— Чечены и русские — братья, а осетины — собаки, хуже русских.

Вот еще один пример непредсказуемой логики, записанный в моей заветной коллекции. Один приятель мой ехал в пригородной электричке, а напротив него сидел слегка поддавший паренек, с которым они чуть разговорились.

— А ты где работаешь? — спросил паренек.

— В театре, — ответил мой приятель, — я артист.

— Интересная профессия, — задумчиво протянул его собеседник.

— Чем же она интересная? — скептически поинтересовался приятель.

— Да у меня брат артист, — охотно объяснил паренек. — Я его пять лет уже не видел и ни хуя не соскучился.

Нет, я больше не буду умножать подобные фразы, постепенно все они, конечно, в сборники соберутся, но несколько историй о людях этого устройства рассказать обязан. Просто боюсь, что без меня их не запишут.

Мой давний друг, высокий математик Витя Браиловский (это за отказ дать на него показания и попер на меня чугунный каток правосудия), содержался во время следствия над ним в Бутырской тюрьме. И как-то вывели большую группу арестантов на тюремный двор, чтобы они убрали там завалы снега. Все, что совершилось дальше, я обычно вспоминаю, как только задумаюсь о нынешнем российском обустройстве.

Пожилой надзиратель с большим тюремным стажем (надзирательским, естественно) смотрел какое-то время тупо и недоуменно, как его поднадзорные бодро гребут снег лопатами, грузят на тачки и куда-то в угол перевозят. Чувство нарушения порядка зримо томило ветерана, и не выдержал он этого душевного дискомфорта.

— Руки за спину! — вдруг закричал он грозно и отчаянно. — На прогулке руки за спину, что за непорядок на прогулке!

Все остановились, побросали лопаты и послушно заложили руки за спины. Старик смотрел на них, душевно отдыхая от привычного их вида. Но потом лицо его опять исказилось недоумением и злостью.

— А снег кто будет убирать? — закричал он. — Вас для чего на двор вывели?

Все снова взялись за лопаты, покатили тачки, а лицо надзирателя уже через минуту выказало муку внутреннего непокоя. Снова он скомандовал взять руки за спину. И так произошло несколько раз. А идеала — чтоб и руки были за спиною, как положено для зэка, и чтоб одновременно катились тачки и сгребался снег, — его в природе нету, идеала этого, что чрезвычайно, на мой взгляд, мучительно для реформаторов российской жизни.

Вторая Витина история загадочна не меньше, ибо я мышления такого не встречал даже в учебниках психиатрии. Витя отбывал ссылку в городе Бейнеу недалеко от Каспийского моря, где областной, как всем известно, центр — город Шевченко (а кто отбывал некогда ссылку там — понятно из его названия). И получил однажды ссыльный Браиловский вызов к городскому судье города Бейнеу. Ничего хорошего тот вызов, разумеется, не предвещал, а воображение у Вити было задолго до посадки уже зэковское (много-много лет он просидел в отказе, издавал журнал подпольный, всякое случалось и вокруг, и с ним). Шел он по вызову к судье с тяжелой душой. Но судья его приветливейшим образом встретил, свежими фруктами попотчевать пытался, а причину вызова таким вот образом изящно сформулировал:

— Вы что же ко мне никогда не заходите, уважаемый Виктор Львович?

Витя опешил и пробормотал невразумительное что-то: дескать, ссыльный он и как-то не с руки ему к судье захаживать так запросто, а дела никакого нет пока (что слава богу, про себя подумал Витя).

А судья ему в ответ на это благодушно-наставительно сказал:

— Я вас понимаю, Виктор Львович, вам ко мне чего уж заходить, ведь я всего лишь городской судья. Но знаете ли вы, что как только начнется новая мировая война, то американцы прежде всего разбомбят город Шевченко, потому что там находится атомный реактор, и, конечно, все погибнут там, и я тогда автоматически становлюсь судьей не городским, а областным?

Ну, что творилось в светлой голове судьи — кто может это объяснить или понять хотя бы?

Я непременно попадаю в паутину мыслей и воспоминаний тех лет, находясь в обстоятельствах, уже весьма от той поры далеких. На выступлениях в России и на Украине меня все время спрашивали, что я думаю о ситуации на просторах бывшей империи. Я много раз мемекал, бормотал невнятицу, отказываясь обобщать, я ссылался робко и застенчиво на свою иностранскую неосведомленность, увиливал как мог. Только однажды вдруг всплыла модель, так полно и правдоподобно отвечающая на вопрос, что я счастливо ахнул,— и с тех пор, как попугай, ее настырно излагаю.

Представьте себе огромный исправительно-трудовой лагерь. В нем есть жилая зона и есть какая-никакая зона промышленная (ведь труд исправляет), есть поселок для надзорсостава, всяческие караулки, склады и казармы. Только вдруг в одно прекрасное утро часовые сходят с вышек, и начальник лагеря объявляет свободу. Конечно же, зэки в растерянности, а когда они в себя приходят, то вокруг кипит уже другая жизнь. Продукты все в столовой разворованы и спрятаны, уже промышленная зона чуть не вся распродана на сторону (и едут из соседних деревень покупать остатки по дешевке, ибо краденое и дармовое). В бывшем карцере — типография газеты

«На свободе с чистой совестью», а выпускает ее бывший надзиратель карцера, еще вчера зверь и садист, а ныне — эссеист, мыслитель и борец за гражданские права. В казарме наскоро налажено портновское производство из украденной на складе зэковской одежды. Перешивкой ведает бывший комендант казармы, ему ближе и с руки пришлось это строение оформить на себя. Оружие вовсю распродается по соседним деревням, а на машинах лагерных привозится продовольствие, поскольку пить-есть надо, а в чьих руках эти машины — догадаться нетрудно. Паханы уголовные сговорились запросто с начальником лагерного гаража, так что все оформлено на трудовой коллектив. А их шестерки бывшие и шелупонь их прихлебательская из уголовников помельче — все в охране, и почти ничем от бывших сторожевых псов не отличаются (разве что галстуками, когда едут в соседние деревни). И опять всех тяжелей простому трудяге-зэку, потому что все поделено между надзорсоставом бывшим и огромной уголовной шоблой. И хоть разборки между ними и случаются, но общий язык они все-таки находят, ибо психология у них одна и та же.

Вот, похоже, именно такое и случилось на необозримых просторах бывшего лагеря мира, социализма и труда. А чем продолжится — гадать не берусь. Только напомню, что на лагерном давнишнем языке огромная прослойка зэков тихих, работящих и вовсе не криминальных так и называлась: мужики. И фраера-интеллигенты состояли в той же категории. Они, естественно, растеряны сейчас, и на акулью хватку паханов и бывших караульных с ужасом глядят, и выборному управлению не верят, и непонятно все для них пока, и так обидно от бессилия, что их порой тоска по канувшему лагерю томит. Тем более что сил и сметки для добычи пропитания надо теперь больше: нет былой казенной пайки.

А светлые штрихи картины этой я намеренно не упоминаю, хотя их, могу сказать уверенно, — гораздо, несравненно больше. Потому что это все-таки свобода, лучшего для человека состояния и сам Творец не сочинил, а значит — образуется и жизнь. А то, что не при нашем поколении, так в этом есть и справедливость: больно много мы и лет, и сил (про ум и душу тоже не забудьте) положили на укрепление проволоки, на улучшение сигнализации, постройку вышек и различных караулок в этом лагере.

А потому ведь и сознание у нас такое мутное. Невообразимая кипит в нем смесь из лагерной туфты-лапши, что нам на уши вешали всяческие замы по культурно-воспитательной работе (есть такая должность в каждом лагере, и многие из нас как раз по этой части и кормились). И всякого иного мусора невпроворот. Включая мифы и легенды всякие.

Вот мифы попадаются порой отменные, не удержусь, чтобы один не изложить. Из первых рук история, чтоб мне свободы не видать.

Приехали в Баку (году в восьмидесятом это было) три поэта из Москвы на какую-то декаду братской дружбы и литературы. Крепко напились немедля по приезде, рано утром грамотно пошли опохмеляться. Заказали хаш они себе — крепчайший суповой отвар на говяжьих костях с чесноком и острыми приправами, а водку вдруг — они и заказать не успели — от соседнего стола принес официант. Сидел там одиноко похмелявшийся немолодой командировочный азербайджанец, он подношением своим в компанию просился. Пригласили. Выпили по первому полустакану. Полегчало. Повторили. Уже можно было покурить.

— Грузины? — спросил местный человек. Поэты промолчали. У одного из них и правда профиль был восточен и носат, но только по другим причинам.

— А Сталин был хороший человек, ведь правда? — Мягкая осторожность сквозила в тоне местного гостя. Трое приезжих снова промолчали, но молчание их было принято за согласие. Вот тут-то и последовал роскошный миф. — В нашем маленьком городе десять тысяч человек население, — вкусно рассказывал приезжий азербайджанец, — замечательный один скульптур стоял.

Все дружно выпили, хлебнули пару ложек супа, головы поворотились к рассказчику. Он продолжал с одушевлением поправленного организма:

— По содержанию такой скульптур: Ленин на скамейке сидит, газету читает, Сталин позади стоит, смотрит — что Ленин читает? И тут Хрущев, сукин сын, свинья поганая, говорит: снять скульптур! Наш город, десять тысяч человек население, ни один не согласился. Один армянин приезжий, сукин сын, подлец, говорит: я сниму! Он жопом своего большого грузового машины как даст по скульптур! Пыл поднялся, весь наш город глаза закрыл. Пыл улегся, весь наш город глаза открыл, и что? Ленина нет, Сталин сидит — газету читает!

А чтоб точнее нашу умственную неразбериху описать, я расскажу сейчас еще одну историю, к пустым окольным словесам не прибегая.

Один приятель мой, писавший много о театре, услыхал (году в девяностом), что в городе Ужгороде еще жива старушка, некогда игравшая в первой постановке «Незнакомки» Блока, то есть это вскоре было после революции. Конечно, он туда помчался, и старушка чрезвычайной ветхости, но умственно вполне сохранная, с достоинством ему сказала:

— Да, конечно, помню все я до малейшей детали, словно вчера только был этот великий праздник. Значит, было так: на сцене мы играем, в зале — публика, а в ложе сидит народный комиссар просвещения Великий князь Константин.

Такая смесь вот и гуляет, по-моему, в общественном сознании бывших винтиков рухнувшей империи.

Но стоило о старости заговорить, и новый слой историй начинает беспокоить память, требуя рассказа, и пущусь-ка я по этому следу.

Мне повезло однажды крупно: был я тамадой на сотом дне рождения прекрасного человека. Бабушка художника Саши Окуня ухитрилась дожить до этого возраста в полном душевном здравии. В день юбилея посмотрела на себя она в зеркало и задумчиво сказала:

— Как интересно, я впервые в жизни вижу столетнего человека.

Там и услышал я историю про необыкновенную стариковскую мудрость. Подлинная это история, но я бы лично в назидательную книгу притч ее занес.

В одной семье умирал старик ста двух лет. Он очень долго и мучительно болел, уже хотел и ждал смерти и, точно почувствовав этот день, спокойно попрощался со всеми близкими. А еще сообщили его давнему пожизненному другу (того же возраста, а то и на год старше), и тот пришел тоже. Или привезли его, это не важно. Старики обнялись: прости, если что было не так, и ты прости меня, если что было не так, — а потом второй помялся чуть и осторожно спросил:

— Скажи, Арон, а ты уверен, что ты сегодня умрешь?

— Да,— прошептал Арон,— я это просто чувствую, я ухожу.

— У меня к тебе просьба, — сказал второй. — Если ты сегодня умрешь, то завтра, может быть, ты увидишь Его (старик для ясности показал пальцем на небо). И Он может спросить тебя обо мне...

Тут голос второго старика окреп и приобрел категоричность:

— Так вот, ты меня не видел и не знаешь! — сказал он.

И хотя выглядит смешной такая хитромудрая наивность, но я иногда думаю: а что, как угадал этот старик ситуацию в некой небесной конторе, что, как и вправду долгожители — это просто те, чьи дела на время затерялись? Много есть надежды в этом мифе, очень жаль, что, скептики и вульгарные атеисты, мы не можем в него поверить.

Еще надо рассказать загадочную историю о дедушке приятеля и собутыльника нашего, порою коротающего с нами рыночное утро в шашлычной у Нисима. Это история настолько благородная, что неким нимбом (или аурой) осеняет теперь и внука, ибо в заведении Нисима умеют оценить достойные родословные.

Дед жил в деревне, был усердный семьянин, заботливый супруг и ревностно трудился, чтобы в доме было пропитание. Но только вдруг задумывался он в какой-то день, задумывался чрезвычайно глубоко, и брал ведро тогда и шел за водой. И возвращался — через два года. Бабушка принимала его, ни о чем не расспрашивая. Он быстро включался в течение деревенской и семейной жизни, снова был он ласков и заботлив, каждый раз за время своего присутствия делал нового ребенка (всего их получилось шестеро), но непременно через какое-то время снова задумывался. К старости это прошло, и дед умер дома, окруженный любящей семьей. Но где он побывал за эти шесть исчезновений на два года? Что он видел? Как в то время жил? Это занимает мое воображение по сию пору. И куда там Синдбаду-мореходу, Марко Поло и прочим Пржевальским — они ведь готовились к своим путешествиям, а не уходили по задумчивости!

А внук его, по просьбе нашей эту историю в который раз рассказывая, как-то добавил:

— Вот я два года на инженера проучился, а потом задумался чего-то и смотрю: уже учусь на хирурга.

Благословенна будь наследственность, клубящаяся в наших генах!

А к нашему приятелю другому, врачу-геронтологу, явился как-то в клинику старый йеменский еврей (восьмидесяти двух лет) и попросил о помощи. Он меньше стал внимания уделять своей старухе, и она его корит за слабосилие, не могут ли врачи ему помочь. Поскольку не было у старика болезней никаких, то просто сделали ему укол папаверина, обнаружив с удивлением, что этого нехитрого укола старцу оказалось совершенно достаточно для восстановления потенции. И тут он вдруг отчаянно расстроился и загрустил.

— Не знал я, сынки, что вы поможете мне так быстро, — горестно сказал он. И объяснил свою печаль: его старуха на два дня уехала куда-то к родственникам в гости. Так поезжай за ней, посоветовали врачи, страна-то маленькая, к вечеру доедешь. Да неудобно это, продолжал кручиниться старик, вот жалко, что так быстро вы мне помогли, хотя спасибо вам, конечно. Брось расстраиваться и пойди к соседке, посоветовал один из врачей. Старик меланхолически и горестно ответил:

— А для соседки мне укол не нужен.

Не буду больше отвлекаться, пора мне рассказать о старике, с которым несколько часов проговорил однажды и не раз его потом вспоминал, когда моя самонадеянность к скоропалительным суждениям меня толкала. Познакомились мы с ним случайно, и не будь тех обстоятельств, я бы его не встретил никогда.

Год я не помню. А точнее — просто лень искать по книгам даты жизни памятного всем артиста — телепата и фокусника, человека-чудо, как его тогда называли, — Вольфа Мессинга. Поскольку это было в день, когда Вольф Мессинг отмечал какой-то свой юбилей. Он выступал в одном московском зале, куда в тот вечер доступа широкой публике не было, и все происходило без афиш. Зал был битком набит людьми, пришедшими по телефонному звонку. А я тогда писал статьи о всяческих непознанных явлениях (и очень этой темой увлекался, был в ней легкий привкус подрывания основ), и хилое общество исследователей таких явлений помогло мне просочиться на этот пир дозволенного, но сомнительного духа.

Выступали разные ученые, приветствуя и восхваляя Мессинга; некий почтенный академик (кажется, Ребиндер) каждого оратора по имени и званию обозначал, а после вдруг очень по-домашнему сказал:

— Сейчас поделится воспоминаниями Пантелеймон Кондратьевич.

Те, кто сидел в зале, знали, по всей видимости, плотного и лысого пожилого мужчину, полного вальяжности и достоинства, но я не знал. И было поздно спрашивать, я с головой немедленно уткнулся в блокнот, чтобы не упустить ни слова. Забавно выяснилось после, что запомнил я все сказанное наизусть, так это было неожиданно и небанально.

— Я познакомился с Вольфом Григорьевичем, — начал старик медлительно и плавно, — летом сорокового года, когда мы освободили Бессарабию и Западную Украину, и я был председателем правительственной комиссии по приему беженцев и разных перемещенных лиц. У нас большая собралась комиссия, у меня даже был заместитель по политической части...

Тут старик пожевал губами (и потом не раз это делал перед тем, как добавить что-нибудь важное) и добавил:

— Большой, надо сказать, был сволочью.

В зале очень многие понимающе засмеялись. А я по своему невежеству никак не мог сообразить, кого же слушаю, и только жадно впитывал каждое слово.

— И приходит как-то мой порученец, — продолжал рассказчик,— и докладывает: так, мол, и так, тут вертится один еврейчик, мысли угадывает.

Снова сочувственный смех аудитории подогрел выступателя, он начал говорить чуть побыстрей и энергичней.

— А заместитель мой как услыхал, что кто-то мысли угадывает, сразу мне сурово так сказал: это вредно...

И снова благодушно переждал он вспышку смеха.

— А я и говорю ему: чего ж тут вредного? Давайте поглядим. И мы к нам на комиссию Вольфа Григорьевича тут же пригласили. Мы ему поставили нелегкую задачу: я задумал, чтобы Вольф Григорьевич пошел в соседнее помещение, где у нас была библиотека, отыскал там нужный том Владимира Ильича Ленина и нам бы показал заглавие статьи «Шаг вперед, два шага назад».

Он снова пожевал губами.

— Мы понимали, — сказал он, — что Вольф Григорьевич тогда еще не мог читать эту работу. В этот раз он засмеялся вместе со всеми.

— И ушел наш Вольф Григорьевич, и долго не возвращался. И тогда мой заместитель по политической части говорит мне грозным шепотом: утек твой еврейчик. И тут как раз приходит Вольф Григорьевич, и нужный том несет, и тычет пальчиком в название статьи. А он тогда по-русски еще еле-еле читал. И тут мы поняли, что надо отвозить его в Москву.

Рассказчик перевел дух. В зале царила почтительная тишина.

— А в Москве огромная собралась комиссия. Кого там только не было...

Он пожевал губами и медлительно договорил:

— Прокуроры...

Это почему-то рассмешило зал сильней всего предыдущего.

— Кроме того, что Мессинг все угадывал, он и еще бог знает что нам демонстрировал. Мы ведь сидели в здании, куда не только что войти, а выйти тоже было невозможно, а Вольф Григорьевич показал дежурному охраннику клочок газеты — и вышел. А потом с тем же клочком опять вошел. Все были в восторге и в растерянности. И тогда о том, что появился человек, угадывающий мысли, доложили Тому, кого уже нет.

Рассказчик явно выговорил слово «тому» с большой буквы, все мы это уловили именно так, и легкое шевеление прошло по залу. Впрочем, и я, зашедшийся от восторга, что такое слышу, ошибся в своей догадке.

— И услыхав, что есть человек, угадывающий мысли, Тот, кого уже нет, сказал: это вредно.

Тут я от радости невежливо хохотнул, словно хрюкнул (и покосилась на меня с презрением роскошная обильная соседка), — очень показалось мне смешным сходство реакции того заместителя по политической части и Того, кого уже нет.

— Это вредно, — повторил рассказчик зловеще. — И еще Тот, кого уже нет, сказал: с этим человеком надо разобраться. А мы знали все прекрасно, что означает «разобраться» в устах Того, кого уже нет. Мы поняли, что надо спасать Вольфа Григорьевича.

Старик сделал паузу и пожевал губами.

— Но тогда Сам (и явно тоже с большой буквы) сказал Тому, кого уже нет, он так сказал...

Здесь точная опять последовала пауза.

— Лаврентий Павлович, если ты будешь убирать всех, кто знает и умеет больше нас, то с кем мы будем работать?

И аудитория наша единодушно взорвалась благодарными аплодисментами душевного облегчения.

По истечении стольких лет я не стыжусь признаться, что, разыскивая старика в антракте, убежденно полагал, что слышал только что некоего странного идиота. Я потому и разговаривал с ним не слишком почтительно — может быть, это и повлияло на его готовное и незамедлительное согласие поговорить со мной еще раз (о Мессинге). Он пригласил меня приехать завтра утром и назвал свой адрес — не без легкого удивления, что я этого адреса не знаю. Он сперва только квартиру назвал, я спросил улицу и номер дома, тут и промелькнула на его лице тень удивления.

А полным идиотом в этой ситуации был я. Потому что у меня еще было время, чтобы что-нибудь о нем узнать, а я весь вечер пил с приятелями и пересказывал им слово в слово то, что два часа назад услышал. А на вопрос, кто это все-таки такой, я отвечал, что сумашай какой-то и что завтра я еще не то им расскажу.

Назавтра, подходя по Кутузовскому проспекту к этому большому дому, я тоже ничего не сообразил. Ибо мое щенячье невежество в любых политических именах и делах как-то странно сочеталось в те годы (впрочем, пожизненно это осталось) с фраерской неискоренимой уверенностью, что и без этого знания я понимаю нечто более важное, глобальное и глубинное в нашей кишащей жизни.

Я шел к Пантелеймону Кондратьевичу Пономаренко, одному из секретарей Центрального Комитета Коммунистической партии Советского Союза (в недалеком прошлом), первому секретарю ЦК Белоруссии (в конце тридцатых годов!), начальнику Штаба партизанского движения во время войны, бывшему министру культуры всей империи, и так далее, перечислять можно долго.

Только все это, вы будете смеяться или не поверите, я узнал от него лично. И ни молодой охранник, спросивший у меня в подъезде паспорт (больше я не видел никакой охраны), ни размер квартиры, по которой можно было смело ездить на велосипеде, не смутили и не насторожили меня. А сам Пономаренко принимал меня в халате, был еще вальяжней и величественней, чем вчера. На мою полную неосведомленность, кто он такой, мы наткнулись в разговоре почти сразу же, и моя темнота его ничуть не обидела и раздражения не пробудила. Был он умен, многоопытен и проницателен, я ошибся и в этом, слушая его распахнутую историю про Мессинга. И снисходительность, которую он проявил к моему невежеству, была как бы понятна: я был слишком мелок для него; его скорее позабавило, что кто-нибудь может о нем не знать.

Последующие два часа на меня лились один в другой переходившие рассказы о том, сколько добра он сделал, находясь у власти и кормила. (Ныне находился он на пенсии и писал историю партизанской войны то ли для Кореи, то ли для Вьетнама, был ему заказан трехтомник.) Ни одну из его историй было невозможно запомнить: это был поток звонков каким-то неизвестным мне высоким секретарям и начальникам ради нескончаемой помощи каким-то несправедливо обвиненным людям — и евреи занимали в этом перечне заметное, подчеркнутое место. Передо мной сидел ушедший на покой благодетель рода человеческого на одной шестой части суши. Я не осмеливался перебить его, и не хотелось расспросить о чем-нибудь детальней. Ибо, несмотря на полную мою неграмотность в постах и именах, уже начитан я был достаточно и вполне понимал, что передо мной сидит сейчас один из первой сотни сталинских подручных. Но не из той когорты романтических мечтателей-убийц, которых вывели в расход в тридцатых, а высочайший служащий-чиновник того рабовладельческого концерна, который сплотился и окреп после войны. Передо мной сидел человек, безусловно подлежавший суду Нюрнбергского трибунала, который жалко, что не состоялся в России в его российском варианте. Я даже знал, как он бы защищал себя, твердя то же самое, что говорили немцы его ранга: что он всего лишь подчинялся приказу, что он был только звеном в цепочке, что многого не знал в ту пору, а не понимал еще больше, что посильно делал добро и проявлял гуманность, где она была возможна.

Передо мной сидел живой и очень умный, полный обаятельной энергии собеседник, у которого была уйма друзей из круга почитаемых мной творческих людей. И я тоскливо чувствовал, что не испытываю к нему вражды и омерзения, а лишь почтение перед его размахом и масштабом. Я ощущал с недоумением и даже смутной болью, как размывается моя картина мира той поры: я был тогда наивно убежден, что люди этого калибра непременно должны иметь черты, говорящие о жестокой непреклонности, безжалостной одержимости, просто, в конце концов, иметь ауру властительного душегубства. Ничего этого не было и в помине.

Очень бесплодно и бездарно прошел мой визит. И в состоянии смутном и подавленном уходил я от своего донельзя доброжелательного собеседника. Только на улице я спохватился, что не испросил разрешения зайти еще раз. Но и не хотелось заходить.

По улице бредя, думал я о гениальности драматурга Шварца, описавшего в своей пьесе разные воплощения дракона, когда тот притворялся человеком. Первая ипостась — пожилой, но крепкий моложавый мужчина с солдатской выправкой и дружелюбно грубой простотой в обращении. Нет-нет, вторая голова, вторая ипостась тут подходила больше: серьезный, сдержанный, высоколобый. Приветлив, собран, деловит. А вот про обаяние — тут даже

Шварц не догадался. И я еще одно из пьесы вспомнил, и сразу на душе у меня сильно полегчало. Когда после убийства дракона — помните? — сын бургомистра учинил такие же порядки и возвратившийся рыцарь Ланцелот стыдит его, мерзавец говорит ему в сгущенном виде то, что говорили все на Нюрнбергском процессе: «Если глубоко рассмотреть, то я лично ни в чем не виноват. Меня так учили». На что рыцарь Ланцелот произносит поразительно точные слова: «Всех учили. Но зачем ты оказался первым учеником, скотина такая?»

О, как меня ругал и поносил за мою тупость Тоник Эйдельман! И слово «чистоплюй» было в этом наборе самым приличным. Его о стольком можно было расспросить, горевал Тоник. Ведь это из его штаба исходил приказ не брать евреев в партизанские отряды! Он не признался бы, вяло защищался я. Но что-нибудь сказал бы все равно, настаивал неистовый историк Тоник. А что он говорил о Сталине? Он с ним работал ведь совсем поблизости пятнадцать лет! Один лишь эпизод я помнил: Пономаренко с легким хвастовством сказал, что это чушь, что Сталину нельзя было возражать, что он лично ему возражал по поводу какого-то школьного учебника, и был выслушан, и был одобрен. «Какого именно учебника?» — взвился историк Тоник. Я не помнил и пожал плечами. «Знаешь, ты кто?» — злобно спросил Тоник. Сходи сам, огрызнулся я. Да мне как раз он ничего не расскажет, а тебе, случайному и темному... Идиоту, помог я Тонику с формулировкой. И вдруг обоим нам явились в голову одновременно дивные слова Рабле, и мы их начали говорить нечаянным дуэтом: Бог посылает штаны тому, кто лишен задницы. И тут укоры исчерпались.

А много лет спустя уже в Иерусалиме я встретил третье воплощение дракона. Помните, какова была у дракона третья голова, еще одна его маска? Крошечный, мертвенно-бледный, очень пожилой человечек.

В газете как-то прочитал я, что в Израиль к нам приехал выступать бывший член ЦК Коммунистической партии, бывший первый секретарь ЦК Украины (и еще много чего бывший член и вождь) Петр Ефимович Шелест, личность некогда чрезвычайно известная. Господи, подумал я, как хорошо, что умерли уже и Риббентроп, и Геббельс, никуда не ездит дряхлый Каганович (был он еще жив тогда), ведь их нам тоже запросто могли бы привезти лишенные намека на брезгливость бесчисленные наши импресарио несметных гастролеров. Где же наше коллективное чувство собственного достоинства? Неужели мы пойдем смотреть на этого монстра и поддержим его своим любопытством и платой за заведомо лживый треп? Презрение абсолютно пустых залов должно быть наградой и ему, и тем, кто его бессовестно привез. Но тут тень Тоника мелькнула передо мной, и далее о нашем коллективном чувстве чести я размышлял, уже влезая в выходные брюки. Тороплюсь сказать, что залы были полным-полны, прокатная контора не ошиблась: сотням винницких, и киевских, и черновицких, и так далее евреев показалось лестным и любопытным повидать за пять шекелей некогда всевластного в республике человека. Тем более что он приехал с темой, с точки зрения рекламы безупречной: «Как я снимал Хрущева». Рядом с ним сидели за столом на сцене (очень уж хотелось прокатиться, очевидно) дочь Хрущева и его зять Аджубей. Их чувство собственного достоинства, не говоря уже об уважении к памяти отца и столь любимого тестя, я права не имею обсуждать. Словом, все мы в этом смысле весьма достойную образовали компанию.

Я раньше чуть приехал (мне приятели сказали, что их раньше привезут), и со мной минут сорок приветливо поговорил крошечный, мертвенно-бледный, очень пожилой человечек. Я уже готов был услышать, сколько он за свою жизнь сделал добра, и я вопросы подготовил вперебивку, только стоял передо мной такой пустой и постный, такой ничего не помнивший и пылью запорошенный дряхлец, что глупо даже было бы пытаться как-то оживить его, расшевелить, хотя бы разозлить. Тем более что рядом с ним стояла ветхая старушка, верная подруга его дней, и жалко улыбалась, и все время порывалась мне подробней рассказать, как несправедливо и неправедно Петра Ефимовича отлучили от власти, и как пятнадцать лет после этого никто из многочисленных былых друзей не позвонил ни разу. Только позванивал зубной их врач — кстати, еврей, сказала она, и оба приветливо заулыбались. О, сколько знал я об отношении этого трухлявого старика к евреям! — но что из того? — не обличать же мне это пустое место, и зачем? Единственный лишь раз он распахнулся на секунду: я спросил, вернется ли он к власти, если позовут. Он головою закивал согласно: дескать, силы еще есть и есть идеи, он бы очень пригодился. Тогда скажите, я его спросил, что помогло бы сейчас решающим образом всей стране, не знает ли он ключевое какое-нибудь средство? Да-да, сказал старик, он знает безусловно. Я всем собой изображал почтительный вопрос (ах, Тоник был бы мной доволен!), и блеснули на меня вдруг мутные склеротические глазки, проступил румянец возбуждения, решительно ощерился золотозубый вялый рот.

— Дисциплина! — твердо выговорил дряхлый старик. И повторил: — Дисциплина! — И опять потух.

И так мне стало омерзительно, что больше ничего я спрашивать не стал.

А на пустом его и вялом выступлении текла убогая жвачка из старых газет, и он ни слова интересного не произнес, хотя единожды опять бедняга прокололся по нечаянности. Ему наивный какой-то человек прислал записку: как, дескать, осмелился такой известнейший антисемит приехать в Израиль. И, тепло улыбнувшись всему залу, сказал старик:

— Нет, я всегда очень любил... — и он запнулся так отчаянно, что ясно стало, сколь ругательным и оскорбительным ощущает он слово «еврей». Но вмиг ему шаблон привычный подвернулся, и сказал он: «Лиц еврейской национальности». И все мы засмеялись снисходительно. Так попусту и с тем же пакостным осадком на душе прошла моя встреча с третьей головой.

А те из этой своры, кто помоложе, ныне стали бизнесменами-коммерсантами и вовсю торгуют калужными кирпичами из фундамента империи, которой лишь вчера в преданности жарко клялись. Все, что успели своровать и прихватить, — тем и торгуют. А для тех, кто с ними дело имеет, я простую очень байку изложу, ее мне некогда Саша Городницкий рассказал. Ведь он еще и геофизик, как известно, много плавал по морям и океанам, и судьба однажды занесла его в Японию. В каком-то городке ученым разрешили сойти на берег; погуляли они там, а после скинулись, набрав валюты на бутылку водки. И мирно распивали ее возле стойки в портовой забегаловке случайной. И подошел к ним пожилой японец с мятым пергаментным лицом и, на японский лад слова коверкая, сказал на русском языке, что вот услышал звуки русской речи и хотел бы познакомиться, поскольку некогда в Россию ездил торговать и больше не поедет никогда. И он такое сделал ударение на слове «никогда», что Саша машинально у него спросил: а почему?

Японец чуть порылся в своем явно скудном словаре и лучезарно улыбнулся, и сказал:

— Наебали!

Закатные гарики

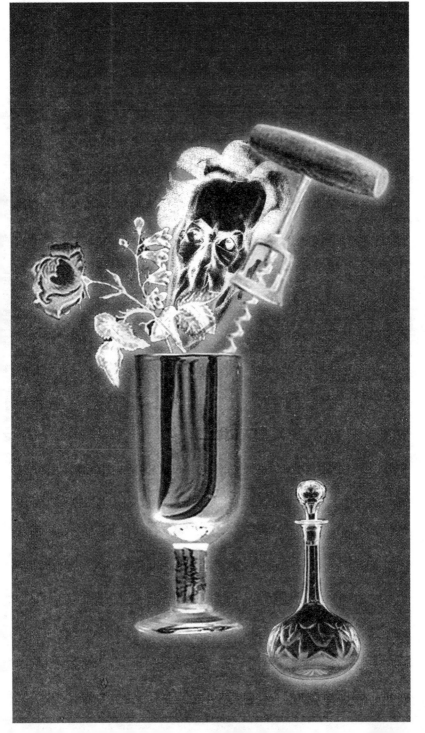

*Не знаю благодатней и бездонней
дарованных как Божеская милость
двух узких и беспомощных ладоней,
в которые судьба моя вместилась.*

*У*же вот-вот к моим ногам
подвалит ворох ассигнаций,
ибо дерьмо во сне — к деньгам,
а мне большие го'вны снятся.

Я не искал чинов и званий,
но очень часто, слава богу,
тоску несбывшихся желаний
менял на сбывшихся изжогу.

*В*чера взяла меня депрессия,
напав как тать из-за угла:
завесы серые развесила
и мысли черные зажгла.
А я не гнал мерзавку подлую,
я весь сиял, ее маня,
и с разобиженною мордою
она покинула меня.

Я в зеркале вчера себя увидел
и кратко побеседовал с собой;
остался каждый в тягостной обиде,
что пакостно кривляется другой.

*Э*то был не роман,
это был поебок,
было нежно, тепло, молчаливо,
и, оттуда катясь,
говорил колобок:
до свиданья, спасибо, счастливо.

*Н*а любое идейное знамя,
даже лютым соблазном томим,
я смотрю недоверчиво, зная,
сколько мрази ютится под ним.

*С*лежу без испуга и дрожи
российских событий пунктир:
свобода играет, как дрожжи,
подкинутые в сортир.

*Н*адежды огненный отвар
в душе кипит и пламенеет:
еврей, имеющий товар,
бодрей того, кто не имеет.

*В*ижу лица или слышу голоса —
вспоминаются сибирские леса,
где встречались ядовитые грибы —
я грущу от их несбывшейся судьбы.

*У*же мы в гулянии пылком
участие примем едва ли,
другие садятся к бутылкам,
которые мы открывали.

*Е*врей опасен за пределом
занятий, силы отнимающих;
когда еврей не занят делом,
он занят счастьем окружающих.

*К*азенные письма давно
я рву, ни секунды не тратя:
они ведь меня все равно
потом наебут в результате.

*П*окуда мы свои выводим трели,
нас давит и коверкает судьба,
поэтому душа — нежней свирели,
а пьешь — как водосточная труба.

Я искренне люблю цивилизацию
и все ее прощаю непотребства
за свет, автомобиль, канализацию
и противозачаточные средства.

*М*ы столько по жизни мотались,
что вспомнишь — и каплет слеза,
из органов секса остались
у нас уже только глаза.

*Е*сть люди — пламенно и бурно
добро спешат они творить,
но почему-то пахнут дурно
их бескорыстие и прыть.

*В*ысок успех и звучно имя,
мои черты теперь суровы,
лицо значительно, как вымя
у отелившейся коровы.

*Н*ам не светит благодать
с ленью, отдыхом и песнями:
детям надо помогать
до ухода их на пенсии.

*Н*е сдули ветры и года
ни прыть мою, ни стать,
и кое-где я хоть куда,
но где — устал искать.

*В*сюду ткут в уюте спален
новых жизней гобелен,
только мрачен и печален
чуждый чарам чахлый член.

*З*аметь, Господь, что я не охал
и не швырял проклятий камни,
когда Ты так меня мудохал,
что стыдно было за Тебя мне.

В одной ученой мысли ловкой
открылась мне блаженства
                                        бездна:
спиртное малой дозировкой
в любых количествах полезно.

*Н*а старости я сызнова живу,
блаженствуя
во взлетах и падениях,
но жалко, что уже не наяву,
а в бурных и бесплотных
сновидениях.

$\mathcal{C}$егодня многие хотят
беседовать со мной,
они хвалой меня коптят,
как окорок свиной.

$\mathcal{A}$ все же я себе союзник
и вечно буду таковым,
поскольку сам себе соузник
по всем распискам долговым.

$\mathcal{U}$увствуя страсть, устремляйся вперед
с полной и жаркой душевной отдачей;
верно заметил российский народ:
даже вода не течет под лежачий.

$\mathcal{K}$алеть, а не судить я дал зарок,
жестока жизнь, как римский Колизей,
и Сталина мне жаль: за краткий срок
жену он потерял и всех друзей.

$\mathcal{N}$окрыто минувшее пылью и мглой,
и, грустно чадя сигаретой,
тоскует какашка, что в жизни былой
была ресторанной котлетой.

*Р*угая жизнь за скоротечность,
со мной живут в лохмотьях пестрых
две девки — праздность и беспечность,
моей души родные сестры.

С высот палящего соблазна
спадая в сон и пустоту,
по эту сторону оргазма
душа иная, чем по ту.

*Е*ще мне внятен жизни шум
и штоф любезен вислобокий;
пока поверхностен мой ум,
еще старик я не глубокий.

*Х*мельные от праведной страсти,
крутые в решеньях кромешных,
святые, дорвавшись до власти,
намного опаснее грешных.

*Н*а Страшный суд разборки ради
эпоху выкликнув мою,
Бог молча с нами рядом сядет
на подсудимую скамью.

$\mathcal{M}$не жалко, что Бог допускает
нелепый в расчетах просчет,
и жизнь из меня утекает
быстрее, чем время течет.

$\mathcal{B}$ел себя придурком я везде,
но за мной фортуна поспевала,
вилами писал я на воде,
и вода немедля застывала.

$\mathcal{H}$аверно, так понур я от того,
что многого достиг в конце концов,
не зная, что у счастья моего
усталое и тусклое лицо.

$\mathcal{B}$он те — знобно вожделеют,
а тех — терзает мира сложность;
меня ласкают и лелеют
мои никчемность и ничтожность.

$\mathcal{D}$ля игры во все художества
мой народ на свет родил
много гениев и множество
несусветных талмудил.

*Т*аким родился я, по счастью,
и внукам гены передам;
я однолюб: с единой страстью
любил я всех попутных дам.

Я старый, больной и неловкий,
но знают гурманки слияния,
что в нашей усталой сноровке
еще до хера обаяния.

Я не выйду в гордость нации
и в кумиры на стене,
но напишут диссертации
сто болванов обо мне.

*М*ы сразу правду обнаружим,
едва лишь зорко поглядим:
в семье мужик сегодня нужен,
однако не необходим.

*Л*юбезен буду долго я народу,
поскольку так нечаянно случилось,
что я воспел российскую природу,
которая в еврея насочилась.

*У*вы, великодушная гуманность,
которая над нами зыбко реет,
похожа на небесную туманность,
которая слезится, но не греет.

*П*опал мой дух по мере роста
под иудейское влияние,
и я в субботу пью не просто,
а совершаю возлияние.

*Х*отя политики навряд
имеют навык театральный,
но все так сочно говорят,
как будто секс творят оральный.

*П*летясь по трясине семейного долга
и в каше варясь бытовой,
жена у еврея болеет так долго,
что стать успевает вдовой.

*В*ладеющие очень непростой
сноровкой в понимании округи,
евреи даже вечной мерзлотой
умеют торговать на жарком юге.

*К*ошмарным сном я был разбужен,
у бытия тряслась основа:
жена готовила нам ужин,
а в доме не было спиртного.

*У*вы, стихи мои и проза,
плоды раздумий и волнений —
лишь некий вид и сорт навоза
для духа новых поколений.

*К*огда мне о престижной шепчут
                                            встрече
с лицом, известным всюду и везде,
то я досадно занят в этот вечер,
хотя еще не знаю, чем и где.

*Г*лазея пристально и праздно,
я очень странствовать люблю,
но вижу мир ясней гораздо,
когда я в комнате дремлю.

*П*ришла прекрасная пора
явиться мудрости примером,
и стало мыслей до хера,
поскольку бросил мыслить хером.

*Т*аланту чтобы дать
распространенность,
Творец наш поступил, как искуситель,
поэтому чем выше одаренность,
тем более еблив ее носитель.

*П*ора уже налить под разговор,
селедку покромсавши на куски,
а после грянет песню хриплый хор,
и грусть моя удавится с тоски.

*П*ишу я вздор и ахинею,
херню и чушь ума отпетого,
но что поделаешь — имею
я удовольствие от этого.

*М*еж земной двуногой живности
всюду, где ни посмотри,
нас еврейский ген активности
в жопу колет изнутри.

*Д*икая игра воображения
попусту кипит порой во мне —
бурная, как семяизвержение
дряхлого отшельника во сне.

Я к эпохе привернут, как маятник,
в нас биение пульса единое;
глупо, если поставят мне памятник —
не люблю я дерьмо голубиное.

Ты с ранних лет в карьерном раже
спешил бежать из круга нашего;
теперь ты сморщен, вял и важен,
как жопа дряхлого фельдмаршала.

По многим ездил я местам,
и понял я не без печали:
евреев любят только там,
где их ни разу не встречали.

В пустыне усталого духа,
как в дремлющем жерле вулкана,
все тихо, и немо, и глухо —
до первых глотков из стакана.

Уже виски́ спалила проседь,
уже опасно пить без просыпа,
но стоит резко это бросить,
и сразу явится курносая.

*Ж*изни надвигающийся вечер
я приму без горечи и слез;
даже со своим народом встречу
я почти спокойно перенес.

*Б*ыл организм его злосчастно
погублен собственной особой:
глотал бедняга слишком часто
слюну, отравленную злобой.

Я под солнцем жизни жарюсь,
я в чаду любви томлюсь,
а когда совсем состарюсь —
выну хер и заколюсь.

*З*атаись и не дыши,
если в нервах зуд:
это мысли из души
к разуму ползут.

*К*огда я крепко наберусь
и пьяным занят разговором,
в моей душе святая Русь горланит
песни под забором.

*К*ипит и булькает во мне идей и
мыслей тьма,
и часть из них еще в уме,
а часть — сошла с ума.

*С*только стало хитрых технологий,
множество чудес доступно им,
только самый жалкий и убогий
хер живой пока незаменим.

*Е*сли на душе моей тревога,
я ее умею понимать:
это мировая синагога тайно
призывает не дремать.

Я знаю, зрителя смеша,
что кратковременна потеха,
и ощутит его душа
в осадке горечь после смеха.

*П*о жизни я не зря гулял,
и зло воспел я, и добро,
Творец не зря употреблял
меня как писчее перо.

*П*рорехи жизни сам я штопал
и не жалел ни сил, ни рук,
судьба меня скрутила в штопор,
и я с тех пор бутылке друг.

Я слишком, ласточка, устал
от нежной устной канители,
я для ухаживанья стар —
поговорим уже в постели.

*Х*оть запоздало, но не поздно
России дали оживеть,
и все, что насмерть не замерзло,
пошло цвести и плесневеть.

*Л*юбовь завяла в час урочный,
и ныне я смиренно рад,
что мне остался беспорочный
гастрономический разврат.

*Н*ам потому так хорошо,
что, полный к жизни интереса,
грядущий хам давно пришел
и дарит нам дары прогресса.

*В*сего лишь семь есть нот у гаммы,
зато звучат не одинаково;
вот точно так у юной дамы
есть много разного и всякого.

*С*егодня думал я всю ночь,
издав к утру догадки стон:
Бог любит бедных, но помочь
умножить ноль не может Он.

*П*оскольку много дураков
хотят читать мой бред,
ни дня без глупости — таков
мой жизненный обет.

*Ж*аль Бога мне: святому духу
тоскливо жить без никого;
завел бы Он себе старуху,
но нету ребер у Него.

*К*огда кому-то что-то лгу,
таким азартом я палим,
что сам угнаться не могу
за изложением моим.

При всей игре разнообразия
фигур ее калейдоскопа,
Россия все же не Евразия,
она скорее Азиопа.

На все глядит он опечаленно
и склонен
к мерзким обобщениям;
бедняга был зачат нечаянно
и со взаимным отвращением.

Если хлынут, пришпоря коней,
вновь монголы в чужое пространство,
то, конечно, крещеный еврей
легче всех перейдет в мусульманство.

Себя из разных книг салатом
сегодня тешил я не зря,
и над лысеющим закатом
взошла кудрявая заря.

За то, что теплюсь легким смехом
и духом чист, как пилигрим,
у дам я пользуюсь успехом,
любя воспользоваться им.

*Ж*енился на красавице
смиренный Божий раб,
и сразу стало нравиться
гораздо больше баб.

Я к веку относился неспроста
с живым, но отчужденным интересом:
состарившись, душа моя чиста,
как озеро, забытое прогрессом.

*П*отоки слов терзают ухо,
как эскадрилья злобных мух;
беда, что недоросли духа
так обожают мыслить вслух.

*В*езде, где можно стать бойцом,
везде, где бесятся народы,
еврей с обрезанным концом
идет в крестовые походы.

*Н*е по воле несчастного случая,
а по времени — чаша выпита —
нас постигла беда неминучая:
лебедой поросло наше либидо.

*В*есна — это любовный аромат
и страсти необузданный разлив;
мужчина в большинстве своем женат,
поэтому поспешлив и пуглив.

*С*поры о зерне в литературе —
горы словобудной чепухи,
ибо из семян ума и дури
равные восходят лопухи.

*П*ереживет наш мир беспечный
любой кошмар как чепуху,
пока огонь пылает вечный
у человечества в паху.

С тоской копаясь в тексте сраном,
его судить самодержавен,
я многим жалким графоманам
бывал сиятельный Державин.

*Н*аш разум тесно связан с телом,
и в том немало есть печали:
про то, что раньше ночью делал,
теперь я думаю ночами.

В устоях жизни твердокамен,
семью и дом любя взахлеб,
мужик хотя и моногамен,
однако жуткий полиеб.

*Н*еволю ощущая, словно плен,
я полностью растратил пыл удалый,
и общества свободного я член,
теперь уже потрепанный и вялый.

*П*ришли ко мне, покой нарушив,
раздумий тягостные муки:
а вдруг по смерти наши души
на небе мрут от смертной скуки?

В зоопарке под вопли детей
укрепилось мое убеждение,
что мартышки глядят на людей,
обсуждая свое вырождение.

А то, что в среду я отверг,
неся гневливую невнятицу,
то с радостью приму в четверг,
чтобы жалеть об этом в пятницу.

Что я люблю? Курить, лежать,
в туманных нежиться томлениях
и вяло мыслями бежать
во всех возможных направлениях.

Бывают лампы в сотни ватт,
но свет их резок·и увечен,
а кто слегка мудаковат —
порой на редкость человечен.

Не только от нервов и стужи
болезни и хворости множатся:
здоровье становится хуже,
когда о здоровье тревожатся.

Ворует власть, ворует челядь,
вор любит вора укорять;
в Россию можно смело верить,
но ей опасно доверять.

Чтобы душа была чиста,
жить не греша совсем не глупо,
но жизнь становится пуста,
как детектив, где нету трупа.

*С*удить подробней не берусь,
но стало мне теперь видней:
евреи так поили Русь,
что сами спились вместе с ней.

Я рад, что вновь сижу с тобой,
сейчас бутылку мы откроем,
мы объявили пьянству бой,
но надо выпить перед боем.

*В*езде на красочных обложках
и между них в кипящем шелесте
стоят — идут на стройных ножках
большие клумбы пышной прелести.

*Е*сть в ощущениях обман
и есть обида в том обмане:
совсем не деньги жгут карман,
а их отсутствие в кармане.

*В*новь меня знакомые сейчас
будут наставлять, кормя котлетами;
счастье, что Творец не слышит нас —
мы б Его затрахали советами.

Эпоха лжи, кошмаров и увечий
издохла, захлебнувшись в наших
                         стонах,
божественные звуки русской речи
слышны теперь
во всех земных притонах.

До славной мысли неслучайной
добрел я вдруг дорогой плавной:
у мужика без жизни тайной
нет полноценной жизни явной.

На высокие наши стремления,
на душевные наши нюансы,
на туманные духа томления —
очень грубо влияют финансы.

Стали бабы страшной силой,
полон дела женский треп,
а мужик — пустой и хилый,
дармоед и дармоеб.

Еще родить нехитрую идею
могу после стакана или кружки,
но мысли в голове уже редеют,
как волос на макушке у старушки.

О нем не скажешь ничего —
ни лести, ни хулы;
ума палата у него,
но засраны углы.

В неполном зале — горький смех
во мне журчит без осуждения:
мне, словно шлюхе, жалко всех,
кто не получит наслаждения.

*С*о мной, хотя удаль иссякла,
а розы по-прежнему свежи,
еще приключается всякое,
хотя уже реже и реже.

*Д*о поры, что востребую их,
воплощая в достойных словах,
много мыслей и шуток моих
содержу я в чужих головах.

*В*се дружно и России возäели глаза
и в Божье поверили чудо,
и пылко целует теперь образа
повсюдный вчерашний Иуда.

*П*олистал я его откровения
и подумал, захлопнув обложку,
что в источник его вдохновения
музы бросили дохлую кошку.

Я щедро тешил плоть,
но дух был верен чести;
храни его, Господь,
в сухом и теплом месте.

*В*чера ходил на пир к знакомым;
их дом уютен, как кровать;
но трудно долго почивать,
когда не спится насекомым.

*Г*осподь, услышав жалобы мои,
подумал, как избыть мою беду,
и стали петь о страсти соловьи
в осеннем неприкаянном саду.

*Ч*исто чувственно мной замечено,
как незримо для наблюдения
к нам является в сумрак вечера
муза легкого поведения.

И жизнь моя не в тупике,
и дух еще отзывчив к чувству,
пока стакан держу в руке,
а вилкой трогаю капусту.

*В*ся наша склонность к оптимизму —
от неспособности представить,
какого рода завтра клизму
судьба решила нам поставить.

У писательского круга —
вековечные привычки:
все цитируют друг друга,
не используя кавычки.

Я жизнь мою прошел пешком,
и был карман мой пуст,
но метил я в пути стишком
любой дорожный куст.

*Б*лажен, кто истов и суров,
творя свою бурду,
кто издает могучий рев
на холостом ходу.

*Е*вреи всходят там,
где их не сеяли,
цветут и колосятся
где не просят,
растут из
непосаженного семени
и всюду
безобразно плодоносят.

*К*огда по пьянке все двоится,
опасно дальше наливать,
и может лишняя девица
легко проникнуть на кровать.

*М*ир хотя загадок полон,
есть ключи для всех дверей;
если в ком сомненья, кто он,
то, конечно, он еврей.

*Н*есложен мой актерский норов:
ловя из зала волны смеха,
я торжествую, как Суворов,
когда он с Альп на жопе съехал.

*В*иновен в этом или космос,
или научный беспредел:
несовращеннолетний возраст
весьма у дев помолодел.

Молчу, скрываюсь и таю,
чтоб даже искрой откровения
не вызвать пенную струю
из брюк общественного мнения.

Я к вам бы, милая, приник
со страстью неумышленной,
но вы, мне кажется, — родник
воды весьма промышленной.

Дожрав до крошки, хрюкнув сыто
и перейдя в режим лежания,
свинья всегда бранит корыто
за бездуховность содержания.

Где все сидят, ругая власть,
а после спят от утомления,
никак не может не упасть
доход на тушу населения.

Однажды фуфло полюбило туфту
с роскошной и пышной фигурой,
фуфло повалило туфту на тахту
и занялось пылкой халтурой.

*З*ачем печалиться напрасно,
словами горестно шурша?
У толстых тоже очень часто
бывает тонкая душа.

*Н*е видел я нигде в печати,
но это знают все студенты:
про непорочное зачатие
миф сочинили импотенты.

*Д*умаю об этом без конца,
наглый неотесанный ублюдок:
если мы — подобие Творца,
то у Бога должен быть желудок.

В годы, что прослыли беззаботными
(время только начало свой бег),
ангелы потрахались с животными —
вышел первобытный человек.

*У*же давно мы не атлеты,
и плоть полнеет оголтело,
теперь некрупные предметы
я ловко прячу в складках тела.

𝒟ержусь ничуть не победительно,
весьма беспафосно звучу,
меня при встрече снисходительно
ублюдки треплют по плечу.

𝓑 немыслимом количестве томов
мусолится одна и та же шутка —
что связано брожение умов
с бурчанием народного желудка.

𝓜оя пожизненная аура
перед утечкой из пространства
в неделю похорон и траура
пронижет воздух духом пьянства.

𝓑сему учился между прочим,
но знаю слов я курс обменный,
и собеседник я не очень,
но соболтатель я отменный.

𝒳отя везде пространство есть,
но от себя нам не убресть.

𝓑едь любой от восторга дурея,
сам упал бы в кольцо твоих рук —
что ж ты жадно глядишь на еврея
в стороне от веселых подруг?

*К*онечно, всюду ложь и фальшь,
тоска, абсурд и бред,
но к водке рубят сельдь на фарш,
а к мясу — винегрет.

*В*сякий нес ко мне боль и занозы,
кто судьбе проигрался в рулетку,
и весьма крокодиловы слезы
о мою осушались жилетку.

*В*ремя тянется уныло,
но меняться не устало:
раньше все мерзее было,
а теперь — мерзее стало.

*К*то книжно, а кто по наитию,
но с чувством неясного страха
однажды приходишь к открытию
сообщества духа и паха.

*И*деей тонкой и заветной
богат мой разум проницательный:
страсть не бывает безответной —
ответ бывает отрицательный.

*Б*урлит российский передел,
кипят азарт и спесь,
а кто сажал и кто сидел —
уже неважно здесь.

*К*огда близка пора маразма,
как говорил мудрец Эразм,
любое бегство от соблазна
есть больший грех,
чем сам соблазн.

*П*лачет баба потому,
что увяло тело,
а давала не тому,
под кого хотела.

*Х*удожнику дано благословлять —
не более того, хоть и не менее,
а если не художник он, а блядь,
то блядство и его благословение.

Я храню душевное спокойствие,
ибо все, что больно,
то нормально,
а любое наше удовольствие —
либо вредно, либо аморально.

*Ж*ила была на свете дева,
и было дел у ней немало:
что на себя она надела,
потом везде она снимала.

*Л*юдей давно уже делю —
по слову, тону, жесту, взгляду —
на тех, кому я сам налью,
и тех, с кем рядом пить не сяду.

Я живу в тишине и покое,
стал отшельник, монах и бирюк,
но на улицах вижу такое,
что душа моя рвется из брюк.

*М*ир совершенствуется так —
не по годам, а по неделям, —
что мелкотравчатый бардак
большим становится борделем.

*Р*азгул наук сейчас таков,
что зуд ученого азарта
вот-вот наладит мужиков
рожать детей восьмого марта.

*С*тарение — тяжкое бедствие,
к закату умнееют мужчины,
но пакостно мне это следствие
от пакостной этой причины.

Я думаю украдкой и тайком,
насколько легче жить на склоне лет,
и спать как хорошо со стариком:
и вроде бы он есть, и вроде нет.

*З*а глину, что вместе месили,
за долю в убогом куске
подвержен еврей из России
тяжелой славянской тоске.

*У*грюмо замыкаюсь я, когда
напившаяся нелюдь и ублюдки
мне дружбу предлагают навсегда
и души облегчают, как желудки.

*К*уражится в мозгу моем вино
в извилинах обоих полушарий,
здоровье для того нам и дано,
чтоб мы его со вкусом разрушали.

*К*онечно, это горестно и грустно,
однако это факты говорят:
евреи правят миром так искусно,
что сами себе пакости творят.

*Х*арактер мира — символический,
но как мы смыслы ни толкуй,
а символ истинно фаллический
и безусловный — только хуй.

*Н*е зря читал я книги,
дух мой рос,
дает сейчас мой разум безразмерный
на самый заковыристый вопрос —
ответ молниеносный и неверный.

*С*овершенно обычных детей
мы с женой, слава богу, родители,
пролагателей новых путей
пусть рожают и терпят любители.

В обед я рюмку водки пью под суп,
и к ночи — до бровей уже налит,
а те, кто на меня имеет зуб,
гадают, почему он так болит.

*Н*а некоторой стадии подпития
все видитсяясней, и потому
становятся понятными события,
загадочные трезвому уму.

*Ф*инал кино: стоит кольцом
десяток близких над мужчиной,
а я меж них лежу с лицом,
чуть опечаленным кончиной.

*П*олитики весьма, конечно, разны,
и разные блины они пекут,
но пахнут одинаково миазмы,
которые из кухонь их текут.

В российской оперетте
исторической
теперь уже боюсь я не солистов,
а слипшихся слюной
патриотической
хористов и проснувшихся статистов.

*П*одумав, я бываю поражен,
какие фраера мы и пижоны:
ведь как бы мы любили наших жен,
когда б они чужие были жены!

*Г*осподь безжалостно свиреп,
но стихотворцам, если нищи,
дает перо, вино и хлеб,
а ближе к ночи девок ищет.

Я не пророк, не жрец, не воин,
однако есть во мне харизма,
и за беспечность я достоин
апостольства от похуизма.

*С*тарик не просто жить устал,
но более того:
ему воздвигли пьедестал —
он ебнулся с него.

*З*аметил я порок врожденный
у многих творческих людей:
кипит их разум поврежденный
от явно свихнутых идей.

Я принес из синагоги
вечной мудрости слова:
если на ночь вымыть ноги,
утром чище голова.

*Е*шьте много, ешьте мало,
но являйте гуманизм
и не суйте что попало
в безответный организм.

*В*есьма, конечно, старость ощутима,
но ценным я рецептом обеспечен:
изношенной душе необходима
поливка алкоголем каждый вечер.

*К*ипят амбиции, апломбы,
пекутся пакты и процессы,
и тихо-тихо всюду бомбы
лежат, как спящие принцессы.

*П*ока течет и длится срок,
меняя краски увядания,
мой незначительный мирок
мне интересней мироздания.

*П*овсюду, где случалось поселиться —
а были очень разные места, —
встречал я одинаковые лица,
их явно Бог лепил, когда устал.

*Т*олько что вставая с четверенек,
мы уже кусаем удила,
многие готовы ради денег
делать даже добрые дела.

*П*ро подлинно серьезные утраты
жалеть имеют право лишь кастраты.

*Н*е зря из мужиков сочится стон
и жалобы, что жребий их жесток:
застенчивый досвадебный бутон
в махровый распускается цветок.

*И*ща свой мир в себе, а не вовне,
чуть менее полощешься в гавне.

*Д*авно про эту знал беду
мой дух молчащий:
весна бывает раз в году,
а осень — чаще.

*Н*е раз наблюдал я,
как быстро девица,
когда уже нету одежды на ней,
от Божьего ока спеша заслониться,
свою наготу прикрывает моей.

*К*огда от тепла диктатуры
эпоха кишит саранчой,
бумажные стены культуры
горят или пахнут мочой.

*Д*орога к совершенству нелегка,
и нет у просветления предела;
пойду-ка я приму еще пивка,
оно уже вполне захолодело.

*Ц*веты на полянах обильней растут
и сохнут от горя враги,
когда мы играем совместный этюд
в четыре руки и ноги.

*Н*а выставках тешится публика
высокой эстетикой разницы,
смакуя, что дырка от бублика —
иная, чем дырка от задницы.

*З*ачем
толпимся мы у винной бочки?
Затем,
чтоб не пропасть поодиночке.

*Н*ет, на бегство я не уповал,
цепи я не рвал, не грыз, не резал,
я чихал на цепи и плевал,
и проела ржавчина железо.

А верю я всему покамест:
наступит светлая пора,
детей в семью приносит аист,
вожди желают нам добра.

*П*окоем и бездельем дорожа,
стремлюсь, чтоб суета текла не густо,
к тому же голова тогда свежа,
как только что политая капуста.

*П*ускай витийствует припадочно
любой, кто мыслями томим,
а у меня ума достаточно,
чтоб я не пользовался им.

О мраке разговор
или лазури,
в какие кружева
любовь ни кутай,
но женщина,
когда ее разули —
значительно
податливей обутой.

А жалко мне, что я не генерал
с душою, как незыблемый гранит,
я столько бы сражений проиграл,
что стал бы легендарно знаменит.

*С*валился мне на голову кирпич,
я думаю о нем без осуждения:
он, жертвуя собой, хотел постичь
эстетику свободного падения.

*К*акого и когда бы ни спросили
оракула о будущем России,
то самый выдающийся оракул
невнятно бормотал и тихо плакал.

*В*серьез меня волнует лишь угроза —
подумаю, мороз бежит по коже, —
что я из-за растущего склероза
начну давать советы молодежи.

*С*корби наши часто безобразны,
как у нищих жуликов — их язвы.

*С*егодня только темный истукан,
изваянный из камня-монолита,
отвергнет предлагаемый стакан,
в который благодать уже налита.

*Д*урная получилась нынче ночь:
не спится, тянет выпить и в дорогу;
а Божий мир улучшить я не прочь,
но как — совсем не знаю, слава богу.

Я лягу в землю плотью смертной,
уже недвижной и немой,
и тени дев толпой несметной
бесплотный дух облепят мой.

*Г*рядущий век пойдет научно,
я б не хотел попасть туда:
нас раньше делали поштучно,
а там — начнут растить стада.

*Л*ивною пенистой тропой
с душевной близостью к дивану
не опускаешься в запой,
а погружаешься в нирвану.

Я все же очень дикий гусь:
мои устои эфемерны —
душой к дурному я влекусь,
а плотью — тихо жажду скверны.

*Н*е знаю, как по Божьей смете
должна сгореть моя спираль,
но я бы выбрал датой смерти
число тридцатое, февраль.

*Р*аскидывать чернуху на тусовке
идут уже другие, как на танцы,
и девок в разноцветной расфасовке
уводят эти юные засранцы.

*С*ев тяжело, недвижно, прочно,
куда-то я смотрю вперед;
задумчив утром так же точно
мой пес, когда на травку срет.

*В*езде в чаду торгового угара
всяк вертится при деле,
им любимом,
былые короли гавна и пара
теперь торгуют воздухом и дымом.

*С*традал я легким, но пороком,
живя с ним годы беспечальные:
я очень склонен ненароком
упасть в объятия случайные.

Сейчас пойду на именины,
явлю к напиткам интерес
и с ломтем жареной свинины
я пообщаюсь наотрез.

Навряд ли в Божий план входило,
чтобы незрячих вел мудила.

Поэтессы в любви прихотливы
и не всем раскрывают объятья,
норовя про плакучие ивы
почитать, вылезая из платья.

Кто без страха
с реальностью дружит,
тот о ней достовернее судит:
раньше было значительно хуже,
но значительно лучше, чем будет.

Книжек ветхих
любезно мне чтение,
шел по жизни
путем я проторенным,
даже девкам весь век предпочтение
отдавал я уже откупоренным.

*М*еня оттуда съехать попросили,
но я — сосуд российского сознания
и часто вспоминаю о России,
намазывая маслом хлеб изгнания.

*Н*е ждешь,
а из-за кромки горизонта —
играющей судьбы заначка свежая —
тебе навстречу нимфа, амазонка,
наяда или просто блядь проезжая.

Я безрадостный слышу мотив,
у меня обольщения нет,
ибо серость, сольясь в коллектив,
обретает коричневый цвет.

*П*рикинутого фраера типаж
повсюду украшает наш пейзаж,
он даже если только в неглиже,
то яйца у него — от Фаберже.

*Д*ешевыми дымили папиросами,
вольтерами себя не объявляли,
но в женщине с культурными запросами
немедля и легко их утоляли.

Разум по ночам —
в коротком отпуске,
именно отсюда наши отпрыски,
и текут потоки малолеток —
следствие непринятых таблеток.

Загадка, заключенная в секрете,
жужжит во мне, как дикая пчела:
зачем-то лишь у нас на белом свете
сегодня наступает со вчера.

Я с утра томлюсь в неясной панике,
маясь от тоски и беспокойства —
словно засорилось что-то в кранике,
капающем сок самодовольства.

Приличий зоркие блюстители,
цензуры нравов почитатели —
мои первейшие хулители,
мои заядлые читатели.

Вкусил я достаточно света,
чтоб кануть в навечную тьму,
я в Бога не верю, и это
прекрасно известно Ему.

$\mathcal{U}$еловек, который многое себе позволяет...

Вместо послесловия

$\mathcal{N}$исать о книге Игоря Губермана — примерно то же, что браться объяснять достоинства «Джоконды», — и в том и в другом случае все все и без тебя знают.

И в том и в другом случае слава «предмета» такова, что нужно либо садиться за многостраничный труд, «взрывая пласты эпохи», либо ограничиться строчкой подписи, что-то вроде «здесь лежит Суворов».

Но поскольку — на долгие годы — Губерман, в отличие от Суворова или автора «Джоконды», здравствует, я не могу упустить случай высказать все, что о нем думаю.

А думаю я, что он — Игорь Губерман — многое себе позволяет. Возникало ли у вас когда-нибудь странное чувство, что не вы читаете тот или иной текст, а он, текст, читает вас, причем видит насквозь? И невзначай — весьма ехидно — как бы приглашает вас заглянуть в самую сердцевину: сути вопроса, собственной души, собственной жизни, собственного народа, эпохи... И вот ты заглядываешь, а там...

> С народной мудростью в ладу,
> и мой уверен грустный разум,
> что, как ни мой дыру в заду,
> она никак не станет глазом.

Обладая, как никто, талантом сформулировать суть идеи в двух строках, да так, что ее, словно лозунг, хоть сейчас бросай в толпу и веди эту толпу куда захочешь, Губерман позволяет себе с необыкновенной ловкостью уходить от роли пророка, отшутиться в последний момент, когда его же собственные нешуточные строки «к священной жертве» требуют.

Он позволяет себе многое — от главного до пустяков.

К главному я отношу, например, мужество выдержать очную ставку с собственным народом, умение пройти по этой тонкой проволоке, эквилибрируя между родственным умилительным всепрощением и неизбежным отвращением порядочного человека к тем безднам порока, от которых ни один народ, в том числе и наш, не свободен. Умение точно называть вещи своими именами и в то же время — не позволить и в малейшем задеть «персону народа» в том, в чем задевать непозволительно.

Так что, с одной стороны:

> Еврей везде еврею рад,
> в евреях зная толк,
> еврей еврею — друг и брат,
> а также — чек и долг.

А с другой стороны:

> Еще ни один полководец
> не мог даже вскользь прихвастнуть,
> что смял до конца мой народец,
> податливый силе, как ртуть.

Он многое себе позволяет — например, без конца выставлять себя не только в донельзя смешном (это кое-кто из авторов умеет), но даже в издевательски жалком (а этого никто, кроме него, не умеет) виде. Он, которому природа полной мерой отпустила все — от мгновенной реакции в беседе на любую тему и блистательного остроумия до редкостной улыбки и чисто мужского обаяния, — не устает в своих «гариках» выставлять себя старым еврейским маразматиком, давно забывшим, с какой стороны подходят к дамам.

> К любви я охладел не из-за лени,
> и к даме попадая ночью в дом,
> упасть еще готов я на колени,
> но встать уже с колен могу с трудом.

Или:

> Душой и телом охладев,
> я погасил мою жаровню:
> еще смотрю на нежных дев,
> а для чего — уже не помню.

Конечно, это литературный прием. Но я не помню другого случая, когда бы поэт с саркастической ухмылкой делал из своего лирического героя старого импотента. Такого себе не позволяли ни Хармс, ни Олейников, ни Саша Черный.

А Губерман позволяет...

...Не секрет, что все мы, люди пишущие, «завязаны» на своих читателях. Даже самые независимые из нас, пройдя огонь и воду противостояния советским литературным властям, порой не выдерживают медных труб славы и любви читателей и в своем творчестве идут на поводу читательских вкусов. Особенно часто это бывает в том случае, когда автор по роду жанра, в котором работает, выступает перед читателями, а значит, все время чувствует малейшее изменение их реакции, их отношения к тому, что пишет... Многие, слишком многие начинают «буксовать», ведь средний, «широкий» читатель в своих вкусах консервативен, он, как правило, продолжает любить то, что полюбил много лет назад. И вот это противостояние, эти «любовные» взаимоотношения художника и толпы редко кто из пишущих выдерживает без потерь для своего творческого «я».

Однажды я присутствовала на одном из выступлений Игоря Губермана. По странному стечению обстоятельств больше половины слушателей в тот день оказались людьми почтенного возраста.

— Черт, — пробормотал Игорь, из-за кулис оглядывая публику, — одни пенсионеры. А я тут матерных стишков наготовил. Придется менять программу...

Вечер начался. Публика, как пишут обычно, «встретила поэта восторженными рукоплесканиями». Губерман начал читать стихи...

И вдруг, как бы в качестве отступления, заговорил об использовании поэтами в стихах ненормативной лексики, о традиции в этой области русской литературы, о Баркове, о «Луке Мудищеве»...

Честно говоря, я похолодела, представляя, что сейчас придется услышать пенсионерам. А он уже читал, начав с «легкой разминки», постепенно пуская в ход и «тяжелую артиллерию». И я поняла: он действительно изменил программу, но лишь перетасовав ее, постепенно подготавливая неподготовленного слушателя... И, знаете, — прошло!

И смеялись, иногда конфузливо, и благодарно хлопали. Это было удачное выступление. Правда, потом в фойе ко мне подошел знакомый старичок, человек нешуточных устоев.

— Знаете, — сказал он, сурово глядя на меня сквозь стекла очков, — он, конечно, очень талантливый человек... Но все эти слова!.. Ведь он не брезгует и нижними частями тела! И женскими, женскими — тоже!

Я горестно покивала, боясь расхохотаться. Ну что ж, подумала я тогда, поэт потерял любовь одного из читателей. Такое бывает. Но он остался верен самому себе. Может быть, потому, что многое себе позволяет.

В человеческих отношениях его отличает такая внутренняя свобода, что многие, кому приходится соприкасаться с ним, не в силах этой свободы ему простить. Ведь мало кто может позволить себе жить так, как хочется. А Губерман позволяет. Он, который постоянно хлопочет о судьбе рукописи какого-нибудь очередного старого лагерника, устраивает благотворительный вечер, чтобы помочь деньгами какой-нибудь российской старушке, чьей-то вдове, дочери, внучке, — он, который, ни минуты не трясясь над своим литературным именем, может написать предисловие к книжке начинающего и никому не известного поэта, — он позволяет себе игнорировать торжественные банкеты, премьеры, открытия, высокопоставленные тусовки, личное приглашение на вечер известного писателя.

— Да, он и меня пригласил, — заметил Игорь на мое сетование о том, что вот, мол, придется идти и терять вечер. — Но, к счастью, я в этот день страшно занят. Правда, еще не знаю чем...

Его талант обладает, помимо прочих, одним драгоценным качеством, за которое — я убеждена — многие его коллеги отдали бы свои, тяжким трудом высиженные тома: в четыре рифмованные строки он «утрамбовывает» основные постулаты философии жизни. И смерти. Оголенный смысл их вечного противоборства.

> В конце земного срока своего,
> готов уже в последнюю дорогу,
> я счастлив, что не должен ничего,
> нигде и никому. И даже Богу.

Многие почему-то сравнивают его с Омаром Хайямом. Я бы сравнила скорее с Франсуа Вийоном — по тому издевательскому прищуру, с каким и тот и другой оценивают жизнь.

> Живи, покуда жив. Среди потопа,
> которому вот-вот наступит срок,
> поверь — наверняка мелькнет и жопа,
> которую напрасно ты берег.

А вообще — я бы ни с кем его не сравнивала. Ведь все творчество этого поэта, вскормленное его судьбой, его тюрьмой, его сумой — от уничтожительно саркастических четверостиший до стихотворений подлинной лирической силы, — принадлежит не только и не столько литературе, сколько уже культурологии и даже социологии. И не только потому, что на его стихах выросло, по крайней мере, два поколения советской интеллигенции, но и потому, что из этих четверостиший, из этого многотемья и многообразия, как из осколков, складывается зеркало, из которого смотрит на нас художественное отражение эпохи. Эпохи, что служит фоном для жизни и творчества бесстрашного и свободного человека, который многое себе позволяет...

ДИНА РУБИНА

Литературно-художественное издание

Игорь Губерман

АНТОЛОГИЯ САТИРЫ И ЮМОРА РОССИИ XX ВЕКА

Том семнадцатый

Ответственный редактор *М. Яновская*
Художественный редактор *А. Мусин*
Технический редактор *Н. Носова*
Компьютерная верстка *Т. Комарова*
Корректор *Е. Королева*

ЗАО «Издательство «ЭКСМО-Пресс». Изд. лиц. № 065377 от 22.08.97.
125190, Москва, Ленинградский проспект, д. 80, корп. 16, подъезд 3.
Интернет/Home page — www.eksmo.ru
Электронная почта (E-mail) — info@ eksmo.ru
По вопросам размещения рекламы в книгах издательства «ЭКСМО»
обращаться в рекламное агентство «ЭКСМО». Тел. 234-38-00
Книга — почтой: **Книжный клуб «ЭКСМО»**
101000, Москва, а/я 333. E-mail: bookclub@ eksmo.ru
Оптовая торговля:
109472, Москва, ул. Академика Скрябина, д. 21, этаж 2
Тел./факс: (095) 378-84-74, 378-82-61, 745-89-16
E-mail: reception@eksmo-sale.ru
Мелкооптовая торговля:
117192, Москва, Мичуринский пр-т, д. 12/1
Тел./факс: (095) 932-74-71

ООО «Медиа группа «ЛОГОС». 103051, Москва, Цветной бульвар, 30, стр. 2
Единая справочная служба: (095) 974-21-31. E-mail: mgl@logosgroup.ru
contact@logosgroup.ru

ООО «КИФ «ДАКС». Губернская книжная ярмарка.
М. о. г. Люберцы, ул. Волковская, 67.
т. 554-51-51 доб. 126, 554-30-02 доб. 126.

Книжный магазин издательства «ЭКСМО»
Москва, ул. Маршала Бирюзова, 17 (рядом с м. «Октябрьское Поле»).

Сеть магазинов «Книжный Клуб СНАРК» представляет
самый широкий ассортимент книг издательства «ЭКСМО».
Информация в Санкт-Петербурге по тел. 050.

Всегда в ассортименте новинки издательства «ЭКСМО-Пресс»:
ТД «Библио-Глобус», ТД «Москва», ТД «Молодая гвардия»,
«Московский дом книги», «Дом книги на ВДНХ»

ТОО «Дом книги в Медведково». Тел.: 476-16-90
Москва, Заревый пр-д, д. 12 (рядом с м. «Медведково»)

ООО «Фирма «Книинком». Тел.: 177-19-86
Москва, Волгоградский пр-т, д. 78/1 (рядом с м. «Кузьминки»)

ООО «ПРЕСБУРГ», «Магазин на Ладожской». Тел.: 267-03-01(02)
Москва, ул. Ладожская, д. 8 (рядом с м. «Бауманская»)

Подписано в печать с готовых монтажей 12.04.2002.
Формат 84×108 ^{1}/$_{32}$. Гарнитура «Букмен». Печать офсетная.
Усл. печ. л. 29,4+вкл.
Доп. тираж 5000 экз. Заказ 1893.

ОАО «Тверской полиграфический комбинат».
170024, г. Тверь, пр-т Ленина, 5.

ISBN 5-04-088115-0

9 785040 881154 >

23/IX-2000г.

Милый Юра привет!

Я честно составил сборник.
Пишу тебе его монтаж:

1. Цикл "Обгусевшие лебеди"
(это синяя книжка без
супера – там, где "Камерные
гарики". Стр. 7-22.

2. Из книги "Гарики на каждый день"
Всё отмечено галочками. Хочешь —
добавь, хочешь — убавь.

3. Из книги "Тюремный дневник"
(та же синяя книжка —
стр. 23-70. Отмечено галочками.

4. Из книги "Сибирский дневник"
(та же синяя книжка —
стр. 273-328 – отмечено
галочками)

5. Из книги "Московский дневник"
(там же – стр. 329-361 –
– отмечено галочками.

6. Из книги "Гарики из Иерусалима" –
– красная книжка, всё отмечено.
Там – 3 дневника.

7. Из книги "Закатные гарики" –
– всё отмечено.

Если тебе покажется уместным
вставить ещё кусок прозы, то возьми

23/IX-2000 г.

Милый

Я честно соо

пишу тебе е

1. Цикл „Обгу

(это синяя

сумера – там,

гарики". Стр.

2. Из книги „Гари

Всё отмечен

добавь, хочешь –

3. Из книги „Тюре

(та же синяя

…о 23-70